BEAUMARCHAIS

(d'après Hopwood)

VIES DES HOMMES ILLUSTRES — N° 17

LA VIE DE

BEAUMARCHAIS

par

RENÉ DALSÈME

Une réputation détestable...
— Et si je vaux mieux qu'elle ?
LE MARIAGE DE FIGARO. III. 5.

nrf

3e édition

LIBRAIRIE GALLIMARD
PARIS 3, rue de Grenelle 1928

IL A ÉTÉ TIRÉ DE LA PRÉSENTE ÉDITION TROIS CENT SOIXANTE-SIX EXEMPLAIRES SUR VÉLIN PUR FIL DES PAPETERIES LAFUMA-NAVARRE, DONT SEIZE EXEMPLAIRES HORS COMMERCE MARQUÉS DE a A P ET TROIS CENT CINQUANTE EXEMPLAIRES NUMÉROTÉS DE 1 A 350, VINGT-DEUX EXEMPLAIRES SUR JAPON IMPÉRIAL DONT VINGT ET UN EXEMPLAIRES MARQUÉS DE A A U ET UN EXEMPLAIRE HORS COMMERCE MARQUÉ HC. A

CHAPITRE PREMIER

> « Ma jeunesse, si gaie, si folle, si heureuse ».
>
> BEAUMARCHAIS.

Quatre heures après midi, un beau dimanche de printemps, en l'an de grâce 1744.

Dans Paris ensoleillé, l'on se promène. Petits bourgeois et artisans, vêtus de façon plus ou moins cossue, arpentent les avenues des Tuileries, habillés les uns uns d'étoffes chamarrées, les autres de velours noir, tandis que les élégantes, sous leur ombrelle précoce, s'éventent gracieusement.

Et pourtant des gens restent chez eux : de ceux-là est la famille de l'horloger Caron qui tient boutique rue Saint-Denis et y habite une petite maison à crépi jaunâtre; au rez-de-chaussée, sur la rue, l'atelier de maître André Caron, horloger du roi, prend le jour par une porte à petits carreaux, et un vitrail à mi-hauteur, devant l'établi. La façade arquée au niveau du premier étage laisse voir, derrière les fenêtres curvilignes, un grand lit à ciel et baldaquin d'un bleu fané ; sur la cour donnent la salle commune et l'office, et au-dessus se trouvent les petits réduits qui servent de chambres aux enfants ; ils sont encore cinq à vivre là, quatre filles dont l'aînée Lisette a quinze ans ; la seconde Fanchon en a douze, la plus jeune, Tonton cinq, et l'intermédiaire, Julie, qu'on nomme par antiphrase la Bécasse, a neuf ans, et donne à sa famille presque autant de fil à retordre que son illustre frère ; ce frère, c'est Pierre, Pierrot, douze ans, le seul héritier masculin de l'horloger qui nourrit un faible pour lui, mais se garde d'en rien montrer ; et puis il y a la sœur aînée, la Grande, comme on l'appelle, Marie-Josèphe, mariée tout récemment à un jeune architecte : Pierre la nomme irrespectueusement Guilbert, tout court, du nom de son mari.

Dans une courette derrière la maison, cinq ou six enfants jouent bruyamment, criant et courant, entrent d'un bond joyeux dans le logis et en ressortent vivement. le rire aux lèvres, poursuivis par Margot la cuisinière dont ils ont vainement tenté de dévaliser l'office. Monsieur Pierre répond à la matrone menaçante par une pirouette et un pied de nez, tandis que Fanchon, la Bécasse et Tonton, et les deux petits voisins, Jean et Toinon Datilly, rient et crient, battant des mains ; aussi bruyants les uns que les autres, ils sont dirigés par « Monsieur Pierre », joyeux luron plein d'astuce et d'audace, l'œil vif et malin, les cheveux en désordre, débraillé, meneur endiablé de la bande ; bref, un charmant galopin, qui rêve déjà de tout ce qui n'est pas de son âge.

« Ah vraiment Margot, on t'a dévalisée ? Fort bien, nous allons y mettre bon ordre. »

Se drapant dans la vaste cape paternelle, maître Pierre. avec un air majestueux, s'avance dans la cour, manquant à chaque pas de tomber tant la cape embarrasse sa marche :

« Messieurs, la Cour ! »

Et les petits camarades et les deux petites

sœurs ôtent leur bonnet, pouffant de rire devant ce grave Bridoison, qui va s'asseoir sur une borne dans un coin de la cour. S'étant commodément installé, le digne juge donne une lecture bouffonne et imaginaire des pièces fondamentales du procès. Et l'interrogatoire commence : les plaidoiries implorantes ou grotesques se succèdent devant l'impassible maître Pierre qui rend son verdict comme Madame Pernelle, distribuant à tort et à travers de terribles sanctions. « Toi, Janot, recevras dix coups de bâton sur la plante des pieds pour avoir fait un civet du corps de Gris-Minet, chat attitré et pensionnaire de la Bécasse (drôle de ménage !). La Bécasse, pour avoir laissé sortir Gris-Minet son pensionnaire après le couvre-feu est condamnée aux frais funéraires ; les témoins devront payer trois deniers d'amende pour avoir manqué de respect au juge, ci-devant Bridoison, Président la Cour Saint-Denis ; nous condamnons aux frais concurremment les prévenus Janot Datilly et ma sœur Julie Caron, Julie Macaron, non,... je me trompe,... tant pis ! ». Et l'audience finissait dans les hurlements des plaideurs mécontents, des condamnés furieux, et du juge tonitruant qui devait se faire un chemin à grands coups de poings parmi ses auditeurs.

*
* *

Le soir après dîner, le jeune polisson s'échappait de la petite salle-à-manger où les chandelles s'éteignaient l'une après l'autre, fondues du haut en bas : il savait que, quand la dernière des quatre finissait, c'était pour lui l'heure de se coucher ; il préférait s'enfuir par la porte basse de la cour ou par la porte vitrée de la boutique de son horloger de père, et courir rejoindre les vauriens dont le grand amusement à cette heure était d'aller hurler dans toutes les rues alentour, ou frapper aux marteaux des portes pour ameuter le quartier, et s'entendre menaçer du guet ou simplement d'un coup de pied quelque part.

Dans la maison, les personnes sérieuses de la famille occupent de manière plus intellectuelle leurs loisirs : l'on joue de la musique, puis l'on chante, ensuite l'on versifie, et chacun, le nez en l'air et l'œil lointain, cherche son inspiration dans les taches du plafond ou sur la tenture du mur. Lions un peu connaissance avec les membres de cette intéressante famille : il y a là maître André Caron, horloger de Sa Majesté ; c'est un grand homme maigre à la physionomie fine et ouverte ; sa femme, qui fait de la tapisserie ; la seconde fille, Marie-Louise, qu'on appelle Lisette, et Marie-Josèphe, avec son mari.

Cette modeste famille a des goûts artistiques et des aspirations spirituelles que l'horloger possédait naturellement et dont il a donné le penchant à ses enfants. Seule sa femme manque d'enthousiasme : elle aime bien entendre ses filles chanter les chœurs de Bach ou de Haëndel, elle s'amuse de les voir rivaliser d'ardeur avec leur père dans le recherche des rimes riches, mais cette excellente personne, d'esprit assez ordinaire, préfère ses travaux de couture. Très pieuse, elle veille avec soin à l'éducation religieuse de son fils unique, qui y répugne d'ailleurs. En vain la mère le prêche : enfant terrible, d'une intelligence générale très prompte, très bien doué musicalement, Monsieur Pierre manque de goût pour le catéchisme, et c'est en regimbant qu'il s'exécute quand il faut chaque dimanche, de bon matin, s'en aller à la messe, à Sainte-Catherine.

Le futur grand homme, quoique fort turbulent, est un penseur ; esprit bouillonnant, en effervescence perpétuelle, plein d'imagination, il la laisse s'exercer librement autant qu'il le peut, et il n'aime guère la contrainte et les obligations que lui imposent le culte. Dans le petit collège où son père l'a mis en pension, Pierre ne travaille guère et cependant, grâce à son étonnante facilité, il obtient des notes qui lui permettent de ne pas être puni. Mais en classe il « chahute », et à l'étude il griffonne de la musique, ou bien il pense au dimanche passé, à celui qui vient, et aux folles parties qui auront occupé l'un et l'autre. Il songe au départ prochain de ses deux sœurs aînées et de Guilbert pour Madrid, à la première communion qui approche, et qu'il envisage comme une agréable corvée.

Les jours de sortie, il passe le plus souvent son après-midi à Vincennes chez un vieux moine du Couvent des Minimes, à qui sa famille l'a confié pour le diriger, et qui termine d'ordinaire ses sermons par un excellent goûter : argument des plus sensibles pour notre jeune homme, et qui laisse en lui plus de souvenirs que la bonne parole du prêtre. Il y a aussi dans ce couvent une très vieille toile, un *Jugement Dernier* imposant que Pierre passe de longs moments à regarder : les bons, les mauvais ; toute la vie est là : « Je serai parmi les élus, n'est-ce pas, mon Père ? » interroge-t-il, les yeux brillants. Et le vieux moine de lui répondre en souriant doucement : « Oui, mon fils, si vous n'êtes ni orgueilleux, ni avare, ni curieux, ni luxurieux, ni gourmand, ni paresseux, ni colère. Car ce sont... ? — Les sept péchés capitaux... »

La communion eut lieu au mois de juin ; puis vinrent les joyeuses vacances que Pierre occupait en courses vagabondes à travers Paris, en promenades folâtres dans les bois de Bellevue ou de Saint-Cloud avec ses sœurs. Le frileux mois d'octobre renvoya le jeune sauvage dans son petit collège. Et, pendant qu'il paressait, le père Caron, derrière ses vitrages, montait ses montres, astiquait les rouages, et usait ses yeux.

Les affaires ne marchèrent pas cet hiver-là, et au printemps le père rappela son garçon auprès de lui pour l'aider : l'enfant coûtait trop cher pour ce qu'il faisait.

Monsieur Pierre se mit à l'horlogerie, ne montrant pas beaucoup d'ardeur à « mesurer le temps », comme il dira plus tard. C'était un piètre apprenti que ce gamin dont l'imagination trottait, trottait toujours, sur les hauteurs de la portée musicale ou parmi le fatras littéraire qu'il avait emmagasiné tant bien que mal. Il avait en tête des idées polissonnes, des drôleries puériles, des rêves ambitieux de Perrette, des aspirations d'homme fait qui lui donnaient une allure d'esprit bizarre, mélange d'enfantillage et de sérieux auquel son père, huguenot converti, homme tout ensemble austère et plaisant, simple et solennel, calme et raisonnable avant tout, ne comprenait rien et dont il s'inquiétait un peu. A ses deux aînées parties pour l'Espagne avec l'architecte Guilbert, le jeune fantasque envoya un jour — il avait 13 ans — cette épitre saugrenue qui montre tout à la fois la capacité et le désordre organisé de son intelligence :

Dame Guilbert et compagnie,
J'ai reçu la lettre polie
Qui par vous me fut adressée,
Et je me sens l'âme pressée

D'une telle reconnaissance
Qu'en Espagne tout comme en France
Je vous aime de tout mon cœur
Et tiens à très grand honneur
D'être votre ami, votre frère ;
Songez à moi, à la prière.

Votre lettre m'a fait un plaisir infini et m'a tiré d'une mélancolie sombre qui m'obsédait depuis quelque temps, me rendait la vie à charge, et me fait vous dire avec vérité

Que souvent il me prend envie
D'aller au bout de l'univers,
Éloigné des hommes pervers,
Passer le reste de ma vie !

Mais les nouvelles que j'ai reçues de vous commencent à jeter un peu de clair dans ma misanthropie ; en m'égayant l'esprit, le style aisé et amusant de Lisette change mon humeur noire insensiblement en douce langueur ; de sorte que, sans perdre l'idée de ma retraite, il me semble qu'un compagnon de sexe différent ne laisserait pas de répandre des charmes dans ma vie privée.

A ce projet, l'esprit se monte
Le cœur y trouve aussi son compte,
Et, dans ses châteaux en Espagne,
Voudrait avoir gente compagne
Qui joignît à mille agréments
De l'esprit et des traits charmants ;
Beau corsage à couleur d'ivoire,
De ses yeux sûrs de leur victoire,
Tels qu'on en voit en toi, Guilbert.
Je lui voudrais cet air ouvert,
Cette taille fine et bien faite
Qu'on remarque dans la Lisette ;
Je lui voudrais de plus la fraîcheur de Fanchon
Car, comme vous le savez, quand on prend du galon...

Cependant, de crainte que vous ne me reprochiez d'avoir le goût trop charnel, et de négliger pour des beautés passagères les agréments solides, j'ajouterai que

Je voudrais qu'avec tant de grâce
Elle eût l'esprit de la Bécasse.
Un certain goût pour la paresse
Qu'on reproche à Tonton sans cesse
A mon Iris siérait assez,
Dans mon réduit où, jamais occupés,
Nous passerions le jour à ne rien faire
La nuit à nous aimer, voilà notre ordinaire.

Mais quelle folie à moi de vous entretenir de mes rêveries ! Je ne sais si c'est à cause qu'elles font fortune chez vous que l'idée m'en est venue, et encore de rêveries qui regardent le sexe ! moi qui devrais détester tout ce qui porte cotillon ou cornette, pour tous les maux que l'espèce m'a faits ! Mais patience, me voici hors de leurs pattes ; le meilleur est de n'y jamais rentrer.

Tels sont les étonnants débuts poétiques de ce prototype de Chérubin. possédé avant tout d'un invincible besoin d'activité vagabonde et d'une vanité qu'on ne peut qualifier que d'énorme. Retrouvant cinquante ans plus tard cette lettre dans les papiers de sa sœur Julie morte peu avant, Beaumarchais s'excuse de la mauvaise qualité de ses vers et ajoute, expliquant sa mélancolie : « J'avais eu une folle amie qui se moquant de ma vive jeunesse venait de se marier. J'avais voulu me tuer ».

Sa fougue se trouvait mal de cette séance, des heures durant, sur un tabouret, et le père Caron avait grand'peine à le tenir. Paresseux, rêvassant devant l'établi, à écouter la gamme des tic-tac qui emplissait l'atelier, renforcée de loin en loin par le coup grave et prolongé d'une horloge comtoise, ou bien profitant de l'absence de son père pour aller se divertir auprès des servantes des hôtels voisins, après avoir soustrait à cet effet un ou deux louis de l'escarcelle paternelle, — il aimait déjà follement les femmes, — Pierre se faisait vertement réprimander par le patron, quand, rentrant de livrer ses montres, celui-ci constatait que le travail n'avait pas avancé. Et le garnement répondait avec insolence et méchanceté, déjà plein de cette ironie mordante qui lui fera tant d'ennemis plus tard, et qui sera l'une de ses armes préférées contre ses détracteurs.

*
* *

Un beau jour, après une scène plus violente que les autres, son père le chassa, ou plutôt feignit de le mettre à la porte ; des amis, les Peignon, prévenus, le recueillirent, et, après maintes supplications de sa mère, et un échange de lettres entre l'enfant prodigue et le père, il fut admis à réintégrer le bercail ; mais il dut prendre des engagements : voici ce que son père exigeait :

« 1° Vous ne ferez, ne vendrez, ne ferez rien faire ni vendre, directement ou indirectement, qui ne soit pour mon compte, et vous ne succomberez plus à la tentation de vous approprier chez moi rien, absolument rien au-delà de ce que je vous donne !... vous ne vendrez pas même une vieille clef de montre sans m'en rendre compte.

« 2° Vous vous lèverez dans l'été à six heures, et dans l'hiver à sept ; vous travaillerez jusqu'au souper sans répugnance à tout ce que je vous donnerai à faire ; j'entends que vous n'employiez les talents que Dieu vous a donnés qu'à devenir célèbre dans votre profession...

« 3° Vous ne souperez plus en ville, ni ne sortirez plus les soirs : les soupers et les sorties vous sont trop dangereux ; mais je consens que vous alliez dîner chez vos amis les dimanches et fêtes, à condition que je saurai toujours chez qui vous irez, et que vous serez toujours rentré absolument avant neuf heures. Dès à présent, je vous exhorte même à ne me jamais demander de permission contraire à cet article, et je ne vous conseillerais pas de la prendre de vous-même.

« 4° Vous abandonnerez totalement votre malheureuse musique, et surtout la fréquentation des jeunes gens, je n'en souffrirai aucun. L'une et l'autre vous ont perdu. Cependant, par égard à votre faiblesse, je vous permets la viole et la flûte, mais à la condition expresse que vous n'en userez jamais que les après-soupers des jours ouvrables, et nullement dans la journée, et que ce sera sans interrompre le repos des voisins ni le mien.

« 5° Je vous éviterai le plus qu'il me sera possible les sorties, mais le cas arrivant où j'y serais obligé pour mes affaires, souvenez-vous bien surtout que je ne recevrai plus de mauvaises excuses sur les retards, vous savez d'avance combien cet article me révolte.

« 6° Je vous donnerai ma table et dix-huit livres par mois qui serviront à votre entretien, et pour acquitter petit à petit vos dettes. »

La leçon avait servi, Pierre devait rester à tout jamais un fils exemplaire par son respect et son affection.

Pendant trois ans, il apprit à faire des montres, en pensant à toutes sortes de choses, même à ce qu'il faisait : la mécanique l'intéresse tout à coup, et son père, assez ferré en la matière, la lui enseigne quelque temps. Pris d'un grand désir de perfectionner ses connaissances dans ce genre d'études, Pierre se fait prêter des livres par des amis de son père, l'horloger Lepaute en particulier, et passe, à la chandelle, dans sa mansarde de la rue Saint-Denis, le meilleur de ses nuits à des calculs compliqués, où il aime se lancer, si loin que cela puisse le mener. Il est plein d'une ardeur fougueuse, et dans tous ses actes passent cette bravoure opiniâtre, cette impétuosité, qui loin de se démentir par la suite, prendront au contraire, au contact des événements, une intensité extraordinaire.

Pendant la journée, aux côtés de son père, qui voit avec satisfaction l'intérêt croissant qu'il prend à son travail, Pierre répare des montres, assis sur son tabouret, derrière le vitrage à reflets verdâtres ; il trouve bien compliqué le mécanisme des toquantes, et rêve de le simplifier. Six mois plus tard, après une dernière nuit passée à vérifier ses calculs, il avait trouvé un nouveau système d'échappement pour les montres, beaucoup plus simple et robuste que l'ancien. Il en parle à son père : « Cela me paraît bien construit sur le papier, mon garçon, mais je ne peux vérifier tes calculs ; c'est trop fort pour moi. Justement Lepaute vient aujourd'hui, tu lui montreras ton ouvrage ».

Lepaute, que le père Caron connaissait depuis fort longtemps, était un des magnats de l'industrie horlogère d'alors. Il vint ce jour-là effectivement, et Pierre lui présenta son travail, refaisant rapidement certains calculs, et s'enquérant avec inquiétude auprès du maître s'il n'avait commis aucune faute de principe. Maître Lepaute, dont l'œil luisait étrangement, marmonnait, caressant son menton bien rasé et poudré : « Intéressant, très intéressant ! » Il posa son tricorne sur l'établi, attira un escabeau, dit à Pierre de s'installer à côté de lui, et l'invita à lui expliquer en détail tout son travail : Pierre s'exécuta. Lepaute se frottait les mains, et, en prenant congé, il dit au jeune homme : « Montez-moi donc une montre avec votre échappement, je viendrai la voir d'ici quelque temps, peut-être même vous demanderai-je la permission d'essayer votre invention pour une horloge que m'a commandée Monsieur de Julienne ; on verra ce que cela donnera ». Il revint bientôt ; Pierre avait fabriqué sa montre qui marchait admirablement, et était d'une grande simplicité de montage et de fonctionnement dans l'échappement : spectacle qui parut remplir d'aise l'illustre horloger.

Mais dix jours après, Lepaute présentait à l'Académie des Sciences « un nouvel échappement de pendule » et, par un article qu'il fit paraître dans le *Mercure* de septembre 1753, répandit le bruit qu'il avait trouvé un nouvel échappement d'horloges : il appliquait simplement à celles qu'il fabriquait l'ingénieuse simplification dont Pierre était le trop confiant auteur : « Le sieur Lepaute a présenté ces jours derniers à Sa Majesté une montre qu'il vient d'exécuter... Le mérite de cette pièce consiste principalement dans l'échappement... L'auteur y a adapté un échappement à repos mû par des chevilles qui tombent alternativement sur une ancre dont les deux leviers sont égaux et naturels... Il a de plus trouvé le moyen de supprimer entièrement la potence et contre-potence que l'on sait être composée de huit pièces, en plaçant l'un des pivots dans la platine des piliers et l'autre, à l'ordinaire, dans le coq... L'échappement se trouve exempt de renversements, d'accrochements et de battements etc. »

Un ami, qui avait lu l'article et était au courant des calculs de Pierre, le prévint ; le jeune artisan s'emporta, puis demanda conseil à son père qui l'engagea, malgré la réputation et l'influence de Lepaute, à se défendre. Pierre se rendit d'abord chez Lepaute auquel il demanda des explications ; le malin se borna à déclarer que son échappement n'avait rien de commun avec celui que Pierre lui avait présenté quelque temps auparavant, mais sans vouloir lui montrer le sien. Ne jugeant pas satisfaisantes ces bizarres explications, Pierre Caron se décida à expédier au *Mercure* la missive suivante :

« J'ai lu, Monsieur, avec le dernier étonnement, dans votre numéro de septembre 1753, que le sieur Lepaute, horloger au Luxembourg, y annonce comme de son invention un nouvel échappement de montres et de pendules qu'il dit avoir eu l'honneur de présenter au Roi et à l'Académie.

« Il m'importe trop, pour l'intérêt de la vérité et celui de ma réputation, de revendiquer l'invention de cette mécanique, pour garder le silence sur une telle infidélité.

« Il est vrai que, le 23 juillet dernier, dans la joie de ma découverte, j'eus la faiblesse de confier cet échappement au sieur Lepaute, pour en faire usage dans une pendule que M. de Julienne lui avait commandée et dont il m'assura que l'intérieur ne pourrait être examiné de personne, parce qu'il y adaptait le remontoir à vent qu'il avait imaginé, et que lui seul aurait la clé de cette pendule.

« Mais pouvais-je me persuader que le sieur Lepaute se mît jamais en devoir de s'approprier cet échappement, qu'on voit que je lui confiais sous le sceau du secret ?

« Je ne veux point surprendre le public, et mon intention n'est pas de le ranger de mon parti sur mon simple exposé; mais je le supplie instamment de ne pas accorder plus de créance au sieur Lepaute, jusqu'à ce que l'Académie ait prononcé entre nous deux, en décidant lequel est l'auteur du nouvel échappement. Le sieur Lepaute semble vouloir éluder tout éclaircissement en déclarant que son échappement, que je n'ai pas vu, ne ressemble en rien au mien ; mais, sur l'annonce qu'il en fait, je juge qu'il y est en tout conforme pour le principe, et si les commissaires que l'Académie nommera pour nous entendre contradictoirement y trouvent des différences, elles ne viendront que de quelques vices de construction qui aideront à déceler le plagiaire.

« Je ne mets au jour aucune de mes preuves ; il faut que nos commissaires les reçoivent dans leur première force ; ainsi, quoi qu'en dise ou écrive contre moi le sieur Lepaute, je garderai un profond silence jusqu'à ce que l'Académie soit éclairée et qu'elle ait prononcé.

« Le public judicieux voudra bien attendre ce moment ; j'espère cette grâce de son équité et de la protection qu'il donne aux arts. J'ose me flatter, Monsieur, que vous voudrez bien insérer cette lettre dans votre prochain journal.

« CARON fils, *horloger, rue Saint-Denis,*
près Sainte-Catherine.

« A Paris, le 15-11-1753 ».

Quelle brillante défense, quelle adroite réclame d'inventeur, de la part de ce garçon horloger sorti du collège à 13 ans !

Toujours dans le *Mercure*, Lepaute répond par une lettre où il oppose tout son crédit de grand industriel à l'insignifiance et à l'obscurité de son jeune rival, étalant, pour persuader tout à fait son public, un certificat signé d'un certain Chevalier de la Morlière et de trois Jésuites. Il répond « pendule » quand Caron lui parle « montres », et a beau jeu à déclarer que, la prétendue confidence de Pierre datant du 23 juillet 1753, et la présentation de sa pendule au Roi du 23 mai 1753, celle-ci ne peut procéder de celle-là. Mais il est de mauvaise foi. Pierre, sans lâcher prise, riposte par une seconde lettre, où il en appelle avec insistance à l'Académie des Sciences. On commence à parler de l'affaire qui passe à l'ordre du jour, et sur ordonnance ministérielle du Comte de Saint-Florentin, l'Académie des Sciences est effectivement invitée à trancher la question.

Pierre rédige soigneusement, pompeusement même, sa requête; et voici, en date du 23 février 1754, l'extrait des registres de l'Académie Royale des Sciences : « MM. Camus et de Montigny, qui avaient été nommés commissaires dans la contestation mue entre les sieurs Caron et Lepaute au sujet d'un échappement dont ils se prétendaient tous deux inventeurs et dont la décision a été envoyée à l'Académie par Monsieur le Comte de Saint-Florentin, en ayant fait leur rapport, l'Académie a jugé, le 16 février, que le sieur Caron doit être regardé comme le véritable auteur du nouvel échappement des montres, et que le sieur Lepaute n'a fait qu'imiter cette invention... »

*
* *

Cette affaire, sans grande importance en elle-même, constitue l'origine de toute la fortune de Caron Beaumarchais et influera considérablement sur l'évolution de sa vie. Fier d'avoir su se faire rendre justice publiquement, fier de voir son nom et son invention honorablement connus, il aspire à s'élever socialement. Il brigue simultanément le titre d'horloger du roi et celui d'agrégé de la société Royale de Londres, titre qu'il prie, par lettre, un sien cousin de lui procurer. Il est élevé à la dignité d'horloger du Roi. On le voit alors souvent à Versailles, parmi ces nombreux fonctionnaires de la Maison du Roi, honorés d'une charge inutile qu'ils ont eu l'ambition d'acquérir moyennant finances : presque rien à faire, la satisfaction d'approcher tous les grands, et la facilité d'en obtenir les faveurs, l'orgueil de porter une livrée rutilante, semblent à beaucoup de bourgeois le suprême honneur, et l'on crée pour leur soif de vanité de nouvelles charges, plus bizarres et inutiles les unes que les autres : on est *cravatier ordinaire du Roi*, ou *garde des levrettes de la chambre* ; on est surtout courtisan : « recevoir, prendre et demander, voilà le secret en trois mots » ; Beaumarchais nous le dévoilera trente ans plus tard dans le *Mariage de Figaro*.

Pierre, l'air conquérant, vêtu d'un petit costume de cour bleu roi, l'épée au côté, apporte ses montres au petit lever. Toujours plaisant, spirituel avec précaution, il explique plein d'aisance aux courtisans curieux et au roi attentif les mystères de ses montres minuscules, l'avantage de son nouveau système, et la minutie qu'il faut pour incorporer tant de mouvements précis dans un si petit espace. Il écrit : « J'ai eu l'honneur de présenter à Madame de Pompadour, ces jours passés, une montre dans une bague, de cette nouvelle construction simplifiée, la plus petite qui ait encore été faite ; elle n'a que quatre lignes et demie de diamètre et une ligne moins un tiers de hauteur entre les platines. Pour rendre cette bague plus commode, j'ai imaginé en place de clef un cercle autour du cadran, portant un petit crochet saillant ; en tirant ce crochet avec l'ongle environ les deux tiers du tour du cadran, la bague est remontée, et elle va trente heures ». Les commandes affluent.

Une jeune et jolie femme, Madame Francquet, épouse d'un contrôleur d'office de la maison du Roi, remarqua dans les galeries et les salons le bel horloger.

Jeune, très élégante, sensible à la beauté masculine, elle fut frappée par la stature fière, la sveltesse harmonieuse, l'air fin et conquérant de Maître Pierre : la mignonne Madame Francquet aurait bien voulu l'approcher, le voir seul ; dans les vastes galeries encombrées de courtisans bruyants et médisants, où elle promenait son agréable minois, elle ne pouvait l'aborder ; il passait, suivi d'une bande de petits-maîtres, déjà jaloux de sa prestance et de l'effet certain qu'il avait sur les dames et demoiselles d'honneur : chacun lui posait de sottes questions sur les montres, on lui demandait son avis sur un des graves problèmes du jour ; toujours à l'aise, Pierre répondait lestement et faisait souvent rire sa suite par ses reparties piquantes.

Un vieux courtisan, un peu à l'écart, écoutait et l'observait : c'était Pâris-Duverney, le troisième des quatre frères Pâris, ces grands financiers qui jouèrent un rôle si considérable dans les affaires de leur temps.

Un jour, il s'approcha de Pierre, lui tapota familièrement l'épaule, et lui dit en souriant, après s'être nommé : « Vous me plaisez, jeune homme ; vous ne me connaissez guère, mais je vous connais fort bien ; j'ai suivi avec intérêt votre démêlé avec Lepaute, l'an passé, et je vous admire, je vous admire parce que, moi aussi, j'ai eu des débuts difficiles, que je me suis haussé tout seul, peu à peu, à la situation que j'ai maintenant depuis trente-cinq ans. Je suis le fils d'un petit aubergiste dauphinois ; mes trois frères et moi nous avons toujours été associés. Partis de rien, nous avons monté une affaire de banque qui a fructifié, et depuis lors il n'y a eu aucune grande entreprise à laquelle nous n'ayons pris part ; bien en cour, j'ai su m'y maintenir, et Sa Majesté apprécie nos services. J'aime les gens courageux comme vous, et qui ne craignent pas de se lancer dans la vie : votre coup d'essai est un coup de maître, tant en ce qui concerne votre invention que votre juste triomphe : vous voilà parti, bien parti : persévérez, ne vous laissez jamais décourager, et, si un jour vous êtes en peine, venez à moi, je vous tirerai du mauvais pas. »

Les fortes paroles du septuagénaire ne furent point perdues ; subitement l'artisan va s'élever jusqu'au seuil de la haute bourgeoisie. Madame Francquet, qui connaissait bien Pâris-Duverney, lui demanda un jour comment s'appelait ce fringant horloger, dont le petit habit de cour bleu et la belle mine l'avaient tant séduite : « Monsieur Pâris, vous connaissez, je crois, ce jeune homme qui vient de passer ? », et du bout de son éventail elle désignait Pierre qui s'éloignait après avoir salué le vieux financier, assis sur une banquette. « Qui est-ce donc ? — Eh ! eh, vous êtes bien curieuse, Madame la Contrôleuse ! Seyez-vous ici, et l'on va vous dire ce que vous voulez savoir. » Et, sortant sa tabatière, où il prit une pincée de poudre à éternuer, le vieil homme satisfit la curiosité de la jeune femme.

Munie des précieux renseignements qu'elle venait d'acquérir, la jolie Madame Francquet n'eut rien de plus pressé que de laisser tomber sa montre ; le lendemain, sa voiture la descendit rue Saint-Denis. Elle y trouva Maître Pierre qui, aux côtés de son père, en manches de chemise, montait et fourbissait ses montres ; il se leva vivement et esquissa la grande révérence devant la jeune femme souriante ; puis elle se nomma, et l'on parla un peu, sans se quitter des yeux ; elle laissa sa montre qu'il obtint de lui rapporter à Versailles, sans retard. Et dans un dernier sourire, la gracieuse Madame Francquet remonta dans sa voiture, aidée par Pierre ; le père Caron sur le pas de sa porte, la main en équerre au-dessus de ses yeux usés, admirait. Et Pierre regarda tant qu'il put la voiture s'éloigner dans le poudroiement orangé du soleil couchant.

« Eh bien, Monsieur mon fils, lui dit le vieil horloger en rentrant, je vous fais mes félicitations : vous avez de bien charmantes connaissances ! — Mais je ne la connais pas, père. — Si ce n'est que cela, je crois que ce sera bientôt chose faite, eh ? — Mais elle est mariée, père. — Je sais bien ; tant pis pour son mari, que veux-tu ; mais elle te regardait comme une petite femme qui t'aimerait follement, ou je ne m'y connais pas ! »

*
* *

Madame Francquet n'a pas perdu son temps ; c'est elle qui va « lancer » le futur Beaumarchais. Lui-même ayant par nature une énergie opiniâtre, une habileté pleine de souplesse, beaucoup d'ambition et un orgueil considérable, mis au service d'une intelligence très assimilatrice, la tâche de Madame Francquet se trouvera singulièrement facilitée : son principal mérite est d'avoir discerné ces qualités chez Pierre, et de l'avoir dirigé dans la bonne voie.

Quelques jours après, Pierre arrivait au Grand Commun sur son habituel cheval de louage. Il est fort bien reçu, dans l'élégant petit salon de leur appartement, par Monsieur, et surtout par Madame Francquet qui le fait parler, l'invite à raconter tout son passé, s'enquiert des études qu'il a faites, et ne cèle pas son étonnement admiratif devant l'étendue et la diversité des connaissances de notre artiste ès-sciences horlogères. Il a lu, beaucoup lu : Rabelais, Lesage, Voltaire, Montaigne, Marot, La Fontaine, Pascal, Molière, Regnier, lui sont familiers.

Monsieur Francquet, sexagénaire et impotent, déplore sa goutte et ses rhumatismes, geint sur les difficultés que sa santé lui cause dans l'exercice de ses fonctions ; Madame joue avec son éventail et examine Pierre avec un intérêt qu'elle dissimule de moins en moins ; lui écoute distraitement le vieillard, et la regarde. Ils se comprennent, ils s'aiment, et elle va tout faire pour se l'attacher, et l'élever, et le rapprocher d'elle. Il est convenu que Pierre reviendra souvent : ce qui fut dit fut fait.

Elle s'ingénia alors, après avoir pressenti Pierre, devenu familier de la maison, à persuader son vieux grison de mari qu'il ne pouvait mieux faire, vu son état de santé, que de céder sa charge au jeune horloger. Et bientôt le marché fut conclu ; le père Caron garantit au vieux Francquet une rente viagère, que Pierre devra lui servir.

II

Le voilà donc à la Cour, officiellement investi de ses nouvelles attributions « de par le Roi » en date du 9 novembre 1755, logé à la même enseigne que les Francquet, dont il est l'hôte. Monsieur Francquet, en attendant de s'être trouvé un nouvel habitat, met son successeur au courant des fonctions qu'il aura désormais à remplir.

Moins de deux mois après, le 4 janvier 56, on trouva Monsieur Francquet mort d'une attaque d'apoplexie dans le fauteuil où il passait, depuis sa démission, la plus grande partie de la journée. Pierre, provisoirement, retourne habiter rue Saint-Denis ; il va souvent à Versailles, et n'abandonne pas Madame Francquet, en proie, plus qu'à un grand chagrin, aux difficultés d'une succession fort compliquée. Il la soutient de ses conseils, prend même certaines affaires en mains, et sa correspondance avec elle le montre obligé parfois à des combinaisons rien moins qu'honorables — changement de nom et chantage— pour faire valoir les droits de son amie ; il y parvient, grâce à l'aide du procureur Bardin, homme sage et avisé ; ses affaires enfin terminées après six mois de manœuvres, il file le parfait amour avec la jeune veuve, son aînée de six ans, et l'épouse enfin en novembre 1756, quelque temps après le mariage de sa sœur Fanchon avec le célèbre horloger Lépine.

Le jeune ménage Caron s'installe dans l'ex-appartement de Monsieur et Madame Francquet, et voilà Pierre au travail : c'est bien près d'être une sinécure, ce travail : quatre mois d'activité par an. Jugeons-en d'après la définition qu'en donne l'*Etat de la France* pour 1749 : « Sous la direction du contrôleur ordinaire de la bouche se trouvent seize contrôleurs d'office qui servent par quartier, quatre par trimestre. Les contrôleurs clercs d'office font les cahiers ordinaires et extraordinaires de la dépense de la maison du Roi, et ont voix et séance au bureau... ils servent la table du Roi l'épée au côté et mettent les plats sur la table... Ils ont commandement sur les sept offices de la maison... Ils ont leur « bouche à cour » à la table des maîtres d'hôtel ou à celle de l'ancien grand Maître. Un de ceux qui servent chez le Roi peut aussi venir manger à la table des aumôniers. »

Beaumarchais entre en relations avec quelques fonctionnaires, en particulier son voisin de table Monsieur Lopes, maître d'hôtel du Roi ; il fait aussi la connaissance de Lourdet de Santerre, homme de lettres fort spirituel ; il revoit souvent Jean Datilly, devenu d'Atilly, officier de la Garde Royale, et se prend d'une respectueuse affection pour le vieux Pâris-Duverney.

Madame Francquet est restée très jeune, et sa blondeur vaporeuse s'harmonise bien avec le physique élégant de Pierre. Elle avait une assez belle dot, Pierre est presque riche ; il a carrosse, laquais, va souvent au théâtre ; sa femme joue de la harpe ; lui, que la musique passionne toujours, a repris sa flûte et son violon ; il apprend à jouer de la harpe, et devient vite un brillant exécutant : il invente un nouveau système de pédales beaucoup plus pratique que l'ancien et qui est resté le seul de nos jours. Il organise avec quelques amis de petits concerts chez lui. Et il signe maintenant ses lettres « *Caron de Beaumarchais* » : Beaumarchais, le grand nom, emprunté, paraît-il, à une petite terre que possédait sa femme (on n'a jamais pu découvrir où se trouvait ce fief bien que plusieurs petites terres portent ce nom) ; enfin il est gentilhomme ; il adore sa femme, il est heureux ; pas pour longtemps, hélas ! Après huit jours de maladie, Madame de Beaumarchais succombe à une « fièvre maligne », — fièvre typhoïde — dans la nuit du 29 au 30 septembre 57. Très affecté par son veuvage prématuré, il fuit de Versailles, si triste l'hiver, et s'en va loger pour quelque temps chez des amis, rue de Broque, à Paris.

La famille de sa femme, dont il n'avait eu qu'à se louer jusqu'alors, lui réclame son héritage : les contestations vont durer trente ans ; Beaumarchais s'attendait si peu à cette mort, qu'il n'avait pas encore pris la précaution de faire « insinuer » son contrat de mariage, et, malgré les efforts de Bardin, la plus grande partie de la fortune de sa femme passe à la famille de celle-ci et à celle de Monsieur Francquet : ainsi l'exige la loi. Il est à demi ruiné.

Pour son service il retourne à Versailles en janvier 1759. Il retrouve son appartement tel qu'il l'avait laissé l'année passée ; la harpe est là, dans sa housse ; les larmes aux yeux, Beaumarchais la découvre, s'assied, et se met à en faire vibrer les cordes : comme c'est beau, dans le silence ouaté du petit salon que ses rideaux fermés tiennent dans la pénombre...

*
* *

Monsieur de Beaumarchais est alors contrôleur de la maison du Roi au Bureau Dauphin. A un correspondant qui lui a écrit sous son ancien nom, qu'il a tout-à-fait abandonné, il répond : « Ne m'écrivez plus sous le nom de Caron. Votre lettre a couru tout Versailles avant de me trouver ».

Le Roi qui s'intéresse toujours à lui, se montre fort amical, et prend plaisir à sa conversation, apprenant qu'il joue de la harpe et d'autres instruments, l'invite à en enseigner l'art à ses filles, Mesdames de France, qui, peu mondaines, mènent une vie très recluse, bien éloignée de la débauche paternelle, et sont friandes de musique. Et voilà Beaumarchais passé maître de musique de Mesdames.

Ces demoiselles sont un peu capricieuses, et il doit, pour les satisfaire, apprendre à jouer de tous les instruments : il leur compose presque toute leur musique ; quand Victoire a assez de la harpe, elle réclame le tambourin, et lorsque Adélaïde est fatiguée du clavecin, elle veut tâter de la guitare : l'on charge naturellement le pauvre Beaumarchais de se procurer tout cela, et on le rembourse quand on y pense.

Souvent Louis XV assiste à ces charmantes leçons et il s'y amuse, surtout de voir ses filles heureuses, car il est très bon. De petits concerts s'organisent, où ne fréquentent que les familiers de Mesdames et du Roi. Baumarchais, et pour cause, y figure toujours en bonne place. Les courtisans l'envient : « Comment, voilà un petit horloger de rien du tout, à peine sorti de sa boutique, qui s'introduit à la Cour, prend du galon et gagne les faveurs de Sa Majesté et de Mesdames de France ; qui est admis aux réunions intimes, qui y fait figure ; et même, à ce que l'on dit, le Roi lui a offert son fauteuil un jour qu'il était fatigué et qu'il restait debout ! » Avoir du mérite, aux yeux de ces Messieurs, est un crime sans excuse, et qu'ils se chargent de faire payer cher aux coupables : c'est si facile de perdre un homme dans l'esprit des rois ! La calomnie et la médisance commencent à assaillir Beaumarchais : O Basile, il t'en souviendra !

Un jour c'est une méchanceté, le lendemain une autre. Fort heureusement, Beaumarchais est homme à se défendre, et à vaincre même, il l'a déjà prouvé. Coup sur coup les attaques se succèdent, plus ou moins vilaines, plus ou moins acharnées.

Une fois, dans une galerie, Beaumarchais, très entouré comme toujours, est interrompu dans sa conversation avec les belles dames qui l'écoutent par un jeune courtisan que suit, chuchotante, empressée et se poussant des coudes, toute une bande de « petits marquis » enrubannés et parfumés ; leur meneur a la réputation d'un homme d'esprit.

« Monsieur Caron... de Beaumarchais, me permettez-vous d'arrêter un instant vos discours ? Ma montre est un peu dérangée, et, comme je sais que vous vous entendez fort en la matière, je vous aurais la plus grande reconnaissance de bien vouloir y jeter un coup d'œil et me dire si son mal est grave. » Et le jeune éphèbe, sortant de son gousset une montre d'or, d'un travail admirable, la tendit à Pierre, qui, se reculant, s'excusa : « Je ne saurais, Monsieur ; depuis que j'ai abandonné le bel art de l'horlogerie, je suis devenu bien maladroit — Si fait, si fait, Monsieur Caron... de Beaumarchais, je ne doute pas que vos mérites n'égalent votre modestie : chacun le dit à l'entour, d'ailleurs. Je vous en prie, veuillez donc examiner ma montre. — Puisque vous le voulez, Monsieur, je m'incline ; mais je vous prie de croire que je suis tout à fait déshabitué de cet exercice ». Il saisit la montre que lui tendait le petit maître, l'examina, la retourna, l'admira fort, l'ouvrit et pour mieux en voir le mécanisme, s'approcha d'une fenêtre, mit la montre à la hauteur de ses yeux, et la laissant choir, s'écria, avec un désespoir comique : « Je vous l'avais bien dit, Monsieur, je suis très maladroit ! Excusez-moi », et se tournant vers ses auditrices mises en joie : « Nous disions, Mesdames... »

Il eut les rieurs pour lui, et l'imprudent, après avoir ramassé les débris de sa montre, s'enfuit sous les quolibets de ses amis.

Une autre fois, Mesdames reçoivent en présent un très joli éventail, finement peint à la main, comme on en faisait beaucoup alors, et représentant un des petits concerts qu'elles donnaient chaque semaine, avec toute la société intime qui y assistait régulièrement, sauf... sauf Beaumarchais qui en est l'âme. Mesdames ont vu la méchanceté ; elles montrent l'éventail à Beaumarchais qui se borne à sourire et elles déclarent qu'elles ne sauraient accepter ce présent où l'on a volontairement omis de représenter leur maître ; en Cour cependant l'on déforme l'histoire et l'on prête à Beaumarchais d'aigres propos qu'il n'a pas tenus.

Un autre jour on insinue aux filles du Roi, très bonnes, que Beaumarchais était brouillé avec son père — sa mère était morte depuis un certain temps déjà ; — Beaumarchais ce jour-là est froidement reçu ; il en demande la raison à une des dames d'honneur qui la lui confie. Beaumarchais court à Paris, ramène son père et, sous prétexte de lui faire visiter Versailles, l'y promène toute la journée du lendemain, lui montrant les jardins, les pièces d'eau, les galeries, et se trouvant chaque fois qu'il le peut sur le passage de Mesdames. Vers le soir, il se rend à leur appartement, laissant son père derrière la porte, et le priant d'attendre un instant ; Madame Adélaïde lui demande froidement : « Avec qui donc vous êtes-vous promené toute la journée ? — Avec mon père, Madame ! » Et l'explication se fit sans difficulté ; Beaumarchais introduisit même le père Caron, qui fit l'éloge de son garçon.

De toutes ces bassesses, il se tirait toujours admirablement, avec autant d'esprit que de souplesse.

Parfois cependant les incidents sont plus graves : à la Cour, publiquement, un jeune courtisan l'injurie gravement, le traitant de vil intrigant ; c'est une provocation. Beaumarchais et le Chevalier des C*** (l'histoire n'a jamais su son nom, après cette affaire) montent à cheval, chacun l'épée au côté, et galopent ensemble, sans échanger une parole, jusqu'à Bellevue, par le pavé des Gardes ; ils montent jusqu'à la terrasse du Château de Meudon, quittent leurs montures essoufflées, mettent bas l'habit, et vont croiser le fer dans un terrain vague, au bas du grand mur de la terrasse.

Beaumarchais n'a jamais tenu une épée, son adversaire est une fine lame ; pourtant dès le premier assaut, Beaumarchais plonge son arme dans la poitrine du Chevalier qui s'écroule, mortellement atteint.

Affolé, Beaumarchais s'empresse, soutient son adversaire expirant : « Je n'ai que ce que je mérite... Je vous ai provoqué pour complaire à des gens que je n'estime pas. Sauvez-vous, Monsieur de Beaumarchais, vous êtes perdu si l'on voit que c'est vous qui m'avez ôté la vie. » Beaumarchais descend à Meudon, envoie un apothicaire sur les lieux, demande qu'on emporte le mourant dans un hospice à Paris, et se sauve. Quelques jours après, le Chevalier mourut sans avoir voulu dénoncer son adversaire ; Beaumarchais garda toujours de cette rencontre un amer regret.

Vers la même époque aussi, il eut un autre duel, moins tragique il s'en faut : parmi ses nombreuses connaissances se trouvait une courtisane qui voulait vendre ses bijoux ; il y avait pour vingt et un mille francs de diamants, qu'un jeune marquis offrit d'acheter, pour une autre belle ; Beaumarchais, qui le connaissait aussi, s'était fait sa caution auprès de la demoiselle ; or ce Monsieur de Meslé, Marquis de Faily, peu délicat, trouva moyen de se faire livrer les joyaux avant conclusion complète du marché, et courut les revendre à bas prix. Quand Beaumarchais l'apprit, et fut convaincu qu'aucun paiement n'avait été effectué, ni aucune lettre de change signée contrairement aux conventions, il expédia au Marquis une lettre des plus vertes, où il lui faisait sentir la parfaite indélicatesse de ses agissements, tant à son égard, à lui Beaumarchais, qu'à celui de la demoiselle.

Quelque temps après, n'ayant pas eu signe de vie de la part du Marquis, il le rencontra un soir au théâtre. Au foyer, ces Messieurs se prirent de bec, et Beaumarchais provoqua Monsieur de Meslé en duel, sur l'heure. Remarquablement peureux, celui-ci déclara qu'il n'avait que son épée d'apparat. Beaumarchais lui répondit : « Moi aussi ; sortons de suite ou je vous attrape par la peau du cou ! » Ils sortirent, et sous une lanterne, près de la fontaine de la rue, ils s'escrimèrent tant et si bien qu'avec son jouet d'épée, Beaumarchais érafla le Marquis, qui déclara néanmoins avec des tremblements dans la voix : « Si j'avais eu une épée sérieuse, les choses se seraient passées autrement ! — Qu'à cela ne tienne, reprit Beaumarchais gouailleur, je vous attends ici, à onze heures », et il tourna les talons.

Il se rendit chez la demoiselle, y soupa en joyeuse compagnie, et raconta ses démêlés : un ami obligeant lui prêta une épée, et avant même l'heure fixée, Beaumarchais courut chercher le marquis rentré à son hôtel.« Là », dit-il quelques jours après à ses amis,« là, le cher marquis, tapi dans ses draps, y claquant des dents, me fit dire qu'il avait la colique, et qu'il me verrait le lendemain ; effectivement il vint, mais pour bredouiller quelques excuses, que je le forçai à renouveler devant témoins, ce qu'il fut trop heureux d'accorder ! »

Cette demoiselle aux diamants était l'une des nombreuses de ce genre qu'il fréquentait, depuis la mort de Mme Francquet, et parmi lesquelles ses principales bonnes fortunes furent Mme de Burmane, Mlle Lacroix et Mlle Lacour, de l'Opéra.

Huit jours après, nouvelle histoire ; il y avait bal chez un certain M. de Laumur à Versailles, et Beaumarchais, invité, s'y rendait. Un gentilhomme de haute noblesse qu'il connaissait à peine de vue, M. de Sablières, lui emprunta, pour jouer au whist, trente-cinq louis que Beaumarchais lui donna de sa poche ; puis trois semaines passent ; Beaumarchais écrit à M. de Sablières, lui rappelant que trente-cinq louis lui sont dus ; on lui répond qu'il recevra la somme le lendemain. Trois autres semaines, et toujours point de louis ; seconde lettre de Beaumarchais à laquelle on ne répond pas. Troisième lettre de Beaumarchais, un peu moins modérée que les deux premières, mais encore bien correcte, vu l'insolence et le sans-gêne de l'illustre Sablières ; il lui rappelle explicitement sa dette, et le prévient que si le règlement n'en a pas lieu avant trois jours, il enverra un huissier. Et voici la réponse du gentilhomme de grande race au fils de l'horloger :

« Monsieur, je croi que je suis assez malheureu que de vous devoir 35 louis, j'ignore que cela puisse me desonerés quand on la bonne volonté de les rendre. Ma fasson de penssés ; Monsieur, est connu, et lorsque je ne serés plus votre débiteur je me ferés connaitre à vous par des terme qui seront diferent des votre. Samedy matin, je vous demanderés un rendevous pour m'acquiter des 35 louis et vous remercier des choses honnettes que vous avés la bonté de vous servir dans votre lettre ; je fairés en sorte dy répondre le mieux qu'il me sera possible, et je me flatte que dicy à ce temps vous voudrés bien avoir une idée moins désavantageuse. Seyés convincu que c'est deux fois vints quatre heure vont me paraitre bien longue ; quand au respectable tiers que vous me menassés, je le respecte, mais je ne fais on ne peut pas moins cas des menasses, et je sçais encore moins de gré de la modération. Samedy vous aurés vos trante-cinq louis, je vous en donne ma parolle, j'ignore si à mon tours je serés assés heureux pour répondre de ma modération. En attendant de m'être acquittés de tout ce que je vous dois, je suis, Monsieur, comme vous le désirés votre très humble et etc...

SABLIÈRES. »

Beaumarchais, inquiet de l'ambiguïté de cette lettre, et des belliqueux projets qu'elle paraît indiquer, écrivit une fois de plus à son emprunteur et lui fit comprendre que ses intentions étaient tout à fait pacifiques et voulaient le rester ; il sait ne devoir qu'à la bonté de

Mesdames et à l'indulgence du Roi de n'avoir pas été inquiété pour son duel, encore de fraîche date, et ne demande qu'à demeurer tranquille ; au bas de sa missive, il met ce post-scriptum :

P.-S. — Je garde une copie de cette lettre, ainsi que de la première, afin que la pureté de mes intentions serve à me justifier en cas de malheur ; mais j'espère vous convaincre samedi que loin de chercher des affaires, personne ne doit faire aujourd'hui, de si grands efforts que moi pour les éviter. Je ne puis m'expliquer par écrit. 31-III-1763.

Sablières, instruit de sa signification, s'empressa de renvoyer les trente-cinq louis, par son valet.

Mais aussi Beaumarchais a des amis puissants ; il va souvent déjeuner à Etioles, chez M. Le Normand, l'ex-époux de Mme de Pompadour ; c'est un excellent homme, et qui ne manque pas d'esprit ; il réunit une société très choisie, où les divertissements musicaux sont fort goûtés, et Beaumarchais est toujours mis à contribution ; Pâris-Duverney est souvent aussi l'hôte de M. Le Normand ; il n'est pas gai, d'ailleurs, au début de 1760 : Mme de Pompadour l'a encouragé, quelque dix ans auparavant, à fonder une Ecole destinée à la formation de jeunes officiers ; il a accepté d'enthousiasme : il a toujours eu le goût des grandes entreprises — et si Beaumarchais, peut-être, ne la tient pas absolument de Pâris-Duverney, l'influence de ce dernier a certes accentué cette tendance chez lui.

L'École Militaire est construite et fonctionne même sous la direction d'un de ses neveux, M. de Mézieu, un excellent technicien militaire. Mais, malgré tous ses efforts, toutes ses démarches, le vieux financier n'a pu obtenir la consécration officielle de son œuvre méritoire:

Mme de Pompadour n'a plus guère d'influence, et Louis XV se désintéresse d'elle comme de l'École Militaire. Découragé, Pâris-Duverney fait part à Le Normand et à Beaumarchais de ses désillusions : « Mais, mon cher Beaumarchais, vous dont les actions montent en Cour, vous qui êtes si persuasif et charmant, ne pourriez-vous décider Sa Majesté à cette visite que je me suis en vain évertué à obtenir ? Dites-en un mot à Mesdames, et priez-les d'en parler au Roi, voulez-vous ? »

C'est entendu, Beaumarchais essaiera ; il expose la requête de son vieil ami aux filles de Louis XV, entre deux morceaux de musique. Et il obtient gain de cause : pour décider leur auguste père, ces demoiselles iront toutes quatre, avec Beaumarchais, visiter l'École Militaire.

Elles emmenèrent Pierre dans leur carrosse ; Pâris-Duverney, tout ému, fit à ces dames les honneurs de son École, et les invita à en admirer la solide architecture et la belle ordonnance ; tout le monde fut enchanté de cette promenade, et huit jours après, le 18 août 1760, Louis XV en personne consent lui aussi à visiter l'École ; c'est un succès ; Pâris-Duverney ne se tient pas de joie ; il déclare à Beaumarchais qu'il le chérit comme un fils et qu'il est prêt à faire sa fortune. Il commence par intéresser son protégé, comme jadis Voltaire, à la fourniture des vivres de l'armée.

Puis, toujours débrouillard et arriviste, Beaumarchais se fit prêter par Pâris-Duverney les fonds nécessaires à l'obtention d'une charge de Grand-Maître des Eaux et Forêts, vacante par suite du décès du titulaire. Mais la corporation se piquait d'aristocratie et avait déjà fait entendre au pouvoir, quand l'occasion s'en était présentée, qu'elle n'admettait pas de parvenus dans ses rangs ; Beaumarchais est prévenu, et pour être plus sûr d'obtenir ce qu'il demande, il prie son père de cesser son commerce d'horlogerie, cet artisanat pouvant empêcher le fils d'atteindre où il aspire. Et le père Caron ferme sa boutique ; veuf, n'ayant plus d'enfants à sa charge — Pierre entretient toute la famille, — il pouvait se retirer en passant sa clientèle à son gendre, le mari de Fanchon.

*
* *

Beaumarchais n'obtint d'ailleurs pas sa charge, bien que Mesdames l'aient soutenu, et en aient parlé au Roi, et que d'autre part le Contrôleur-Général et Pâris se soient beaucoup remués : un ministre pusillanime, craignant de mécontenter le corps des Grands-Maîtres, la lui refusa, et Louis XV, apathique, laissa faire ; à ce ministre Beaumarchais écrivit la lettre que voici :

« Mon goût, mon état, ni mes principes ne me permettent de jouer le rôle odieux de délateur, encore moins de chercher à avilir les gens dont je veux être le confrère, mais je crois pouvoir, sans blesser la délicatesse, repousser sur mon adversaire l'arme dont il prétend m'accabler. Les grands-maîtres n'ont jamais permis que leurs mémoires ne fussent communiqués, ce qui n'est pas de bonne guerre et montre la crainte de m'y voir répondre efficacement ; mais on dit qu'ils m'objectent que mon père a été artiste, et que, quelque célèbre qu'on puisse être dans un art, cet état est incompatible avec les honneurs attachés à la grande-maîtrise. Ma réponse est de passer en revue la famille et l'état précédent de plusieurs des grands-maîtres, sur lesquels on m'a fourni des mémoires très fidèles. 1° Monsieur d'Arbonnes, Grand-Maître d'Orléans, et un de mes plus chauds adversaires, s'appelle Hervé, et est fils d'Hervé, perruquier. Je puis citer dix personnes à qui cet

Hervé a vendu et mis des perruques sur la tête ; ces messieurs prétendent qu'Hervé était marchand de cheveux. Quelle distinction ! elle est ridicule dans le droit et fausse dans le fait, parce que l'on ne peut vendre des cheveux à Paris sans être reçu perruquier, ou l'on n'est qu'un vendeur furtif ; mais il était perruquier. Cependant Hervé d'Arbonnes a été reçu Grand-Maître *sans opposition*, quoiqu'il eût peut-être suivi dans sa jeunesse les errements de son père pour le même état. 2° Monsieur de Marizy, reçu Grand-Maître de Bourgogne depuis cinq ou six ans, s'appelle Legrand, et est fils de Legrand, *apprêteur-cardeur de laine* au faubourg Saint-Marceau, qui leva ensuite une petite boutique de couvertures près la foire Saint-Laurent, et y a gagné quelques économies. Son fils a épousé la fille de Lafontaine, sellier, a pris le nom de Marizy et a été reçu Grand-Maître *sans opposition.* 3° Monsieur Tellès, Grand-Maître de Châlons, est fils d'un juif nommé Tellès Dacosta, d'abord bijoutier-brocanteur et que Messieurs Pâris ont ensuite porté à la fortune; il a été reçu sans opposition, et ensuite exclu, dit-on, des assemblées, parce qu'il a été taxé de reprendre l'état de son père, ce que j'ignore. 4° Monsieur Duvaucel Grand-Maître de Paris est fils de Duvaucel, fils d'un boutonnier, ensuite garçon chez son frère établi dans la petite rue aux Fers, puis associé à son commerce, et enfin « maître de boutique ». Monsieur Duvaucel n'a rencontré *nul obstacle à sa réception* ».

Telle est l'époque ; la lettre de Sablières et ce petit mémoire la montrent bien.

Beaumarchais d'ailleurs se consola assez facilement de cet échec. Un bel hôtel, presque neuf, était à vendre, rue de Condé à Paris ; il l'acheta et s'y installa avec ses domestiques ; il y installa aussi son père, sa plus jeune sœur, Tonton, à qui il a fait donner une brillante éducation, qui a vingt-deux ans et prend le rôle de maîtresse de maison. Ils habiteront là onze ans.

Entre temps, Beaumarchais s'est fait octroyer la haute charge, très vaine et sans intérêt, de Conseiller-Secrétaire du Roi, qui lui était nécessaire pour obtenir celle de Grand-Maître ; il l'a achetée le 9 décembre 1761 à Denis Janot de Miron, dont le fils était un jeune homme plein d'esprit, futur avocat ; il achète aussi — ô gaîté du sort ! — l'office de lieutenant général des chasses au tribunal et bailliage de la Varenne du Louvre : le voilà donc juge !

Il juge des délits de chasse ; il juge, lui qui aura par la suite tant de démêlés avec la justice, lui le créateur de Bridoison ! C'est d'ailleurs une charge beaucoup plus aristocratique, quoique moins lucrative, que celle qu'on lui a refusée : il a deux comtes comme lieutenants, et seulement le duc de la Vallière comme supérieur. Lui-même se peint par la suite :

Séant au Louvre en ce royal domaine,
Grave Minos de la Varenne
Consacrer d'ennuyeux matins
A juger les pâles lapins
Et les maraudeurs de la plaine.

III

Puis le voilà occupé pour trois ans à une curieuse affaire, entre autres ; à la fin de 1761, une vieille amie de la famille vient le trouver : « Mon cher Pierre, je veux solliciter votre conseil, peut-être même votre aide, puisque vous êtes bien en cour ; j'ai une nièce que sans doute vous avez vue chez moi, dans le temps ; elle a dix-sept ans maintenant ; c'est la fille d'un de mes frères, parti aux îles il y a quinze ans, et qui vient de mourir ; son notaire m'écrit et me donne quelques indications sur la propriété et les biens ; il paraît que tout cela est grevé d'hypothèques, géré par les gens d'affaires de feu mon frère, qui ne pensent qu'à s'enrichir ; bref je ne sais que faire ; vaut-il mieux vendre tout et qu'il n'en soit plus question, ou est-il préférable de continuer à faire valoir cette propriété ? Je suis fort embarrassée ; vous qui avez des relations, ne connaissez-vous personne qui soit à Saint-Domingue ou qui doive y partir, et qui puisse se rendre compte sur place de la meilleure solution ? — Je me souviens vaguement de votre nièce ; il y a bien M. de Clugny, qui est intendant de Saint-Domingue, mais voilà un an qu'il est parti, et nous n'avons eu aucune relation épistolaire depuis lors ; cependant Mesdames le connaissent bien et leur intervention aura certes plus de poids que la mienne. Je leur en parlerai. »

Mesdames, toujours compatissantes, firent écrire à

M. de Clugny, et demandèrent à Beaumarchais d'amener un jour à Versailles leur protégée ; il n'y manqua pas, et alla avec sa voiture prendre un matin la jeune fille au domicile de sa tante.

Mlle Pauline Le Breton est très jolie ; Beaumarchais qui ne reste jamais indifférent devant la beauté féminine, bavarde avec elle, et constate que sa jeune compagne est pour le moins aussi agréable à entendre qu'à regarder ; et il se prend vite d'une affection très tendre pour cette enfant qu'il va souvent voir, maintenant, chez sa tante, et qui vient souvent égayer la maison de la rue de Condé par son joli babillage.

Beaumarchais s'occupe beaucoup personnellement des intérêts de cette jeune personne qui s'est vite prise d'un grand amour pour celui qu'elle nomme « Monsieur mon bon ami » ; de Versailles à Paris, l'on s'écrit ; l'on se voit souvent, de plus en plus ; l'on échange des mots charmants, des promesses, et voilà Beaumarchais insensiblement amené, dès l'été 1763, par la coquetterie bien féminine de cette petite fille, à rêver d'une union qui arrangerait toutes les affaires de « sa nièce » ; il songe sérieusement à vendre ses charges en France et à aller s'établir à Saint-Domingue avec « sa » Pauline ; il l'écrit même à sa sœur Julie.

En attendant, il expédia des fonds — 80.000 francs — à Saint-Domingue et chargea M. de Clugny de les utiliser à remettre sur pied la propriété de Pauline, et à réorganiser ses plantations pour en obtenir un bon rendement. Puis il envoya là-bas un sien cousin, qui était dans la misère, un nommé Pichon de Villeneuve, brave garçon et tout dévoué.

*
* *

Vers la même époque — à la fin de 1763 — il est pressenti par les dirigeants d'une puissante compagnie d'armateurs français, où Duverney a de gros intérêts, pour négocier avec la Cour d'Espagne, sous la protection du ministère français, la concession de la Louisiane pour vingt ans, et la fourniture générale de tous les nègres des colonies espagnoles. Il va en profiter pour régler une masse d'autres affaires de tous genres.

Pendant qu'il est tranquillement en train de préparer ce voyage, prêt à partir sitôt qu'il aura toutes les instructions nécessaires, le père Caron reçoit une lettre de sa fille aînée, fixée à Madrid, comme l'on sait, avec sa sœur et son mari :

« Ma sœur vient d'être outragée par un homme aussi accrédité que dangereux ; deux fois à l'instant de l'épouser, il a manqué de parole, et s'est brusquement retiré sans daigner même excuser sa conduite... Tout Madrid sait que ma sœur n'a rien à se reprocher, etc. » Disons tout de suite que la sœur outragée, Marie-Louise, a trente-quatre ans.

Tout navré, le père Caron va trouver son fils. Beaumarchais presse son départ, prend rapidement congé de ses amis et de la famille royale, embrasse tendrement les siens et Pauline, et part, environ le 1er mai 1764, avec un ingénieur de ses amis, Périer, l'un des frères plus tard célèbres.

Et pendant qu'il roule dans sa voiture sur les cahoteux pavés royaux, il cuisine son plan de bataille contre le lâche qui a si vilainement compromis sa sœur : c'est un nommé Dom Joseph Clavijo, Garde des Archives de la Couronne, et fondateur du premier périodique de Madrid, ce qui l'a mis en évidence. Accueilli depuis longtemps dans la maison des sœurs Caron, qui tiennent salon, il a été aux yeux de tout Madrid le prétendant de Marie-Louise. Quand, après six ans, il fut nommé Garde des Archives, ce qu'on attendait pour le mariage, il rompit brusquement toutes relations avec la famille de sa fiancée ; les amis communs qui fréquentaient le salon des dames Caron allèrent trouver Clavijo, indignés ; M. d'Ossun, ambassadeur de France, lui envoya une lettre de remontrances ; inquiet, Clavijo simula le repentir et obtint son pardon ; Marie-Louise, néanmoins, restait fâcheusement impressionnée par cette manière d'être.

Bref, de part et d'autre, on se prépara de nouveau au mariage. Tout Madrid parlait de cette union si bizarrement défaite et renouée. Clavijo, pour se mettre en règle vis-à-vis de ses supérieurs hiérarchiques, partit pour Saint-Hildephonse, résidence d'été de la Cour espagnole, demander un congé à son ministre. Le voyage dura deux jours, mais à son retour, l'étrange prétendant écrivit à Marie-Louise, lui déclarant que décidément il ne voulait pas l'épouser : seconde démarche des amis, outrés d'une si odieuse conduite ; ils sont fort mal reçus ; Clavijo les invite à ne pas insister, et conseille à sa victime de ne pas se plaindre, sous peine de représailles : haut fonctionnaire, ayant de nombreuses relations et beaucoup de crédit, il peut perdre d'un geste ou d'un ordre les deux malheureuses étrangères. C'est alors que Marie-Louise tombe malade ; Marie-Josèphe la soigne, pleure et se décide à appeler la France à son secours, en écrivant à son père et réclamant l'appui de l'Ambassadeur par l'intervention de Pierre.

C'est à quoi il songe, pendant que sa chaise de poste le cahote péniblement dans les défilés pyrénéens.

*
* *

Il va pendant ses onze mois de séjour en Espagne mener la vie la plus absorbante, la plus débordante, la plus trépidante qui soit, prodiguant son activité de toutes parts, s'agitant, se livrant à des démarches de toute espèce, virevoltant d'un salon à l'autre, du Roi chez un ambassadeur, des ministres chez ses sœurs, lançant des lettres à tous vents, commerçant, montant ou démontant des entreprises nombreuses et variées, allant au théâtre, au bal, composant de la musique, des chansons, des romances et rédigeant des travaux techniques sur des sujets d'économie politique : c'est un tourbillon !

Le 18 mai, à onze heures, il arrive à Madrid, très ému, au fond ; voilà vingt ans qu'il n'a pas vu ses sœurs !

Elles ne l'attendent pas à heure fixe ; devant la porte cochère, ses chevaux en sueur secouent leurs grelots ; Pierre s'élance hors de sa chaise, escalade le perron, frappe le marteau, et se jette dans les bras ouverts de ses sœurs en larmes.

Puis, très fatigué du voyage — il roule depuis quinze jours, — il demande un bain ; les porteurs d'eau crient dans la rue et Beaumarchais poussiéreux s'ébroue bientôt dans sa baignoire ; puis on dîne, sur une terrasse ensoleillée ; une belle fille au teint de cuivre rouge apporte le vin, le joyeux vin blanc d'Alicante, dans une cruche de terre cuite. Beaumarchais, qui n'a pas vu de jolie femme depuis vingt jours bientôt, caresse du regard la provocante Andalouse ; il a déjà presque oublié Pauline.

C'est un caractère si complexe que celui de Beaumarchais ! Tout à la fois idéaliste et très pratique, ayant un haut sentiment de l'honneur tout en ne s'embarrassant souvent point de scrupules, ou n'hésitant pas à les étouffer ; extraordinairement gai et spirituel, saisissant dès l'abord le ridicule des gens et des choses ; esprit léger, inconstant, capricieux, et par ailleurs plein de suite dans les idées, opiniâtre même ; d'une intelligence multiforme, souple, passant du badinage à la philosophie et apte à toute espèce de travail ; capable de profondeur, raisonneur surtout, et tombant avec autant de facilité dans le lieu commun et la banalité qu'il s'élève aisément à la vue originale et d'une haute spiritualité.

Il est prêt à de grandes actions ; ambitieux, aimant se mettre en avant, se distinguer, il a besoin d'un public, quel qu'il soit, d'un théâtre pour accomplir ses exploits, d'un tremplin pour qu'on le voie exécuter ses tours, de partenaires incolores qui lui serviront de hérauts et de repoussoirs à la fois...

Pour l'heure, il est à table, croquant à bonnes dents les fruits gorgés de soleil, suçant avec des grimaces les piments et les limons, riant et amusant ses sœurs, son beau-frère, l'architecte, et le plus jeune de ses neveux — Eugène, l'aîné, est en pension à Paris —, par ses étonnements puérils devant la chaude nature et les mœurs languissement nerveuses de cette terre d'Espagne ; il raconte avec complaisance sa vie de Cour à Versailles, ses aventures plus ou moins piquantes et qu'il enjolive et pimente à plaisir — : l'air du pays...

Puis l'on en vient à parler de Clavijo. Beaumarchais acquiert vite la certitude que Lisette pleure plus sur son honneur que sur son amour. D'ailleurs il a reçu avant de partir de Paris une lettre d'un ami de ses sœurs, un Français fixé à Madrid et nommé Durand, négociant, qui lui a déclaré que son plus cher désir était d'épouser Lisette. Voilà Beaumarchais perplexe.

*
* *

Dans la soirée le salon des dames Caron recevait ses habitués ; Mme Guilbert leur présenta son frère, et expliqua le but de son voyage : il y avait là deux affables diplomates, deux négociants, dont Durand qui paraît être un charmant garçon ; un haut fonctionnaire, un officier de la Garde Royale, un chanoine rebondi, et un chirurgien de la Cour : tout ce monde choisi parle français, et discute à l'ordinaire lettres, sciences, arts et politique.

Beaumarchais transforme le cercle en tribunal ; il s'agit de juger Clavijo, que tous ces messieurs connaissent, et de savoir comment on doit manœuvrer pour terminer l'affaire ainsi qu'il convient.

Beaumarchais est bientôt mis au courant, par le menu, de tous les agissements de Clavijo ; il a rapidement compris que Lisette est bien près de le haïr : c'est vraiment un vilain personnage ; il voit bien aussi que Durand ne soupire que pour Lisette.

Beaumarchais, après souper, monte à sa chambre ; il se sent toutes les audaces ; il a beaucoup de crédit, 200.000 francs de bons au porteur que Duverney lui a confiés en cas de besoin ; il se trouve la peau d'un homme d'action ; il va jouer l'homme d'affaires. Il parcourt sa chambre de bout en bout, regarde par la fenêtre le ciel étoilé, les lampions bariolés dans les rues basses ; il aspire l'air parfumé, en écoutant les séguedilles que chantent tous ces mendiants et ces aventuriers déguenillés dont Madrid est pleine.

«Marier Lisette à Durand? Certes; mais il faut d'abord punir Clavijo, et le rendre inoffensif. Cette affaire a eu un tel retentissement déjà qu'il faut la résoudre de main de maître ; sans quoi je ne pourrai en mener aucune autre à bonne fin, et j'en ai tellement !... Alors un grand coup ? Mais lequel ?... Quoi que tu vas faire, mon petit Beaumarchais ?... Oh ! mais c'est simple !... On ne vit pas à la Cour depuis huit ans sans apprendre comment on s'y prend pour perdre un homme, hé ? C'est un coquin, un malin ? A malin, malin et demi : *Primo* aller chez Dom Joseph Clavijo, demain de bon matin, avec l'ami Périer ; lui raconter d'abord que je viens pour affaire, lui parler de son journal par exemple ; *secundo* lui raconter tout son manège sous la forme d'une bonne histoire, voir la tête qu'il fait, me nommer enfin ; *tertio* le forcer à convenir de son imposture, et la lui faire reconnaître par écrit duement signé. *Quarto* porter ledit écrit à notre ambassadeur. *Quinto* faire accroire au cher Joseph que Lisette est prête à l'épouser... Et *sexto* marier Durand à Lisette, Lison et Tonton! »

Et Beaumarchais enchanté de son plan esquisse un pas de menuet.

Tout n'alla pas absolument comme il l'avait décidé ; il avait affaire à forte partie ; Clavijo était un fourbe de la pire espèce, et Beaumarchais un instant se crut perdu : Clavijo pendant qu'il le bernait, manœuvrait sourdement et obtenait un ordre d'expulsion contre lui. Prévenu à temps, Beaumarchais le gagne de vitesse, se fait recevoir chez les ministres, et même par le Roi d'Espagne, et sort enfin vainqueur de cette joute si délicate.

Couvert de honte, perdu d'honneur, privé de sa place, Clavijo dut se retirer en province et s'y fit oublier quelque temps.

Trois semaines avaient suffi à Beaumarchais. Durand fit sa cour, et Lisette le laissa venir, mais elle ne voulut jamais se marier. L'affaire Clavijo est terminée : le plus malheureux, dans cette histoire, c'est Durand. Beaumarchais voudrait le dédommager ; il lui offre la main de sa sœur Tonton, autrement dit Jane-Marguerite, la benjamine, sans d'ailleurs la consulter ; mais Tonton a d'autres vues, car M. de Miron fils a porté les siennes sur elle : c'est un ami de Pierre, qui, à son départ, ne soupçonnait rien de cette flamme, jusqu'alors cachée.

IV

Beaumarchais s'attelle alors aux affaires commerciales dont on l'a chargé ; il y ajoute quelques entreprises pour son compte personnel. Il écrit à son père : « Pendant que mon malheur me fait perdre 2.000 écus de rente sur les vivres de France... le roi d'Espagne et les ministres jettent les yeux sur moi pour être à la tête de ceux d'Espagne... *on* veut joindre à cela la fourniture générale des grains d'Espagne pour la nourriture des peuples, et *on* parle d'y ajouter la fabrique des poudres et salpêtres, de sorte que je puis me trouver tout à l'heure à la tête d'une compagnie de vivres, subsistances, munitions et agriculture. » SIMPLEMENT ! Le « on », c'est Beaumarchais ?... En outre, il veut se livrer à des affaires de grains avec la Turquie et coloniser une sierra déserte.

Pour Choiseul, il rédige un *Mémoire sur l'Espagne*, où il déclare tout bonnement : « Le Grimaldi, paresseux et peu éclairé, le Sicilien Esquilace, calculateur vieilli, concussionnaire blanchi dans les obscures combinaisons de l'intérêt numéraire... voilà quels sont les deux premiers ministres d'Espagne. Le troisième, le bailli d'Ariega, qui est à la tête de la Marine, ne doit être compté pour rien. » Et voilà. Pour ces nullités, il écrit cependant un mémoire sur la Louisiane, un autre sur les manufactures d'Espagne qu'il a visitées, ainsi que d'innombrables notes.

A ces nombreuses tentatives, il donne la plus grande partie de son temps, et multiplie les démarches et les lettres ; il occupe quatre secrétaires et traducteurs !

Pauvre grand homme ! Aucune de ces entreprises n'aboutira, et il reviendra en France sans être parvenu à aucun résultat positif. Néanmoins son année de séjour en terre madrilène n'aura pas été perdue, à d'autres points de vue.

Beaumarchais mène la grande vie. Il a trente-deux ans, toujours belle prestance, et l'air très séduisant. Son esprit de jeunesse lui est resté ; il lui restera d'ailleurs presque toute sa vie. « Toujours le même ! » Il le dira dans une chanson, plus tard. Son intelligence étincelante est prodigieusement éclectique, assimilatrice et féconde. Aucun sujet ne le laisse indifférent, et tous ceux qu'il aborde sortent de ses mains plus riches qu'il ne les avait pris. Il apporte son tribut aux arts, le fruit de ses réflexions à toutes les sciences, celui de son activité laborieuse à toutes les grandes questions de son temps.

*
* *

D'autre part, il fait dans les salons de délicieuses connaissances. Le salon de la Marquise de Fuen-Clara est le lieu de rendez-vous de la haute aristocratie espagnole, et de toute la grande société française de Madrid. La marquise possède un magnifique hôtel de vieux style, avec un vaste parc joliment fleuri, à la porte de Madrid.

C'est une très belle femme, encore jeune, extraordinairement mondaine, capricieuse et dépensière. Beaumarchais s'est d'abord rendu à l'hôtel de Fuen-Clara pour recouvrer quelques factures paternelles, des fournitures d'horlogerie restées impayés depuis plus de dix ans ; la marquise a reçu l'encaisseur dans un petit boudoir tendu de cuir cordouan et d'étoffes mauresques ; elle l'a trouvé spirituel et charmant, et l'a invité à lui rendre visite. Beaumarchais a beaucoup admiré l'ameublement, la beauté de la marquise, et s'est diverti de son petit accent quand elle parle français. Et surtout il s'est trouvé séduit par la meilleure amie de la marquise, Mme de La Croix, une Française, aussi frivole qu'adorable. La Marquise de La Croix, dont le mari, lieutenant-général d'artillerie, était toujours par monts et par vaux, menait une vie assez légère et aimait beaucoup s'amuser. C'était la nièce de M. de Jarente, archevêque d'Orléans, ami de Beaumarchais, qui l'a prié de donner tous ses soins à l'avancement de sa parente à la Cour, grâce à sa haute influence et aux diverses recommandations dont il est muni.

Beaumarchais fit bientôt une cour effrénée à la marquise ; elle est blonde et a de grands yeux bleu-gris très caressants, ce qui lui donne un charme tout particulier, grâce au teint bronzé qu'elle doit au soleil castillan.

Pierre s'est trouvé attiré vers elle comme compatriote d'abord; et puis lui, si pétulant, n'aime guère cette race espagnole « romanesque et langoureuse ».

Il est alors dans toute sa force et sa beauté : l'œil étincelant, le front large et haut, sans rides, bien dégagé, un peu fuyant, la lèvre spirituelle et sensuelle, prête à l'ironie, au sourire, au baiser, la narine bien ouverte, l'attitude fière et cavalière, un peu vaine même, et surtout d'une inaltérable bonne humeur, il est aimé. Aime-t-il, lui, a-t-il jamais aimé, de grand amour ? Pas encore, en tout cas. Il aime les femmes et les plaisirs, mais il n'a qu'une sentimentalité très superficielle.

Beaumarchais commence par devenir l'amant de Mme de La Croix. Tous deux font de longues promenades. La marquise le traîne, à six mules, par toute la campagne madrilène ; Beaumarchais s'habille à l'espagnole, porte la cape et le sombrero, qui lui vont à merveille, et échange avec la marquise, au fond de la voiture qui roule à grand fracas de sonnailles, des baisers profonds et des caresses folles.

Pauvre Pauline !... Elle le lui rend bien, d'ailleurs, dès qu'elle le sait ; mais lui ne l'apprendra qu'à son retour en France.

Le soir il va dîner chez M. d'Ossun, ou chez M. de Grimaldi, le premier ministre, à moins qu'il ne soupe à l'ambassade de Russie ou chez Lord Rochford, l'ambassadeur de la vieille Angleterre. Puis il joue gros jeu jusqu'à deux heures du matin, gardant une chance extraordinaire. Parfois aussi il va souper en tête à tête avec sa jolie marquise et alors, ces soirs-là, il ne rentre pas Via Jacometrens, à la maison familiale...

Sous l'impulsion de la marquise, très lettrée, Beaumarchais se met à lire plus que jamais ; dès son jeune âge il aimait lire, en particulier toute la romancerie de Richardson, pour qui la famille Caron montra toujours une grande prédilection. Grandisson était, rue Saint-Denis, le personnage chéri du père Caron, et de Julie surtout, qui lui assimilait son illustre frère. Beaumarchais lit Cervantès, et le Diable Boiteux espagnol, et le Cid espagnol.

*
* *

Il a fait la connaissance, dans les galeries de l'Escurial, dont il admirait les trésors de peinture et l'admirable bibliothèque d'un aventurier italien nommé Pini.

retors et flatteur, devenu on ne sait comment valet de chambre du roi Charles III d'Espagne, qui en a fait son confident.

Le roi est malheureux, le roi s'ennuie et il voudrait se distraire autrement qu'il ne le fait. Pini a la plus grande admiration pour Beaumarchais qu'il considère comme le Dieu des aventuriers, le Prince des intrigants. « Missir Beaumarchais, ze viens vous demander un petit service ; mon cer et vénéré patron Carle s'ennuie beaucoup ; il aurait besoin d'une zentille maîtresse, zolie, bien faite, spirituelle, et surtout zoyeuse, très zoyeuse et vivante. Vous qui êtes si malin, et qui inspirez confianze à tout le monde, aux femmes surtout, cercez-moi une dame qui puisse convenir à ce zenre d'usaze. Ze serais si content de pouvoir procurer cette distraction à ce pauvre Carle ! Il me remerciera larzement, et ze partazerai le bénéfice avec vous. Vous voulez bien ? » Beaumarchais refuse le bénéfice, mais ne dit pas non pour l'affaire.

Il a la sentimentalité facile de beaucoup des esprits distingués de son temps, mais par contre il est « homme d'affaires » aussi foncièrement qu'on peut l'être. Elevé à l'école de Pâris-Duverney, il envisagera désormais comme une affaire tout ce qu'il sera appelé à réaliser, dans quelque domaine que ce soit : économique, financier, politique, littéraire, sentimental.

*
* *

Le fils aîné de Mme Guilbert meurt en pension, à Paris ; le père Caron envoie à Beaumarchais par la diligence un paquet de vêtements et le charge d'annoncer la nouvelle aux parents : c'est une triste mission, dont il s'acquitte.

L'« affaire Pauline » va mal ; Pauline se plaint de l'inconstance de Pierre, dont elle a eu des échos ; puis Beaumarchais apprend que le pauvre cousin Pichon est mort à Saint-Domingue et, outre le chagrin réel que lui cause cette disparition, le sort des sommes assez considérables qu'il a jetées dans l'entreprise pour la relever n'est pas sans l'inquiéter. Un peu découragé, — c'est rare dans sa vie — il écrit à son père : « Travailler et souffrir, c'est mon lot ! » Il y a du vrai, car Beaumarchais, à partir de cette époque, ne goûtera plus souvent la tranquillité, dont il se déclare assoiffé ; il ira d'intrigues en intrigues, poussé par la fatalité, mais aussi, il faut le dire, par son goût du bruit, de l'aventure, du scandale même, et par un instinct irrésistible de combativité.

*
* *

Dès lors, sans le marquer trop nettement, il s'emploiera à retirer son épingle du jeu de Pauline. Les lettres qu'il reçoit de Julie, toujours piquantes, lui apprennent que son père — soixante-sept ans — songe à se remarier avec une vieille amie, mais que sa santé laisse à désirer. Beaumarchais est inquiet, et songe à rentrer.

Les affaires proprement commerciales et diplomatiques ne vont guère mieux. Beaumarchais est éconduit par les ministres et les ambassadeurs, avec des protestations fort élogieuses pour son savoir-faire, mais éconduit pourtant : « dans ce pays où tout va poco à poco, ma *furia francese* ne pouvait qu'amuser » ; telle est la situation après huit mois de séjour en Espagne, en janvier 1765.

Et cependant il va rester encore jusqu'au début du

printemps, à écrire des chansons, aller au théâtre, s'amuser, et mener à bien l'entreprise dont l'a chargé Pini, mais d'une façon très curieuse, et fort significative quant à ses scrupules et à la manière dont il pratique l'amour : un agréable commerce...

Il va s'appliquer à persuader la Marquise de La Croix que, vu son prochain départ, elle ne saurait trouver de meilleur dérivatif, de plus complète consolation qu'en devenant la maîtresse du Roi. Il pousse même l'inconscience jusqu'à en tenir au courant, dans sa correspondance, comme d'une manœuvre diplomatique, le ministre Choiseul. Et la marquise se laisse convaincre sans peine : admirable époque !

Un soir, en grand mystère, dans un petit pavillon voisin du Palais, Pini amène le Roi, et Beaumarchais la Marquise : vaincue, la coquette, par la perspective d'une vie de plaisirs, de toilettes et de bijoux, qui lui siéront si bien d'ailleurs, émue et toute rose, elle est assise à côté de son bénévole amant Beaumarchais, et attend que le Roi arrive ; par une porte basse, Pini paraît, suivi de Charles III. Le souverain est de taille moyenne, robuste ; chasseur infatigable, il a mené une vie simple de bourgeois, surtout depuis son veuvage, en 1760. Jovial, bon et affable, d'une intelligence ordinaire, mais roi consciencieux, c'était un brave homme de cinquante ans. De cette entrevue, il sortit follement amoureux. La marquise était un bijou si exquis ! Elle était beaucoup moins enchantée, mais la tentation du fruit défendu, la vision de luxe, et le caractère bon enfant de Charles III la décidèrent.

Quinze jours après, Mme la marquise de la Croix était présentée à la Cour ; son mari, en guise de consolation et dommages-intérêts, reçut un quelconque Grand Cordon ; Pini eut une pension, et Beaumarchais, fier de ce haut fait, après avoir généreusement sollicité de son ami Grimaldi la grâce de Clavijo, qu'on fut trop heureux de lui accorder, put s'apprêter à repartir pour Paris.

*
* *

Il y rentra exactement un an après en être parti, rapportant d'Espagne une impression assez vague dans sa richesse d'arc-en-ciel, des chansons, beaucoup de gribouillages sur du papier à musique, beaucoup de souvenirs typiques, et surtout des souvenirs de théâtre et un goût prononcé pour ce bel art, qu'il aimait depuis sa jeunesse ; sans oublier deux boîtes de poudre de cacao obtenues à grand peine pour M. de Jarente.

Il trouve, en rentrant, de nombreuses invitations à dîner, chez le duc d'Orléans, chez Mme de Tessé et chez le duc de Noailles son père, chez Le Normand d'Étioles qui s'est remarié depuis la mort de Mme de Pompadour, et a un petit garçon ; chez M. de Jarente aussi ; bref, un peu partout. Il va d'abord voir son vieux Pâris, à qui il rend compte des résultats obtenus en Espagne : rien, pour tout dire.

« Eh bien, tant mieux, dit Duverney ; l'État met en vente la forêt de Chinon, parce que les caisses sont vides ; c'est une source de revenus énormes pour qui sait s'y prendre ; en affermant l'exploitation des bois et coupes, il y a des affaires admirables à réaliser là-dedans ; voulez-vous que nous partagions cela ? » Beaumarchais a confiance, il a la perspective de bénéfices grandioses et l'affaire est conclue sur-le-champ. Et d'une.

Il reprend ses fonctions de juge « des pâles lapins », comme il dit ; à la suite d'un délit de chasse commis par les gens du prince de Conti, celui-ci fut condamné par Beaumarchais, lieutenant général, à réparer les dégâts. Le prince commença par se disputer avec Beaumarchais, et par chicaner la sentence ; sans doute était-ce chez lui une vieille habitude, car Louis XV ne l'appelait jamais autrement que *mon cousin l'avocat* ; mais Beaumarchais mit tant de patience et de courtoisie pour expliquer ses torts à ce prévenu princier, que celui-ci se rendit de bonne grâce. Juge et jugé devinrent vite grands amis. Beaumarchais par M. de Conti se trouva lié à toute la fleur de la haute aristocratie européenne, au Prince de Ligne en particulier, presque aussi spirituel que lui, et le prince de Conti se montra toujours par la suite bienveillant et fidèle, n'abandonnant jamais Beaumarchais alors même que d'autres de ses proches s'en éloignaient.

Pour remercier Pâris de l'hospitalité qu'il a offerte quelques jours à Beaumarchais. dans son château près de Nogent-sur-Marne, le juge des lapins prend sa lyre et chante, avec un lyrisme qui lui est inhabituel, les charmes de ce séjour enchanteur :

> Que j'aime à voir dans ce vallon fertile,
> Ce camaïeu de près et de guérets
> Et le cristal de cette onde tranquille
> Dont la lenteur exprime les regrets.

*
* *

Il a aussi trouvé, à son retour, un certain chevalier de Séguirand dans les meilleurs termes avec Pauline, à qui il a en vain demandé des explications ; il n'en obtient pas, ou guère. Le chevalier de Séguirand était un compatriote de Pauline, et qu'elle avait introduit rue de Condé sous le prétexte qu'il aspirait à la main de Julie Caron... Pauvre Julie, elle resta pourtant célibataire.

Pauline paraît toujours disposée à épouser Beaumarchais, mais lui sent bien qu'elle a une idée secrète, il redoute un piège. Il s'exaspère. Il part en voyage. en Flandres, sans but précis, semble-t-il, peut-être pour éprouver Pauline. L'épreuve est concluante : Beaumarchais apprend bientôt que le chevalier, malgré ses dénégations écrites, aspire à la main de la jeune Pauline, qui ne le repousse pas.

D'autre part Mme Buffault, femme d'un gros négociant que connaît Beaumarchais, lui a dit : « Mon cher, j'ai un beau parti à vous proposer : une de mes amies, une ancienne compagne de couvent, Geneviève Lévêque, veuve depuis quelque temps d'un Garde général des Menus-Plaisirs ; jolie figure, jolie fortune, encore toute jeune ; très lettrée, artiste, pleine de qualités ; qu'en dites-vous ? — Heu, heu, je ne peux pas encore répondre, j'ai autre chose en train, mais peut-être pourrait-on ménager une entrevue... — Oh oui, c'est cela ; demain nous devons aller faire un tour en carrosse aux Tuileries ; promenez-vous par là, vers trois heures après-midi ; tenez, prenez donc l'allée des Veuves, ce sera symbolique !... »

Le lendemain Beaumarchais, à l'heure dite, caracole sur un superbe cheval, dont la longue queue balaie le sable, dans les allées des Tuileries ; le carrosse de ces dames s'avance, au pas. Beaumarchais salue Mme Buffault, lorgne vers son amie : « Comme elle ressemble à ma charmante et douce marquise d'Espagne ! Comment ne l'aimerais-je point ? » Parlant avec Mme Buffault, il accompagne un instant la voiture puis on l'invite à y prendre place ; il accepte, laisse son cheval à son valet, et monte en carrosse. Qu'elle est donc jolie, cette élégante jeune femme, et comme elle ressemble étrangement à la Marquise de la Croix ! Pourtant elle est plus calme, plus posée, elle paraît tendre et affectueuse : cette fois c'est presque le coup de foudre. Beaumarchais est assez follement épris.

Pour combien de temps ?

En attendant, c'est le vieux père Caron qui se remarie, avec la vieille amie veuve qu'il courtise depuis plusieurs années ; quant à Tonton, dont le nom de guerre, inventé par Beaumarchais, est Mlle de Boisgarnier, elle s'entend mieux que jamais avec Octave de Miron, aussi spirituel qu'elle, et le mariage est décidé.

*
* *

Hésitant encore pour son compte, Beaumarchais écrit à Pauline pour lui demander sa réponse définitive : Pauline ne répond pas ; Pierre est fixé. Le mariage des deux créoles eut d'ailleurs lieu au début de 1767, un peu avant celui de Miron et Tonton ; Pauline est restée la débitrice de Pierre ; celui-ci passe la créance au nom du chevalier de Séguirand ; après d'interminables discussions entre le débiteur et le créancier, Beaumarchais consent à un arrêté de comptes des plus avantageux pour Pauline puisque sa dette se trouve réduite à 24.500 livres ; cependant il ne rentra jamais dans ses débours : Pauline ne put jamais rien rendre, car le Chevalier mourut un an après.

Beaumarchais n'avait pas attendu ce décès, ni même le mariage de Pauline, pour commencer sa cour auprès de Mme veuve Lévêque. Décidément il a du succès auprès des jeunes et riches veuves, ce qui ne l'empêche pas de se livrer à divers autres travaux !

Souvent invité chez Lé Normand, où l'on joue des parades impromptues, sortes de farces improvisées, Beaumarchais exerce sa verve à ces petits jeux. Et un beau jour, il s'en va-t-en guerre.

Bien que toujours trop sérieusement occupé, par ses fonctions de Cour et de magistrature et par ses affaires de bois, pour chercher dans les lettres autre chose qu'un « honnête passe-temps », il se lance dans la composition théâtrale, et dans des conditions paradoxales : Beaumarchais, le beau garçon, l'homme de plaisir, la coqueluche des femmes, va s'en prendre aux mœurs de son temps, et sous la forme littéraire la plus éloignée de son caractère : c'est par un drame des plus larmoyants qu'il va se révéler comme écrivain !

Il bâtit son plan très rapidement ; puis, découragé par la difficulté de la mise en forme, il laisse son travail en chantier ; à la reprise du *Père de Famille* de Diderot. à laquelle il assiste, il se sent transporté, et se remet avec ardeur à son œuvre.

Il n'a rien ménagé pour obtenir un succès à ses débuts dans l'art littéraire ; il a sollicité beaucoup de grands pour entendre la lecture de sa pièce : Mesdames de France, le duc de Nivernois, académicien, qui lui donne d'excellents conseils, et lui suggère des modifications dont il tirera profit ; d'autres encore.

C'est un drame social ; il en place la scène dans la « petite maison » d'un grand seigneur ; l'usage s'était répandu dans toute la noblesse, sous l'égide de Louis XV, d'avoir un petit pavillon où l'on entretenait des courtisanes, où parfois aussi l'on enseignait le vice à ses amies, jeunes filles ou jeunes femmes trop crédules ; *Eugénie*, « cet enfant de sa sensibilité ». comme dit l'auteur, passe à la censure, représentée par le sieur Marin, une des futures victimes de Beaumarchais, qui au cours d'un procès le ridiculisera à jamais, quelques années plus tard ; Beaumarchais est obligé de transporter son action dramatique en Angleterre, et ses héros bretons deviennent citoyens britanniques.

Eugénie lui a donné beaucoup de mal ; il a écrit de sa main plus de trois cents feuilles volantes, et rédigé sept manuscrits différents, pour cette petite pièce.

Le 25 janvier 1767, elle est montée ; la première représentation a lieu, *aux* Français comme on disait alors. Les honnêtes gens n'osent applaudir ni encourager la hardiesse de Beaumarchais, mais les nobles, leurs pique-assiettes, les femmes habituées à fréquenter les petites maisons, et toute la racaille des médiocres, journalistes, critiques, incapables, auteurs sifflés, envieux, font chorus contre la pièce, qu'ils déclarent scandaleuse.

Beaumarchais est heureux, il va pouvoir se battre ; il prend sa meilleure plume, et s'élance à l'assaut de ses détracteurs, en rédigeant une préface de quarante pages, où il administre à chacun son compte. Ce qui ne l'empêche point d'autre part de retoucher quelque peu sa pièce, et d'en retrancher pas mal de choses, de sorte qu'à la seconde représentation, elle se relève avec éclat.

*
* *

Le vendredi saint 1768, il se brouille avec le Roi : brouille indirecte, mais certaine, et que Beaumarchais regrettera longtemps. Ce jour-là, le Duc de la Vallière l'avait emmené à Versailles dans sa voiture après avoir passé la matinée à la Varenne du Louvre avec lui.

« Mon cher, lui dit M. de La Vallière, je soupe ce soir dans les petits appartements, avec le roi, Mme du Barry et quelques élus. Je cherche un sujet de conversation intéressant : on s'ennuie tellement, parfois, à ces petits soupers ! — Si les maîtres sont sérieux, rapportez-leur ce mot charmant de Sophie Arnould au comte de Lauraguais qui lui demandait récemment : « Te souviens-tu, Sophie, de nos premières amours, « quand je me glissais nuitamment chez ton père ? — « Ah ! le bon temps, s'écria-t-elle, comme nous étions « malheureux ! » S'ils sont trop gais, au contraire, demandez par exemple : « Pendant que nous rions ici, « Sire, Votre Majesté n'a-t-elle jamais songé qu'elle « doit plus de livres de vingt sols qu'il ne s'est écoulé « de minutes depuis la mort de Jésus-Christ ? »

« On niera votre assertion, chacun prendra son crayon et un bout de papier et l'on finira par vous rendre justice : cela donne autour de deux milliards de livres que le Roi doit, chacun le sait. »

Le duc, en riant, vérifia le calcul, et le soir, n'eut rien de plus pressé que de servir ce « rafraîchissement » au souper, trop gai le jour anniversaire de la mort du Christ. Le Roi, grave tout à coup, dit : « Ce trait nous rappelle assez bien le squelette que l'on servait, dit-on, à travers fleurs et fruits, aux anciens banquets d'Égypte pour tempérer utilement la bruyante joie des convives... Est-ce à vous, Duc, que nous devons cette moralité ? » Courtisan avant tout, le Duc, avec un sourire malheureux aux lèvres, répondit : « Non, Sire, c'est à Beaumarchais, qui en route ce matin m'a farci la tête de son calcul, que j'ai d'abord nié ».

« Calcul d'horloger » lança-t-on. Et chacun tomba sur

Beaumarchais ; il s'était aliéné le Roi et ses favoris, pour s'être montré financier trop avisé. C'était grave, et quelques années après. il l'éprouva.

*
* *

Il se marie, le 11 avril 1768, avec Geneviève Watebled, veuve Lévêque, à qui il a promis d'être un mari exemplaire. De ce mariage qu'il paraît avoir consommé... avant la lettre, il a, huit mois après, le 14 décembre, un fils qu'il nomme Pierre-Augustin-Eugène. Il installe alors sa femme à Pantin, encore hameau champêtre, et il part en Touraine, pour voir de près son exploitation de bois et lui donner de l'allant.

A sa femme il écrit :

Le 15 Juillet 1769.

« Tu m'invites à t'écrire, ma chère amie, je le veux de tout mon cœur : c'est un agréable délassement aux fatigues forcées de mon séjour en ce village. »

Il les énumére, puis continue :

« Tu vois, chère amie, que l'on ne dort pas tant ici qu'à Pantin; mais l'activité de ce travail forcé ne me déplaît point : depuis que je suis arrivé dans cette retraite inaccessible à la vanité, je n'ai vu que des gens simples et sans manières... Je loge dans mes bureaux, qui sont une bonne ferme bien paysanne, entre basse-cour et potager, et entourée de haie vive ; ma chambre, tapissée de quatre murs blanchis, a pour meubles un mauvais lit où je dors comme une souche, quatre chaises de paille, une table de chêne, une grande cheminée sans parement ni tablette ; mais je vois de ma fenêtre toutes les varennes ou prairies du vallon que j'habite, remplies d'hommes robustes et basanés, qui coupent et voiturent du fourrage avec des attelées de bœufs ; une multitude de femmes et de filles, le rateau sur l'épaule ou dans la main poussent dans l'air, en travaillant, des chants aigus que j'entends de ma table; à travers les arbres, dans le lointain, je vois le cours tortueux de l'Indre et un château antique, flanqué de tourelles... Le tout est couronné des cimes chenues des arbres qui se multiplient à perte de vue jusqu'à la crête des hauteurs qui nous environnent... Ce tableau n'est pas sans charmes. Du bon gros pain, une nourriture plus que modeste, du vin exécrable composent mes repas.... Adieu, mon amie, et par là dessus, bonsoir, je vais me coucher... sans toi, pourtant... ; cela me paraît dur quelquefois. Et mon fils, mon fils ! comment se porte-t-il ? Je ris quand je pense que je travaille pour lui. »

Il donne, au début de 1770, un nouveau drame qu'il a annoncé depuis longtemps sous différents titres tels que *Le Bienfait rendu*, *Le marchand de Lyon*, *La Tournée du Fermier général*, etc... ; c'est en fin de compte *les Deux Amis*, ou le *Commerçant de Lyon*, qui ne réussit guère ; sur l'affiche, quelqu'un a écrit, sous *Les Deux Amis*, ce titre complémentaire : « Par un auteur qui n'en a aucun. » La méchanceté veille. On lui avait reproché son manque d'originalité dans *Eugénie* ; Palissot avait déclaré en des vers puissants (le second est faux(:

Beaumarchais, trop obscur pour être intéressant
De son maître Diderot est le singe impuissant.

Il a écrit *LesDeux Amis* pour affirmer sa personnalité : c'est en effet un peu l'histoire de Pauline qu'il nous conte là ; en tout cas c'est bien un portrait qu'il nous dessine en la Pauline de la pièce ; pourtant c'est un four, c'est une banqueroute, comme dans la pièce ; cette fois c'est Grimm qui traduit l'impression du parterre :

J'ai vu de Beaumarchais le drame ridicule
Et je vais en un mot vous dire ce que c'est :
    C'est un change où l'argent circule
    Sans produire aucun intérêt.

A une des représentations, à propos de l'intrigue fort mal développée et confuse, un farceur crie du parterre : « Le mot de l'énigme au prochain *Mercure*, s'il vous plaît ! » Pauvre dramaturge !

DEUXIÈME PARTIE

AU ZÉNITH

I

> Qu'opposerez-vous aux faux-jugements,
> à l'injure, aux clameurs ? — Rien.
>
> *Les deux Amis*, IV, 7.

C'est vers cette époque que paraît s'accentuer un malaise qui se fait sentir dans les relations de Beaumarchais et de Pâris-Duverney — bien malgré eux d'ailleurs — environ depuis la conclusion de l'affaire de la forêt de Chinon ; entre les deux amis il y a quelqu'un qui s'efforce d'éloigner l'un de l'autre : c'est le petit-neveu de Duverney, le comte de La Blache, qui a déjà évincé son cousin Mézieu, et qui, futur héritier, voudrait isoler Duverney, le mettre en tutelle, le soustraire à toute influence autre que la sienne propre.

Duverney est vieux, il n'ose pas réagir trop nettement ; il sait que le comte surveille ses faits et gestes, ainsi que ceux de Beaumarchais ; les deux amis se voient moins souvent ; ils s'écrivent beaucoup au sujet de leurs communes affaires, mais en secret, avec un langage conventionnel que Beaumarchais appelle plaisamment leur « style oriental ». Il est surtout bien obscur, pour les indiscrets de la postérité. Ainsi :

> Lis, ma petite, ce que je t'envoie, et donne-moi ton sentiment là-dessus. Tu sens bien que dans une affaire de cette nature, je ne puis décider sans toi.

J'emploie notre style oriental à cause de la voie par laquelle je te fais parvenir ce bijou de lettre. Dis ton avis ; mais dis vite, car le rôt brûle. Adieu mon amour, je t'embrasse comme je t'aime. Je ne te fais pas les amitiés de la Belle : ce qu'elle t'écrit t'en dira assez.

Et une autre fois :

Je ne saurais comprendre comment on a conçu cette idée, dont l'exécution passe mes lumières. Je souhaite que ce soit un bien pour ta maîtresse. Il suffit qu'elle soit de ton avis. Le mien serait déplacé entre amant jaloux (c'est La Blache) et femme bien gardée (c'est Duverney). Je crois qu'il est difficile de réussir. JE LE BRULE.

L'intimité, que l'on devine, reste étroite.

Le comte flaire quelque chose ; il essaie tout pour ruiner le solide attachement du jeune et du vieux : il s'abaisse jusqu'à laisser envoyer, sous l'influence de son lieutenant, un nommé Chatillon, ancien clerc de notaire dévoyé, rusé et sans scrupules, d'immondes lettres anonymes, pleines d'horreurs sur l'autre, à chacun des deux amis.

Rien n'y fait : avec une philosophie mélancolique, ceux-ci échangent par courrier les infamies qu'ils reçoivent ; chacun sait d'où partent les coups, mais Beaumarchais ne se croit pas personnellement haï par La Blache qui éloigne toute amitié de Duverney, change ses commis, son comptable, son exécuteur testamentaire Dupont, que Beaumarchais connaît bien, sans que le pauvre vieillard ait le courage de se révolter : il sent venir la fin, et laisse tout aller.

Beaumarchais, inquiet de l'avenir, vu l'âge avancé de son grand ami — 86 ans — lui avait plusieurs fois demandé de régler ses comptes avec lui. Pâris-Duverney, lui, ne s'y refusait pas, mais n'y voyait aucune urgence... Beaumarchais insistant, Duverney essaie de tromper la surveillance de son neveu, — les choses en étaient là — pour donner un rendez-vous à son associé. Enfin l'entrevue put avoir lieu autour du 15 mars.

Duverney envoya un mot à Beaumarchais, lui disant : « Demain, entre 5 et 6 heures. Si je n'y étais pas, il faudrait m'attendre ; parce que je sortirai pour être en liberté. » Et le pauvre vieux se sauva de chez lui plus qu'il n'en sortit, par une porte basse qui ouvrait derrière son jardin, et à pied s'en fut retrouver Beaumarchais.

« Mon pauvre ami, lui dit-il alors, en se promenant mélancoliquement avec lui à la barrière d'Enfer, je suis navré de vous voir si peu et vous avoir si longtemps fait attendre ; je suis trop vieux, trop faible, voyez-vous, je ne suis plus libre de mes mouvements ; j'ai appelé mon neveu auprès de moi depuis six mois ; il le fallait puisque j'en veux faire mon seul légataire, sauf quelques souvenirs que je laisserai aux uns et aux autres : ma liberté, je ne l'ai plus maintenant, je le sais bien ; que voulez-vous que j'y fasse ? Il vous déteste, le dit à qui veut l'entendre, et fait tout pour vous écarter de moi ; vous vous tenez à distance, vous avez raison, il vous chercherait une mauvaise querelle.

« C'est en cachette que je vous ai donné ce rendez-vous, comme les autres que je vous ai offerts et que vous avez refusés ; j'en ai un peu honte, mais, vous le savez, et mes lettres vous l'ont répété, je ne peux pas faire autrement.

« Orphelin, élevé par moi et près de moi, La Blache est jaloux de toute influence étrangère, de toute amitié qui pourrait mettre en péril, à ce qu'il croit, son héritage : je ne me fais pas d'illusions d'ailleurs, il est très cupide : mais que voulez-vous j'en ai fait mon légataire depuis longtemps, il le sait, je n'y peux rien changer ! — Je sais toute cela, Monsieur Duverney ; mais ces rendez-vous clandestins me font horreur ; j'ai accepté celui-ci parce qu'il faut régler nos comptes et qu'on n'est jamais sûr du lendemain. » Beaumarchais aurait bien voulu rentrer dans ses fonds ; en outre, très sincèrement, il plaignait son vieil ami ; quelques jours après il lui écrit :

Comment va votre santé ? surtout, comment va votre tête ? Vous savez bien que je n'approuve pas l'excessif chagrin que vous avez pris de ce dernier tracas. Mon ami, cette école militaire vous tuera ! donnez-moi de vos nouvelles.

Et encore, le 29 mars :

Puisque mon bon ami craint d'employer son notaire, à cause de ses malheureux entours, je vais commander l'acte au mien : s'il l'approuve il sera fait demain au soir, et on lui portera tout de suite à signer, etc...

Le compte avait enfin été arrêté, toujours en cachette, sans témoins, par lettre, sous la seule signature des deux parties et daté du 1er avril 1770, de la main de Duverney. Les affaires de bois n'avaient pas donné ce qu'il espérait et d'après ce compte il restait de 15.000 livres le débiteur de Beaumarchais. Restent encore à ce sujet deux lettres de Beaumarchais :

Ce 15 *Juin* 1770.

Un peu de notre style oriental pour égayer la matière. Comment se porte LA CHÈRE PETITE ! (c'est Duverney).

Il y a longtemps que nous ne nous sommes embrassés. Nous sommes de drôles d'amants ! nous n'osons nous voir, parce que nous avons des parents qui font la mine : mais nous nous aimons toujours. Ah ça ma PETITE ! je vous ai rendu lettres et portraits ; voudriez-vous bien faire de même ? à la fin je me fâcherai. Autre article : depuis le grande pancarte, cette pancarte qui fait que, de très enchevêtrés que nous étions, nous ne sommes presque plus rien l'un à l'autre, (c'est leur réglement de comptes) j'ai eu affaire avec quelques fleuristes (des créanciers) qui commencent à me presser pour les fleurs que je leur ai promises. LA PETITE sait bien que, dans l'origine, le mot fleur signifiait une jolie petite monnaie, et que compter fleurettes aux femmes était leur bailler de l'or; ce qui a tant plu à ce sexe pompant, qu'il a voulu que le mot restât au figuré dans le galant dictionnaire.

Je voudrais donc que LA PETITE me comptât fleurette sur l'article de la balance de la grande pancarte, et qu'elle m'en composât un beau bouquet ; les fleurs jaunes (les pièces d'or) sont d'un usage plus commode. Ces jolies fleurs jaunes à face royale, que nous avons tant fait trotter, pour le service de LA PETITE, autrefois ! (En Espagne, en Touraine...) Je ne la taxe pas pour la grosseur du bouquet ; je connais sa galanterie. Mais lundi est le jour de la fête où ce bouquet doit passer aux fleuristes. LA PETITE veut-elle bien dire quand je pourrai envoyer chez elle ?

Et trois jours après :

Le 18 *juin* 1770.

Monsieur de Beaumarchais qui est dans son lit avec une fièvre que l'on qualifie de spasmodique(c'est le terme de Monsieur Tronchin) a l'honneur d'en donner avis à Monsieur Duverney. C'est ce qui l'a empêché d'aller rappeler au souvenir et à la bonté de Monsieur Duverney qu'il doit lui remettre des papiers importants, lesquels, à vrai dire, feraient grand plaisir au pauvre malade.

Puis, le 10 juillet, Duverney mourut.

Beaumarchais était au lit depuis trois semaines et n'avait pu aller chercher les 15.000 francs comme il était convenu, ni Duverney les lui envoyer.

Très correctement, à l'automne, Beaumarchais sollicita de La Blache, en possession des millions de feu son oncle, le règlement de comptes et lui présenta sa créance.

*
* *

C'est alors que, brusquement, le 20 novembre 1770, sa femme meurt, le laissant fort appauvri : presque toute la fortune de la veuve Lévêque était en viager.

Voilà donc encore une fois Beaumarchais revenu à une situation matérielle assez peu brillante, après avoir connu la richesse ; il lui reste un fils qu'il adore et dont il raconte à chacun les mots puérils ; néanmoins ses ennemis suggèrent, comme déjà au moment de la mort de sa première femme, qu'il pourrait bien aussi avoir empoisonné la seconde : ces pauvres calomniateurs auraient été bien embarrassés d'expliquer les mobiles de Beaumarchais ; sans doute même n'avaient-ils pas songé que, les biens de Mme de Beaumarchais étant placés en viager, son mari avait tout intérêt à la voir vivre longtemps ; en outre l'existence d'un enfant ruinait totalement ces basses insinuations.

Beaumarchais interrompit momentanément, puis reprit ses négociations.

En vain se fit-il pressant auprès du comte de La Blache. Après six mois de discussions plus ou moins courtoises, il en reçut enfin un mot ainsi conçu :

A Monsieur de Beaumarchais, Paris.

Ce mardi 7... quoique je ne me croye point obligé, Monsieur, de répondre à votre empressement sur la connaissance que vous désirez depuis si longtemps que je prenne de votre titre de créance, je passeray ce soir chés votre notaire pour en examiner la téneur, si c'est à la crainte de l'ennuy ou des explications fatiguantes que vous attribués celle que vous me suposés de vous y rencontrer j'abandonne ma justification sur cet article, quand aux éclaircissements que j'y aurais gagné et dont vous me flattés ; ne voulant rien obtenir, il était assez simple de ne rien demander, sur cela, Monsieur comme sur autre chose, je connais assés la valeur des procédés pour croire pouvoir me dispenser les apprendre de vous, je suis très parfaitement, Monsieur, votre très humble et très obéissant serviteur.

La Blache.

Le soir même on se retrouve chez Maître Mommet, notaire de Beaumarchais.

Le comte est beau garçon, méprisant, il porte monocle, et semble accorder une grâce à Beaumarchais en jetant un rapide coup d'œil sur la pièce faite en double entre Pâris-Duverney et Beaumarchais, et dont celui-ci lui présente un des exemplaires: «Ce n'est pas la signature de mon oncle, je considère cet acte comme faux.» Beaumarchais bondit, proteste. Le comte, après avoir proféré quelques violentes menaces, a déjà repris son chapeau, sa canne, ses gants, et il descend l'escalier ; Beaumarchais sait qu'il n'y a rien à tenter par les moyens de conciliation ; le comte était arrivé avec l'idée bien arrêtée de ce qu'il allait alléguer.

Beaumarchais lui écrivit encore, le priant d'amener des commis de Duverney qui, eux, connaissaient la signature. Après bien des atermoiements et l'intervention du notaire, le Duc se rendit à cette demande. Les commis affirmèrent que c'était bien la signature de leur ancien patron. Le comte répéta : « Je considère cet acte comme faux, je vais le faire annuler. » Et il sortit sans rien écouter, comme la première fois, laissant les commis mécontents, Maître Mommet se grattant la tête, et Beaumarchais affalé dans un fauteuil, murmurant : « Cet homme est fou ! Il veut me perdre, mais il faudra bien que ce soit moi qui le perde. »

Pendant ce temps La Blache se faisait conduire chez son avocat, Maître Caillard, un Normand, très fort, comme on verra. Beaumarchais courut au Palais, trouva trois avocats de sa connaissance, et les mit au courant. Maître Malbeste qu'il connaissait particulièrement lui dit : « Vous êtes sûr de vous, vous avez les lettres de Duverney relatives à ce règlement de comptes, et en prouvant l'existence ?

— Mais oui, et même le plus souvent Duverney me répondait au *verso* de mon papier ; pas moyen donc de nier l'authenticité de ces pièces.

— Alors attendez de pied ferme ; si on vous attaque, vous avez de quoi vous défendre. Quant aux 15.000 livres que Duverney vous devait, et que vous réclamez, vous feriez mieux d'y renoncer. »

Beaumarchais ne l'entendait pas ainsi : créancier, calomnié, il voulait recevoir des excuses et ce qui lui était dû. Il se rendit alors à l'École Militaire pour y voir M. de Mezieu, le directeur, l'autre neveu de Duverney, qui l'avait sacrifié totalement à La Blache, sur son testament, et l'avait écarté sur les instigations de ce dernier, toujours avide de tout avoir ; Beaumarchais qui estimait beaucoup De Mézieu, avait souvent reproché à Duverney cette conduite peu généreuse, mais en vain.

« Mon cher, répondit de Mézieu, quand Beaumarchais lui eut exposé son cas et demandé ce qu'il en pensait, j'ai toutes les raisons de ne pas aimer La Blache, qui a été de tous temps mon rival auprès de mon oncle ; si c'était un honnête homme, un brave garçon, je m'en consolerais. Ce qui me peine surtout, c'est que mon oncle m'ait toujours préféré cet individu qui n'a de noble que son nom ; c'est une âme fort laide ; de l'intelligence, certes, mais pas de bons sentiments. Je l'ai vu à l'œuvre, j'ai eu des échos aussi : nous avons le même notaire, maître d'Outremont ; il est allé le voir ces jours-ci à propos de ce qui vous occupe, et devant le premier clerc, que j'ai vu hier, il a hurlé : « Si jamais « il a ses 15.000 francs, ce sera dans dix ans, et je l'aurai « perdu de réputation d'ici là ! » Il y a quelque temps déjà, il disait à votre ami M. le duc de Chaulnes qui lui faisait votre éloge : « Je hais ce Beaumarchais comme « un amant aime sa maîtresse ! » Le duc de Chaulnes a ri et, pensant à Mlle Menard, lui a répondu : « Mon cher, « j'aime beaucoup ma maîtresse, et je ne hais point « Beaumarchais. »

« J'ai été voir une ou deux fois mon oncle sur ses derniers jours, et il me montra une fois un sac assez volumineux, placé près de sa cheminée, en me disant : « J'ai arrêté mes comptes avec notre ami Beaumar- « chais. Il doit venir prendre ce sac d'or un de ces jours. » — Ah ! pourquoi diable ai-je été malade, cloué au lit pendant deux mois par une mauvaise fièvre ! Tout serait réglé aujourd'hui. Je ne l'ai même pas revu à ses derniers moments. — Au moment de sa mort, continua Mézieu, j'étais dans le salon avec des parents et des petits-neveux éloignés, le sachant à l'agonie ; il y avait aussi ce vieux domestique que j'ai toujours connu chez lui, et que La Blache a renvoyé si tôt mon oncle mort ;

il détestait mon cousin : « Vous ne savez pas, nous « dit-il, combien Monsieur le Comte est avaricieux, son « notaire est là depuis ce matin, dans la garde-robe : à « eux deux ils attendent que Monsieur reprenne un « instant ses sens pour lui faire signer un papier. Hier « soir encore, Monsieur a refusé, mais aujourd'hui qu'il « est à sa fin, qu'ils le réconfortent avec des sels, il se « laissera peut-être faire, ce pauvre vieillard. En ce « moment Monsieur le Comte est en train de tout « mettre sens dessus dessous dans le secrétaire de Mon- « sieur, et pourtant il hérite des cents et des mille ! » Il serrait les poings et pleurait en nous disant cela, et c'était vrai, j'en suis sûr. — Voilà qui m'apprend beaucoup de choses précieuses ! dit Beaumarchais. — Sur cette affaire en particulier, je serais heureux de vous voir triompher, reprit Mezieu, vous avez le bon droit de votre côté, mais il a du sien beaucoup d'intelligence à faire le mal, et un avocat qui est un parfait malhonnête homme. Alors ! Alors !... »

*
* *

Alors le Prince de Conti résumait la situation dans cette phrase lapidaire : « Beaumarchais payé, ou pendu. » Beaumarchais d'ailleurs, qui ne perdait jamais l'occasion d'un jeu de mots, si mauvais fût-il, répondait immédiatement : « Soit, mais si je gagne mon procès, mon adversaire ne devrait-il point aussi *cord*ialement payer un peu de sa personne ? »

Et Sophie Arnould, toujours rieuse, et souvent juste dans ses bons mots, disait : « Vous verrez que s'il est pendu, la corde cassera ! »

En attendant, Beaumarchais dépose une plainte aux Requêtes de l'Hôtel ; La Blache en fait autant, demandant des lettres de rescision, et l'annulation du contrat comme faux et entaché de fraude. Il avait pourtant présenté sa demande de telle façon que l'acte ne devait pas être valable quant aux 15.000 francs réclamés par Beaumarchais, mais que la somme de 139.000 livres portée sur ce même arrêté de comptes, comme constituant l'actif de Duverney sur Beaumarchais avant le réglement final, lui était due, à lui, La Blache.

Entre temps, le cher comte court chez tous les Maîtres des Requêtes, insiste pour se faire recevoir et leur débite les pires atrocités sur Beaumarchais ; c'est une récitation des lettres anonymes que Pâris-Duverney recevait à la fin de sa vie :

« Monsieur le Maître des Requêtes, je ne voudrais pas que vous soyez tenté, sur les apparences, de donner raison, dans le procès que vous allez bientôt juger entre ce Beaumarchais et moi, à ce roturier chassé par son père pour vol et luxure, à 16 ans, se faisant porte-faix, puis jongleur de foire, assassin de sa première femme, empoisonneur de la seconde ; en Espagne, il jouait gros jeu et trichait, il a perdu de réputation et fait destituer le fiancé de sa sœur, il a extorqué de l'argent à mon oncle, à Mesdames, qui l'ont chassé de leur présence ; c'est de la pire espèce d'hommes, etc... »

Les uns l'écoutaient et le croyaient presque, d'autres l'écoutaient et ne le croyaient point, d'autres enfin, trop rares, hélas, ces derniers, dès les premiers mots le mettaient à la porte.

*
* *

Un jour, Caillard, l'avocat de La Blache, demanda à nouveau communication à celui qui défendait Beaumarchais, de l'acte du 1er avril et des lettres de Pâris-Duverney. Beaumarchais, qui se méfiait de ce maître-roublard, remit lui-même les lettres à Caillard, datées, comptées, numérotées. Cinq jours après, on les rendit à l'avocat de Beaumarchais. Et le lendemain, à l'audience, maître Caillard nasille tout à coup : « Messieurs, je vous apporte aujourd'hui une preuve certaine de la fausseté des pièces du sieur Caron. Au dossier figure une lettre prétendue de M. Duverney audit sieur Caron, et que vous y trouverez. Cette lettre est datée du 5-IV-70, et ledit Caron en fait le plus grand cas. Or, au bas de cette lettre, vous voyez écrit, mais à demi-caché par de la cire : *M. de Beaumarchais* ; cette suscription devrait être de la main de M. Duverney, indiquant censément le destinataire. Or, messieurs, la moitié de ladite suscription est recouverte par un cachet de cire. Que signifie cela, Messieurs, sinon que le sieur Caron a fabriqué cette lettre supposée, mis la suscription, le cachet dessus par inadvertance, et a brisé ledit cachet en rouvrant sa lettre, cachant ainsi la moitié de l'adresse. Voilà la preuve de ses manœuvres frauduleuses ! »

C'en était une terrible, en effet, et les juges qui se passent la lettre ne peuvent que constater. La lettre arrive sur sa demande à Beaumarchais qui pressent une supercherie : on a dû truquer la lettre. Mais son procureur, avant que Beaumarchais lui-même ait eu le temps de démontrer l'imposture, s'est écrié, la lettre à la main : « Messieurs, que penser de nos adversaires ? C'est moi qui ai écrit le nom de mon client sur ce papier, il y a quinze jours, pour classer l'affaire et le document, et quelqu'un de nos adversaires a mis un cachet par-dessus, ensuite ! J'offre de prouver sur l'heure ce que j'avance, en écrivant autant de fois qu'on le désirera le nom de Beaumarchais, en écriture courante, ce qui montrera que c'est bien la mienne qu'on a couvert d'un cachet de cire, pour faire croire à une falsification de la part de mon client. »

Ainsi fut fait, les juges se rendirent à l'évidence ; Caillard, La Blache, Chatillon et Cie étaient confondus. Dès lors l'affaire était gagnée.

*
* *

Enfin le grand jour arriva au milieu de février 1772 : par une savante série d'*attendus*, tous plus logiques et solides les uns que les autres, le rapporteur, maître Dufour, rendit justice à la bonne foi de Beaumarchais, et au bien-fondé de sa demande ; le jugement final confirma le rapport : le comte de La Blache était débouté de son inscription en faux, invité à verser les 15.000 livres à Beaumarchais et condamné aux dépens.

La Blache déclare qu'il fera appel de ce verdict.

Beaucoup des connaissances de Beaumarchais, et non des moindres, l'attendaient après le jugement et lui prouvèrent par leurs démonstrations chaleureuses d'un enthousiasme ardent, — en ce temps comme en celui de Molière, on tombait dans les bras l'un de l'autre après s'être quittés une heure avant — que s'il avait des ennemis acharnés, il comptait aussi de fidèles amis.

Chacun l'invita, le voulut pour lui ; les grands furent fiers de l'avoir pour protégé, les bourgeois ne le furent pas moins de se montrer en sa compagnie, et ceux qui avaient besoin de lui, les humbles qu'il aidait ou protégeait, l'en admirèrent et respectèrent davantage ; en attendant le jugement d'appel, il sortait grandi de l'aventure dont le grotesque et l'odieux à la fois étaient entièrement retombés sur le maréchal de camp, comte Joseph Alexandre Falcoz de La Blache.

Quelques mois après, son beau-frère Guilbert devient fou et meurt à Madrid ; Marie-Josèphe, avec un fils et une fille, et Marie-Louise, rentrent à Paris : Beaumarchais les recueille rue de Condé.

II

> ... je vois du fond d'un fiacre baisser pour moi le pont d'un château-fort, où pendant des mois rien ne me manque hors l'étroit nécessaire.
>
> *Le Mariage. Monologue de Figaro*, V, 4. *(variante)*.

Juste après la mort de sa femme, on lui avait présenté un jour dans un salon littéraire, chez Mme d'Hauteville, un tout jeune homme qui brûlait d'envie de le connaître ; peu de temps après, le jeune homme revit Beaumarchais chez Mme de Miron sa sœur, et lui déclara l'admirer beaucoup ; Beaumarchais n'était pas insensible à l'encens, et le jeune homme lui ayant demandé son avis sur une pièce de vers, il le reçut chez lui, lui donna quelques conseils, bref, se l'attacha tant et si bien que le jeune Gudin de la Brenellerie devint bientôt le cavalier servant et l'inséparable ami de Beaumarchais. Ce dernier jouit pendant près d'un an d'une tranquillité relative, et d'une considération croissante ; La Blache le laissant momentanément en repos, il s'occupe de ses affaires, de son fils, et il termine son *Barbier de Séville*.

Le Barbier ! Il y pense depuis son voyage d'Espagne et y travaille de loin en loin, quand son tourbillon d'affaires lui en laisse le temps ; la pièce subit bien des métamorphoses, bien des avatars. De son dessin premier Beaumarchais tire tout peu à peu ; il ajoute, change même de but et de genre ; tour à tour farce, parade, projet d'opéra-comique, sa pièce prend sa tournure définitive en 1770. Dès le printemps 1772 il commence à en lire des fragments chez des amis ; puis il offre sa pièce aux comédiens italiens.

Entre temps, le 17 octobre, moins de deux ans après la mort de sa femme, survient celle de son fils unique, à peine âgé de quatre ans ; le père aimait beaucoup cet enfant, mais sans être dénaturé, il n'est jamais longtemps affecté de la perte des siens, et sa correspondance ni celle de ses familiers n'en porte trace, même tout de suite après : une seule lettre le jour de la mort de sa première femme, c'est tout. Bref, ces sortes de chagrins semblent avoir glissé chaque fois sur lui sans avoir altéré, sinon très momentanément, sa bonne humeur et sa joyeuse activité.

Niais, les Italiens refusèrent la pièce. La principale raison, paraît-il, fut que leur meilleur acteur, un nommé Clerval, avait été barbier en son jeune temps et qu'il aurait cru déroger en jouant ce rôle, où il se croyait peut-être visé. Beaumarchais se pique au jeu, corrige, modifie ses personnages, leur langue surtout, élève un peu son héros, et tous ces échappés du Théâtre de la Foire osent frapper un jour à la porte des Comédiens français. « Ce fut Scapin qui l'ouvrit à Figaro [1]. »

On devait donner *Le Barbier* aux Jours Gras 1773. Mais l'affaire de Chaulnes fit renvoyer la représentation à un autre temps.

1. Lintilhac.

* * *

Le duc de Chaulnes, ci-devant Pecquigny, était, et depuis près de dix ans à ce moment, un des amis intimes de Beaumarchais : bâti en colosse, intelligent, il s'était livré avec succès à des recherches physico-chimiques, comme son père d'ailleurs ; il avait neuf ans de moins que Beaumarchais ; de caractère violent et assez inégal, il n'était pas en très bonnes relations avec sa famille ; un an avant il avait provoqué en duel un de ses amis anglais. à la suite d'une discussion scientifique où ils n'étaient pas d'accord ; il avait été blessé.

Il avait pris pour maîtresse une jeune actrice, Mlle Mesnard, dont il avait eu un enfant, mais qu'il maltraitait fort ; lasse de ses brutalités, en décembre 1772, elle était un beau jour partie en province, silencieusement, prévenant seulement le Duc que son départ constituait une rupture à l'amiable, qu'elle comptait revenir bientôt à Paris, et même le revoir en camarade, quand il en aurait pris son parti et qu'elle serait reposée. Beaumarchais était souvent allé, avec le duc, chez Mlle Mesnard, qui réunissait à dîner Gudin, Sedaine, Marmontel et quelques autres. Il était même, au moment de la rupture, très bien avec elle — il venait justement de lâcher sa dernière maîtresse, la fille du duc de Broglie, qui allait se marier — et beaucoup moins bien, naturellement, avec le duc de Chaulnes, qui, à tort ou à raison, avait manifesté des soupçons ; il n'en avait pas moins emprunté de l'argent à Beaumarchais, et ils restaient en relations.

De retour à Paris au début de 1773, Mlle Mesnard

envoya un billet à Beaumarchais, comme à ses autres amis sans doute, pour lui dire qu'elle recevait de nouveau ; Beaumarchais, le bon apôtre, écrivit alors un mot au duc de Chaulnes, le prévenant qu'il irait voir « Mme Ménard » sous peu, et le félicitant, pour elle et pour son ami, de cette séparation à l'amiable, mettant fin à une mésentente ménagère qui ne pouvait, selon lui, que s'accentuer : il avait déjà discuté cette question avec le Duc, quand ils étaient très intimes et lui avait prodigué des conseils qui n'étaient peut-être pas absolument désintéressés... Quoi qu'il en soit, un beau jour de février 1773, le 11, très exactement, vers 11 heures du matin, le duc de Chaulnes, en montant l'escalier de Mlle Ménard, rencontra Beaumarchais qui sortait de chez elle ; le salut fut glacial, comme l'on pense : « Bonjour, Monsieur », dit le Duc en serrant rageusement la main de Beaumarchais et en roulant des yeux terribles.

Beaumarchais, avec son air fin et moqueur répondit : « Bonjour, Monsieur. Allez-vous bien ? » en s'inclinant avec un sourire ironique ; puis il continua à descendre l'escalier en sifflotant un air conquérant très à la mode. Le duc, soupçonneux et jaloux, escalada les dernières marches avec fureur, faisant bringuebaler son épée contre la rampe, manqua d'arracher le pied de biche, et se précipita en claquant la porte derrière lui, dans l'appartement de Mlle Ménard, qu'il trouva en déshabillé élégant, réparant sa coiffure devant la psyché. Gudin qui était arrivé avec Beaumarchais s'apprêtait à sortir. Étonné de l'air du duc, il resta. La scène fut violente ; chapeau en tête, le duc hurlait et frappait du pied : Mlle Ménard riait très fort et continuait à parfaire sa coiffure devant sa glace à l'aide de sa femme de chambre.

Le duc, d'un coup de poing sur la coiffeuse, brisa plusieurs flacons, rugissant : « Je le tuerai ! »

La femme de chambre s'enfuit en criant, Mlle Ménard se mit à sangloter, Gudin se précipita, mais il était malingre et le duc en un tournemain l'envoya rouler à l'autre bout de la chambre ; le pauvre garçon se releva, se frotta et sortit, courant après Beaumarchais dont il rencontra le carrosse rue Dauphine, au carrefour de « Bussy ». Brandissant sa canne il fit signe au cocher d'arrêter ses chevaux — deux superbes bêtes, cadeau de Duverney, — monta à la botte de la voiture et dit à Beaumarchais : « Le Duc doit vous chercher pour vous tuer. » Beaumarchais rit et répondit : « Il ne tuera que ses puces ! Merci tout de même, mon cher ; je m'en vais à la capitainerie, il attendra bien que j'en sois revenu. »

Pendant ce temps le duc, saisissant sa maîtresse à la gorge, vociférait : « Traîtresse, tu me trompes avec ce coquin, n'est-ce pas ? » Puis l'abandonnant à demi-étouffée sur un sofa, sans attendre de réponse, il se précipita dehors, tomba dans l'escalier, et se retrouva en bas, suant, pestant, face à face avec Gudin, le doux et pacifique Gudin, qui était revenu voir si le carrosse du Duc était là, et qui venait de hêler un fiacre pour rentrer chez lui.

Prenant Gudin par le bras, le duc, terrible, demanda : « Vous savez où il est, n'est-ce pas, vous savez tout, eh bien dites-le-moi tout de suite ou gare à vous : il faut que je le tue ! — Mais qui, de grâce ? — Ce fripon de Beaumarchais, votre ami, Monsieur, introduit par moi auprès de Mlle Ménard, et qui me trompe maintenant avec elle ! Vous le savez d'ailleurs, vous êtes son complice. Où est Beaumarchais? Allons, dépêchez-vous, ou je vous passe mon épée à travers le corps. ! »

Et il secouait Gudin affolé. Le cocher s'impatientait, les curieux s'amassaient.

Alors poussant de force Gudin dans le fiacre, le duc s'y engouffra, criant au cocher : « Rue de Condé ». Gudin savait que Beaumarchais devait être à cette heure à la capitainerie de la Varenne du Louvre, pour y présider l'audience des délits de chasse. Il ne souffla mot. Le fiacre part, et aux arrêts causés par les embarras de voitures, les passants peuvent voir et entendre le duc, qui, toujours criant, se rue sur Gudin.

Le bon Gudin appartenait à cette race d'êtres paisibles de leur naturel, mais qui, venant à en sortir, sont ce qu'on appelle des moutons enragés. Il commence à trouver que le duc exagère : « Sacrebleu, me direz-vous où est caché ce coquin ? Quand je lui aurai arraché le cœur avec les dents, cette p..... de Ménard deviendra ce qu'elle pourra. — Je ne sais point où est mon ami Beaumarchais, et quand je le saurais, je ne vous le dirais certes pas, dans la fureur où l'on vous voit ! — Ventrebleu, savez-vous que si vous me résistez je vous lancerai un soufflet. Voyez-vous l'impertinent ! — Si vous me donniez un soufflet, Monsieur le Duc, j'aurais l'honneur de vous le rendre. — A moi, un soufflet ! Corbleu ! » Et le duc se dressant dans le fiacre, attrapa par les cheveux Gudin qui portait perruque, et renouvela *Chapelain décoiffé* aux yeux des passants et du cocher, descendu de son siège aux cris de la victime que le noble possédé griffait par toute la figure : « Au guet, à moi ! » criait Gudin : la populace s'amusait fort à ce combat singulier, et le cocher ayant la prétention que ses clients se tiennent bien, l'expliqua assez durement au duc qui, étouffant de colère, mais vaguement inquiet des suites possibles de ses fureurs, consentit à se tenir à peu près tranquille, refrogné jusqu'à l'arrivée rue de Condé. Gudin rajusta sa perruque, essaya timidement de calmer son irascible compagnon de route, puis à l'arrêt du fiacre, en sortit précipitamment et s'enfuit à toutes jambes : c'est un bon garçon, très paisible, même un peu couard, et pour fuir, il se donne cette excellente excuse que, si les valets de Beaumarchais qui le connaissaient bien, l'avaient vu, ils n'auraient pas hésité à répondre au Duc, s'il leur demandait où se trouvait leur maître ; tandis que, voyant le Duc seul, et dans cette colère, sans doute refuseraient-ils de lui indiquer où Beaumarchais était ; excuse subtile, inspirée à Gudin par la crainte du scandale et des fureurs du Duc, plus que par sa présence d'esprit à servir son ami.

*
* *

Le Duc éberlué et furieux de cette fuite précipitée, dut payer, pour Gudin, le cocher de fiacre : c'était bien le moins ; puis il frappa au marteau, et reçut des valets naïfs l'assurance qu'il trouverait Beaumarchais à la capitainerie, où il tenait audience.

Ressautant dans son carrosse qui l'avait suivi pendant le voyage en fiacre, il se fit conduire au Louvre, et arriva haletant, en coup de vent, dans la salle où Beaumarchais, revêtu de ses insignes de magistrat, présidait avec gravité l'audience des délits de chasse.

Toujours suant, soufflant et jurant, le noble hercule, les yeux hors de la tête, explique sans ambages à Messire Pierre Augustin, majestueux et digne sous sa toge, le besoin immédiat qu'il a d'un entretien particulier : « Monsieur de Beaumarchais, j'ai à vous parler, c'est urgent, je vous prie de sortir un moment.

— Je ne le puis, Monsieur le Duc ; veuillez vous asseoir. — Non, ventrebleu, je veux vous parler tout de suite ! » Et il se promène de long en large à grand bruit ; les adjoints de Beaumarchais s'étonnent. Lui préfère lever l'audience un instant et passe dans un cabinet avec le Duc qui alors cède à sa fureur, et, en langage de fort de la halle, à grand renfort de grossièretés et de gestes explicatifs, invite Beaumarchais à se laisser pourfendre sur l'heure. « — Ah ! ce n'est que cela, Monsieur le Duc ? » répond froidement Beaumarchais. « Souffrez que les affaires aillent avant les plaisirs. ! » Et il s'apprête à rentrer dans la salle. Le Duc l'attrape par sa robe, l'arrête à la porte et lui souffle à l'oreille en grinçant des dents : « Je vous arrache les yeux et le cœur avec les dents si vous ne sortez pas immédiatement. Lâche, gredin ! — Ce serait très dangereux pour vous, mon cher ! Un peu de patience, que diable... »

L'audience reprend. Beaumarchais est très calme ; le Duc ne tient pas en place, regarde sa montre à tout instant, serre frénétiquement la garde de son épée, demande aux uns et aux autres « s'il y en a encore pour longtemps ». Enfin Beaumarchais lève la séance, quitte sa tenue de magistrat, rejoint le Duc toujours trépidant, et lui demande une fois en voiture : « Monsieur de Chaulnes, me direz-vous au moins quel méfait me vaudra l'honneur d'être transpercé par un Duc et Pair ? — Non, pas d'explications, allons-nous battre tout à l'heure. — Mais... — Point, vous dis-je, morbleu ; allons, ne reculez pas ! — Mais je n'ai là qu'une épée d'apparat, laissez-moi au moins passer chez moi en prendre une autre. — Nous passerons chez Monsieur le Comte de Turpin qui vous en prêtera une et nous servira de témoin. »

Le Comte de Turpin s'excuse, prétextant une affaire urgente ; il est une heure après-midi, le Duc n'a pas déjeuné, ni Beaumarchais : bon homme, Beaumarchais invite son indésirable compagnon de route à déjeuner chez lui, dans l'intention d'obtenir des explications et d'arranger, si possible, les choses à l'amiable, autour d'une table bien servie : Beaumarchais a gardé un amer souvenir d'un autre duel, vieux de douze ans, et voudrait éviter celui-là. Le Duc tend les poings, injurie, mais déjà on est rue de Condé, les laquais ouvrent la portière, le Duc se tait, et paraît se résigner.

Silencieux, les deux hommes montent l'escalier, Beaumarchais introduit le Duc dans son bureau, demande qu'on y serve à déjeuner pour eux deux, et ordonne à son laquais de lui préparer une épée ; ils restent seuls : Beaumarchais prend une lettre sur sa table et la décachète : le Duc la lui arrache ; Beaumarchais s'apprête à écrire, le Duc l'en empêche, l'injurie, le malmène, le prend aux basques de son habit, saisit l'épée de cour de son hôte, posée sur son bureau, et, gardant la sienne au côté, s'apprête à transpercer Beaumarchais, tout en l'abreuvant d'injures effroyables. Le Duc est d'un côté du bureau, Beaumarchais de l'autre, sa situation est critique ; pourtant, après une course circulaire autour du bureau, d'un revers de main il pare le coup, empoigne son vigoureux ennemi à la taille, et tente de s'approcher de la cheminée pour tirer la sonnette ; il y parvient, mais l'enragé Duc lui laboure le visage de ses ongles, et c'est ruisselant de sang que les valets trouvent Beaumarchais ; accourant l'un après l'autre, laquais, valet de chambre, cuisinier, cocher, parviennent à désarmer et à maintenir le possédé ; il a néanmoins eu le temps de scalper à demi Beaumarchais, qui, fou de douleur, lui a lancé un maître coup de poing en pleine figure. « Misérable, tu frappes un Duc et Pair ! » s'écrie Monsieur de Chaulnes. Les valets, craignant le « Duc et Pair », n'osent le retenir ; il se dégage et s'élance à nouveau sur Beaumarchais dont les habits sont en lambeaux et la tête en sang ; le père Caron se précipite, mais ses soixante-quinze ans, non plus que les cris des sœurs de Beaumarchais, n'arrêtent le fou ; une femme de chambre ouvre la fenêtre et crie qu'on assassine son maître ; les badauds accourent, on va chercher le commissaire ; pendant ce temps le corps-à-corps continue, les valets n'arrivent pas à séparer les adversaires qui bientôt se trouvent au bord de l'escalier et dégringolent du haut en bas ; plaies, bosses ; ils se frottent, le Duc jure toujours et s'apprête à reprendre le combat, quant le marteau de la porte retentit ; il se précipite, ouvre, se trouve devant Gudin, le lance dans l'entrée et referme la porte ; le pauvre Gudin, verdâtre et tremblant, reste là où la poigne du Duc l'a expédié ; le Duc, tirant alors l'épée qu'il portait au côté, se précipite sur Beaumarchais ; on le désarme encore, non sans peine ; tous les combattants sont blessés ; Monsieur de Chaulnes court chercher un couteau à la cuisine, Beaumarchais remonte à son bureau, et s'arme d'un tisonnier ; le Duc, ne le voyant pas, s'attable en bas et dévore le déjeuner servi pour la famille Caron. Les domestiques chuchotent, tout en le surveillant de loin. On heurte à nouveau le marteau ; la bouche pleine, échevelé, débraillé, le Duc court à la porte et se trouve devant le commissaire. Beaumarchais descend, le commissaire est assailli de deux récits contradictoires et simultanés, celui du Duc, celui des autres. Le commissaire emmène le Duc dans une pièce, et le calme respectueusement pendant qu'il s'arrache les cheveux et se meurtrit le visage ; enfin il consent à rentrer chez lui, et n'hésite pas à se faire coiffer et habiller par un des laquais, qu'il a blessé.

Le Commissaire n'ayant pas dressé tout de suite procès-verbal des faits composa après coup, pour Monsieur de Sartines, lieutenant-général de police, un rapport où il n'osa charger le Duc et Pair ; Beaumarchais en rédigea un ; le Duc aussi, très différent de celui de Beaumarchais ; Gudin aussi.

*
* *

Dans la soirée Beaumarchais, la tête pansée, se rendit chez son ami Lopes, ex-maître d'hôtel de Sa Majesté : il devait y lire le *Barbier de Séville*, ce qu'il fit avec succès ; il raconta spirituellement ses démêlés épiques avec le Duc de Chaulnes, et termina la soirée en accompagnant à la harpe des séguedilles rapportées d'Espagne et pour lesquelles il avait composé des paroles.

Trois jours après le Duc de Chaulnes, au foyer du Théâtre Français, puis en plusieurs autres. déclara publiquement ne pas vouloir se battre avec Beaumarchais, roturier. Le tribunal des Maréchaux de France, juge de ces sortes d'affaires entre gentilshommes, — et Beaumarchais l'était, — mit Beaumarchais et le Duc en surveillance chez eux ; puis, après audition des plaignants et témoins, envoya le 19 février le Duc de Chaulnes à Vincennes et déclara Beaumarchais libre. Vaguement inquiet de cette justice impartiale, Beaumarchais se rend chez le Ministre de la Maison Royale, Duc de la Vrillière, ex-comte de Saint-Florentin, celui-là même qui avait ordonné l'enquête de l'Académie des Sciences sur « l'invention » de l'horloger Lepaute. Le Duc de la Vrillère, esprit étroit, avait mis spécialement Beaumarchais aux arrêts, malgré ses protestations ; ne le trouvant pas, celui-ci lui laisse un mot l'avisant du décret des maréchaux de France, et se fait conduire ensuite chez Monsieur de Sartines, le lieutenant général de police, qu'il connaît déjà un peu, et qui lui confirme qu'il est libre.

Mais le Duc de la Vrillière, irrité de voir lever *Au nom du Roi* un ordre donné par lui *Au nom du Roi*, expédie le 24 février, *Au nom du Roi*, Beaumarchais à For-l'Evêque. Le soir même un officier de mousquetaires se présente chez lui, lui lit son ordre d'arrêt, et lui dit : « Vous avez un quart d'heure pour préparer votre porte-manteau et dire au revoir à votre famille ».

Beaumarchais proteste. Le lieutenant lui dit : « Ne perdez pas de temps ». Puis, deux sergents viennent le prendre, le fourrent, toujours malgré ses protestations, dans une voiture qui attendait à la porte, et fouette cocher ! Dans le crépuscule, Beaumarchais quitte la rue de Condé. Voilà notre ami ravi aux siens, à son *Barbier*, à ses affaires, à son procès La Blache toujours menaçant ; il en prend son parti, espérant que le séjour sera bref, et il écrit à Gudin éploré :

En vertu d'une lettre sans cachet appelée lettre de cachet, signée Louis, plus bas Phélippeaux (nom patronymique de La Vrillière), recommandée Sartines, exécutée Buchot, et subie Beaumarchais, j'ai été invité de passer huit jours dans un appartement assez frais, garni de bonnes jalousies, fermeture excellente, enfin d'une grande sûreté contre les voleurs et point trop chargé d'ornements superflus, au milieu d'un château joliement situé dans Paris, au bord de la Seine, appelé jadis *Forum Episcopi*...

Je suis logé, mon ami, depuis ce matin, au For-L'Évêque, dans une chambre non tapissée, à 2.160 livres de loyer, où l'on me fait espérer qu'hors le nécessaire je ne manquerai de rien...

III

« Courage et vérité, vous savez que c'est ma devise ».

BEAUMARCHAIS.

Pendant ce temps, le Duc de Chaulnes continue à gémir dans sa geôle, sur les inconvénients d'introduire dans l'intimité de sa maîtresse un ami plus spirituel et mieux fait que soi-même ; Mademoiselle Ménard, au comble du désespoir — c'était une très bonne et très douce petite femme — a décidé que le couvent verrait la suite et la fin de ses jours. Le Comte de la Blache et consorts se frottent les mains et se disent : « Maintenant, il s'agit de ne pas perdre notre temps ! A l'ouvrage et vivement. » L'ouvrage, cela consiste à profiter de ce que Beaumarchais est sous clef pour visiter et solliciter procureurs et rapporteurs en vue du jugement d'appel en Parlement, que La Blache presse tant qu'il peut.

Mais Gudin prévint Beaumarchais de la manœuvre. Lui, malgré sa fierté, n'avait plus qu'une ressource qui lui permît de suivre son procès et de réduire le tort que lui causait le Comte de La Blache : implorer la grâce du Duc de La Vrillière, recouvrer sa liberté. D'abord, il prie M. de Sartines de lui procurer la permission de sortir quelques heures par jour pour s'occuper de son affaire. Le Duc de La Vrillière refuse en termes ironiques, et Beaumarchais indigné écrit à M. de Sartines :

« Il est bien prouvé maintenant qu'on veut que je perde mon procès, s'il est perdable ou seulement douteux ; mais je vous avoue que je m'attendais fort peu à l'observation dérisoire de M. le Duc de la Vrillière, *de faire solliciter mon affaire par mon procureur*, lui qui sait aussi bien que moi que cela même est défendu aux procureurs. Ah ! grands dieux ! ne peut-on perdre un innocent sans lui rire au nez ?... Peu s'en est fallu qu'on ne m'ait dit que j'étais bien insolent d'avoir été outragé de toutes les façons possibles par un homme de qualité... »

Parallèlement, Mlle Ménard, qui n'avait pu rester plus de quinze jours au couvent, essayait gentiment de faire libérer Braumarchais ; elle allait souvent, voir M. de Sartines, à qui ses charmes ne restèrent pas longtemps indifférents. Mais Sartines, avec la meilleure volonté du monde, ne pouvait que solliciter à son tour. Enfin, forcé par les circonstances et espérant ainsi réussir, Beaumarchais, sur le conseil du bon Gudin qui venait le voir tous les soirs, écrivit à contre-cœur la lettre suivante au Duc de La Vrillière :

Monseigneur,

L'affreuse affaire de M. le duc de Chaulnes est devenue pour moi un enchaînement de malheurs sans fin, et le plus grand de tous est d'avoir encouru votre disgrâce ; mais si, malgré la pureté de mes intentions, la douleur qui me brise a emporté ma tête à des démarches qui aient pu vous déplaire, je les désavoue à vos pieds, Monseigneur, et vous supplie de m'en accorder un généreux pardon...

Après s'être ainsi humilié le 21 mars, devant le très petit et vain esprit du Duc de la Vrillière, enfin satisfait, il obtint le 22 la permission de sortir pour suivre et solliciter son procès et visiter les juges et autres personnages utiles ; mais à la condition expresse d'être accompagné d'un exempt de police, le sieur Santerre, qui ne devait pas le quitter d'une semelle pendant ces périgrinations ; de revenir prendre ses repas rue Saint-Germain l'Auxerrois — c'est là que se trouvait For-l'Evêque, que l'on détruisit six ans après — et d'y coucher ; de ce fait, ses démarches se trouvaient bien incommodes.

*
* *

Enfin le 1er avril 1773 — trois ans jour pour jour après l'arrêté de compte avec Duverney — sur les conclusions de l'Avocat-Général, la Cour mit l'affaire en délibéré, et en nomma rapporteur Monsieur Goëzman, un des Conseillers de Grand'Chambre au Parlement, choisi parmi les juges chargés de cette affaire. Beaumarchais l'avait aperçu rapidement une fois, chez un autre juge qu'il visitait. Ancien conseiller au Parlement de Colmar, il avait été appelé en 1765 à Paris, et Maupeou, lors de sa malheureuse réforme, l'avait nommé Conseiller de Grand'Chambre.

De l'instant où Monsieur Goëzman était nommé rapporteur de l'affaire, il était essentiel pour Beaumarchais de le voir et de s'entretenir longuement avec lui.

Le 1er avril après-midi, Beaumarchais se présente en vain trois fois chez Goëzman, et prie finalement le portier de lui remettre un carton ainsi conçu : « Beaumarchais supplie Monsieur de vouloir bien lui accorder la faveur d'une audience, et de laisser ses ordres à son portier pour l'heure et le jour. » Mais il ne put rien obtenir. Et pourtant, il aperçut une fois, derrière un rideau soulevé, la tête de Goëzman qui le regardait, tandis qu'il faisait les cent pas dans la cour devant le logement du portier.

Le lendemain, cependant, toujours flanqué de Santerre, Beaumarchais y retourne par trois fois et supplie le portier qui lui assure que « Monsieur ne veut voir personne, et qu'il est inutile de revenir ». L'affaire devait venir en délibération sur le rapport de Goëzman le 5 avril. Le temps était donc précieux ; Beaumarchais retourna encore le lendemain matin, dès que Santerre vint le chercher, vers 10 heures au domicile de Monsieur Goëzman ; même réponse.

Que faire ! Que faire !

Très perplexe et fort agité, Beaumarchais, en revenant, décide de passer chez Madame *de* Lépine (tout le monde s'anoblit) sa cadette, l'ex-Fanchon.

Il est bien loin le temps où, tous ensemble, les jeunes Caron « jouaient au juge », dans la courette de la petite maison, rue Saint-Denis... Beaumarchais grimpe l'escalier, tout en songeant à la réalité où il ne joue plus, entre chez sa sœur et tombe épuisé dans un fauteuil. Lépine, devenu un gros horloger, est là, ainsi que Fanchon ; il y a aussi Gudin, et un ami de Lépine, trop ami de Madame Lépine même, à ce que l'on dit, vieux garçon qui connaît beaucoup de monde, de son métier agent d'affaires mal définies, intermédiaire officieux, et qui se nomme Bertrand d'Airolles, 37 ans, « banquier » à Paris, place Dauphine, et « négociant » à Marseille. Beaumarchais a eu l'occasion de lui prêter deux cents pistoles qui ne lui ont pas encore été rendues.

La conversation s'engage. Beaumarchais, toujours si maître de lui et si calme, semble aujourd'hui très soucieux. Après avoir mis son entourage au courant de la situation exacte, il reste silencieux et immobile dans son fauteuil, jambes croisées, bras croisés, et écoute l'assemblée discuter et chercher des solutions. Tout à coup, Bertrand se frappe le front, et avec son accent provençal : « Eh, coquin de sort, il y a Le Jeay ; c'est tout simple, je vais le voir et tout s'arrange ! Attendez, j'y vais et je reviens. » Il a déjà son tricorne et s'apprête à sortir, sautillant. C'est un grand flandrin maigre, qui se dandine, l'air avantageux, l'œil fuyant, la bouche ouverte ; Beaumarchais veut des explications. «Beau jeune homme, n'allons pas si vite : c'est moins commode que d'emprunter 200 pistoles, savez-vous ! Développez-nous votre plan de campagne. — Eh bé, voilà ; c'est ébouriffant de simplicité ! Le Jeay, Edme Jean-Baptiste Le Jeay, libraire, édite et vend de petites brochures clandestines, pour le Duc d'Aiguillon et pour le Chancelier Maupeou, composées par l'illustre conseiller Goëzman. De sorte que Le Jeay, que je connais bien, connaît Monsieur le Conseiller Goëzman, et mieux encore sa femme ; c'est sa seconde femme ; jeune et gentille personne, fort coquette et dépensière, et qui vient souvent chez lui toucher « les droits d'auteur » de son époux, bavarder avec la dame Le Jeay quand elle est là, et écouter les déclarations du libraire quand elle n'y est pas. Je l'ai vue une fois chez Le Jeay, elle allait lui expliquant, la coquette, qu'il ne serait pas possible de vivre *honnêtement* avec les seuls honoraires de son époux ; mais qu'on y arrivait cependant grâce, disait-elle, « à l'art de plumer la poule sans la faire crier ». Je suis sûr, Maître Beaumarchais, que vous ne vous laisserez plumer que dans la stricte mesure nécessaire, — et cela ne vous ruinera pas, — et que vous ne crierez point, n'est-ce pas ? — Ah ! mais non, je ne veux rien payer du tout. L'an dernier, j'ai gagné mon procès sans solliciter ni payer Maître Dufour ; cette année, avec ce nouveau Parlement, avec mon séjour au For-l'Evêque, avec l'armée de solliciteurs de La Blache qui paie tout et tous pour me perdre, bien que ma cause soit imperdable, j'ai besoin d'une audience au moins de mon rapporteur pour lui expliquer, s'il y a lieu, ce qui pourrait le tromper ; c'est naturel ; il me ferme sa porte, il se cache ; il doit me recevoir, je n'ai rien à lui payer.

« Je comprends maintenant : entrée payante ; eh bien non, je dois gagner cet appel comme j'ai gagné l'an dernier ; si je perds, c'est que La Blache se sera fait ouvrir la porte et assurer la victoire à coups d'écus ; je déposerai une plainte, et nous verrons qui sera plumé !

« Bertrand mon ami, vous pouvez poser votre couvre-chef et vous rasseoir. Moi je pars, on doit m'attendre pour déjeuner à For-l'Evêque ! A tout à l'heure. »

Quand il revint deux heures plus tard, Bertrand, Lépine et sa femme, puis Gudin, s'évertuèrent à lui expliquer le danger qu'il courait, bien que déterminé à cette intransigeance par son bon droit et sa mauvaise humeur contre Goëzman : « La Blache pouvait ne rien savoir, et n'avoir pu, plus que Beaumarchais, faute de renseignements que celui-ci avait maintenant, se mettre en relations avec Goëzman ; c'était sacrifier sa fortune et peut-être définitivement son avenir faute de donner 10 ou 20 louis, sans doute ; le temps pressait, il fallait au moins laisser Bertrand aller aux renseignements chez Le Jeay pour être en état d'apprécier exactement la situation. » Beaumarchais hésitait encore, mécontent et découragé. Pourtant Bertrand partit à grandes enjambées ; il revint bientôt, se grattant l'oreille : « C'est cent louis ».

Beaumarchais se récria, protesta, se débattit et refusa ; encore une fois ceux qui l'entouraient l'amenèrent à plier ; il n'avait pas la somme en argent libre ; 2.400 francs à cette époque, pour une audience de juge, c'était vraiment beaucoup.

*
* *

Gudin se rendit chez le Prince de Conti, avec un mot de Beaumarchais, et rapporta les cent louis ; pendant ce temps, vers cinq heures, Beaumarchais avait dû rentrer à For-l'Evêque ; Madame Lépine, économe, tenta de donner seulement cinquante louis à Bertrand, en l'invitant à voir s'ils ne suffiraient point, Bertrand revint bientôt accompagné de Le Jeay ; il paraissait être un brave homme, sans malice, et déclara que l'on n'aurait pas d'audience pour cinquante louis, que Madame Goëzman se fâcherait et qu'il fallait donner les cent louis par elle exigés. Madame Lépine dut s'exécuter ; Bertrand flanqué de Le Jeay prit un fiacre, et ces messieurs se firent conduire chez Madame Goëzman ; Bertrand resta en bas ; Le Jeay reçut de Madame Goëzman l'assurance que Beaumarchais pourrait se présenter chez le Conseiller son époux le soir même. De son côté, un ami commun de Goëzman et de Beaumarchais, que celui-ci rencontra en rentrant au « Forum Episcopi », se rendit deux fois chez Goëzman pour s'entendre confirmer par Monsieur le Conseiller que l'audience était promise : l'ami si obligeant était François-Louis Claude Marin, journaliste à la *Gazette de France*. et censeur de la police. A sa censure étaient notamment passés *Eugénie*, *Les Deux Amis*, et *le Barbier*, ce malheureux Barbier qui attendait toujours d'être joué. Un autre vieil ami de Cour de Beaumarchais, Monsieur de la Châtaignerie, à qui il avait confié ses affaires pendant son voyage d'Espagne, se rendit aussi chez Goëzman pour préparer et tâter le terrain.

De retour avec Le Jeay, Bertrand, fier du succès, passa prévenir Madame Lépine, puis se rendit, une lettre à la main, vers sept heures du soir au For L'Evêque. Anxieux, Beaumarchais le reçut à bras ouverts : « Eh bien ? — Eh bé, ça y est tout de même ! Présentez-vous ce soir à la porte de Monsieur Goëzman ; on vous dira encore qu'il est sorti. — Mais qu'est-ce donc, alors ? — Demandez le laquais de Madame ; remettez-lui ce pli indiquant que vous venez pour obtenir l'audience promise, et soyez certain d'être reçu. »

Beaumarchais dut demander une permission spéciale pour sortir après souper ; on la lui accorda ; il se rendit alors, toujours accompagné du gros Santerre, chez son avocat Maître Falconet, et lui demanda de l'accompagner ; tous trois arrivèrent devant la porte de Monsieur Goëzman, qui demeurait à l'île Saint-Louis, Quai Saint-Paul, vers neuf heures. On heurte le marteau, remet la lettre au laquais, et ces Messieurs sont bientôt introduits. Seul Beaumarchais entra dans le bureau de son rapporteur. Barbu, Monsieur le Conseiller Goëzman, âgé de 43 ans, avait une tête de sanglier, louchait et marchait l'épaule gauche en avant ; de temps à autre, il ricanait sans raison apparente. Beaumarchais, épuisé par toutes ses émotions, fut mal impressionné par son rapporteur ; l'audience dura peu ; Monsieur Goëzman feuilletant le dossier très distraitement et ne demandant de renseignements que sur des points tout-à-fait insignifiants, Beaumarchais sortit étonné du rapporteur qui lui échéait, et inquiet sur le dénouement de l'affaire.

*
* *

Le lendemain, il chargea Bertrand de transmettre ses impressions à Madame Goëzman : on lui fit entendre qu'il n'y avait rien d'inquiétant dans tout cela et qu'il pouvait obtenir, s'il le désirait, toujours par le même procédé, une deuxième audience où il exposerait tout au long sa manière de voir à Monsieur le Conseiller Goëzman ; ce fut encore à grand'peine que les amis de Beaumarchais parvinrent à le décider à cette deuxième audience qu'il fallait aussi payer. Sans espoir d'obtenir un nouveau prêt de cent louis, Beaumarchais offrit sa montre, une montre à répétition, magnifique, — la dernière qu'il avait fabriquée aux côtés de son père — et toute sertie de diamants par les soins de Pâris-Duverney.

Le « cadeau » fut remis à Le Jeay, agréé par la belle Madame Goëzman, et l'audience promise, à la condition, indispensable, que les négociateurs rapportassent quinze louis, censément pour le Secrétaire. Beaumarchais était furieux, et refusa tout net, d'autant qu'il s'étonnait fort de ces quinze louis, le Secrétaire ayant fait les plus grandes difficultés pour accepter la veille, des mains de Monsieur de la Châtaigneraie, dix louis que Beaumarchais lui avait envoyés, et ayant affirmé qu'aucun travail relatif à ce procès ne lui avait été donné.

Ce fut de fort mauvaise humeur que Beaumarchais jeta les quinze louis sur la petite table de jeu qui ornait le salon de Madame de Lépine ; de sa vaste main, Bertrand les ramassa et courut les porter à Le Jeay, qui les remit à Madame Goëzman, moyennant quoi l'audience fut promise pour sept heures, le dimanche soir. Mais à l'heure dite, Beaumarchais eut beau frapper le marteau à coups redoublés, et à travers le guichet sommer le portier d'ouvrir, ce fut en vain. Il rentra, la rage au cœur, à For l'Evêque.

Nouvelle promenade de Le Jeay qui se rend tard dans la soirée chez Madame Goëzman. Elle protesta que ce n'était pas sa faute, invita Beaumarchais à se présenter le lendemain matin, — le jour même du rapport — et ajouta que, si l'audience ne pouvait lui être donnée, tous ses « cadeaux » lui seraient rendus.

Beaumarchais trouva cette annonce de mauvais présage : la vérité — il l'ignorait naturellement, mais la soupçonnait — c'est que le comte de La Blache s'était présenté le dimanche matin, la liste du portier de Goëzman en fait foi, offrant la forte somme au Conseiller qui l'avait acceptée et s'était en outre décidé, « pour ne pas faire crier la poule » à rendre l'argent à Beaumarchais, quand celui-ci aurait perdu son procès.

Le lundi matin, malgré les promesses de la veille au soir, Beaumarchais se vit encore refuser l'entrée chez son digne rapporteur : il en fut réduit à solliciter du portier la permission de s'installer dans sa loge, pour y rédiger sur trois grandes feuilles de papier ce qu'il comptait dire de vive voix à Monsieur Goëzman : puis, le cœur serré, l'esprit révolté, il rentra au For-l'Evêque pour la journée, sur la promesse que voulut bien lui faire le portier, moyennant deux écus de trois francs que Beaumarchais lui remit, de monter sans retard les notes chez son maître.

Vers midi Beaumarchais apprit que, sur le rapport de Monsieur Goëzman, les Juges du Parlement Maupeou avaient renversé l'arrêt rendu en 1772 par leurs prédécesseurs ; il perdait son procès. Le prononcé du jugement et les conclusions de l'arrêt étaient renvoyés à trois semaines. Beaumarchais était condamné à payer 56.300 livres de créances annulées par son arrêté de compte, les intérêts de ces créances depuis 1770, et les frais du procès. C'était la ruine, l'anéantissement. Beaumarchais est tout à fait abattu par cette catastrophe. Le 9 avril 1773, il écrit à M. de Sartines :

« Je suis au bout de mon courage. Le bruit public est que je suis entièrement sacrifié ; mon crédit est tombé, mes affaires dépérissent ; ma famille, dont je suis le père et le soutien, est dans la désolation. Monsieur, j'ai fait le bien toute ma vie *sans faste* (cela n'est pas absolument exact), et j'ai toujours été déchiré par les méchants. Si l'intérieur de ma famille vous était connu, vous verriez que, bon fils, bon père, bon mari et citoyen utile, je n'ai rassemblé que des bénédictions autour de moi, pendant qu'on me calomniait sans pudeur au loin... Il est bien prouvé que mon emprisonnement me coûte 100.000 francs. Le fond, la forme, tout fait frémir dans cet inique arrêt... J'ai des forces contre mes propres maux ; je n'en ai pas contre les larmes de mon respectable père, âgé de soixante-quinze ans, qui meurt de chagrin de l'abjection où je suis tombé : je n'en ai plus contre la douleur de mes sœurs, de mes nièces, qui sentent déjà l'effroi du besoin à venir par l'état où ma détention a jeté ma personne et le désordre où cela plonge mes affaires... L'air de ma prison est infect et détruit ma misérable santé ».

La Blache, dès le lendemain, fit saisir les biens de Beaumarchais. Les meubles s'en allèrent les uns après les autres. La maison, en principe, appartenait maintenant à La Blache. La famille de Beaumarchais y restait encore, dans la gêne.

Le soir même du jugement, Dairolles avait remis à Madame Lépine cent louis et la montre, qu'il avait reçus de Le Jeay à qui Madame Goëzman les avait fait rendre, ajoutant qu'en ce qui concernait les quinze louis, il lui semblait naturel qu'ils restassent acquis au secrétaire. Beaumarchais reçut les cent louis et la montre, mais trouva énigmatique la conduite de ce secrétaire, qui, intègre, au point de refuser avec insistance dix louis qui lui étaient offerts, en demandait, d'autre part, quinze qui ne lui étaient pas dûs, et les gardait quoique Beaumarchais eût perdu sa cause et que Madame Goëzman, honnête apparemment dans son petit commerce, eût rendu ce qu'elle avait reçu. Il pria Monsieur de la Châtaigneraie d'aller interroger ce sphinx. L'ami acquit vite la certitude que le secrétaire n'avait jamais sollicité ni reçu ni gardé ces quinze louis.

*
* *

Tout s'expliquait : 360 francs n'étaient point négligeables pour Madame Goëzman, dont l'opération se révélait singulièrement malpropre. Dans ces conditions, Beaumarchais prit sa meilleure plume, et le 25 avril, toujours de For-l'Evêque où le Duc de

Vrillière le tenait encore, il écrivit à Madame Goëzman pour lui réclamer les quinze louis, après les avoir, par l'intermédiaire de Bertrand, demandés à Le Jeay qu'il n'avait encore jamais vu. Le Jeay ne les avait pas, Madame Goëzman déclarait que le Secrétaire les gardait, le Secrétaire ne les avait pas.

Entre temps, le 8 mai, Beaumarchais sortit du For l'Evêque après plus de deux mois d'injuste détention. Il dut abandonner sa maison ; son père, veuf une seconde fois, alla demeurer chez une amie, veuve d'un horloger qu'il avait connu. Julie entra comme pensionnaire libre dans un couvent.

Les deux sœurs aînées, celles d'Espagne, rentrent dans un couvent de Picardie à titre définitif. Bientôt après, Madame de Miron, la plus jeune, mourut, à trente-trois ans. Beaumarchais était assailli de toutes parts par les chagrins.

Madame Goëzman ne répondit pas à la lettre de Beaumarchais, puis un jour fit venir Le Jeay et l'écrasa sous une telle averse de reproches et de remontrances qu'elle parvint à le persuader dans sa simplicité que Beaumarchais réclamait les cents louis et la montre. Le Jeay, affolé du soupçon qu'il voyait peser sur lui, s'en fut d'une course chez Madame Lépine, y arriva la tête à l'envers, geignant, pleurant ; « Madame Goëzman m'a dit qu'elle me ferait mettre en prison avec Monsieur Beaumarchais, grâce à Monsieur d'Aiguillon ! Monsieur de Beaumarchais lui a écrit pour lui demander les cent louis et la montre, moi, je les ai rendus, je les ai rendus ! Si c'est pas malheureux, je vais devenir fou, moi, dans toute cette affaire !... » Heureusement le médecin de Madame Lépine était là ; en vain on essaya de démontrer au malheureux Le Jeay que Madame Goëzman l'avait abusé ; il fallut aller chercher auprès de Beaumarchais la minute de sa lettre ; seules sa vue et sa lecture parvinrent à convaincre Le Jeay qu'il s'agissait seulement des quinze louis gardés par Madame Goëzman.

Congestionné, les yeux hors de la tête, Le Jeay partit, déclarant qu'il allait à son tour semoncer Madame Goëzman ; on ne le revit plus nulle part pendant longtemps.

*
* *

En fait, il fut reçu par Monsieur Goëzman, qui s'enferma avc lui dans son cabinet. Le Jeay restait debout, ayant perdu toute sa fureur devant l'air féroce de Monsieur le Conseiller ; il tremblait, tortillant son bonnet entre ses doigts gourds. Le crépuscule tombait, Goëzman alluma une chandelle sur son bureau, et, les bras croisés, grinçant des dents dans la pénombre, s'avança vers Le Jeay ; les yeux agrandis d'épouvante, le pauvre libraire tomba à genoux : « Misérable ! Je te fais fourrer dans un cul-de-basse-fosse pour ta vie, si tu m'importunes encore, ou ma femme, avec ces quinze louis. Quant à cette canaille de Beaumarchais, je m'en charge, tu entends ! Lève-toi, imbécile, tu vas recopier tout de suite et signer ce qui est écrit là, sur ce papier, ou je te fais envoyer comme un voleur à la potence. Je ne suis pas Conseiller de Grand'Chambre au Parlement de Paris, foi de Valentin Goëzman, pour me laisser assommer par un Beaumarchais ou un Le Jeay ! Allons, oust, au travail. » Saisissant par le bras Le Jeay plus mort que vif, il l'installa de force dans son fauteuil devant le bureau, lui mit une plume bien taillée entre les doigts et commença à lui dicter dans la pénombre qui le rendait terrible : « Je soussigné Edme Jean-Baptiste Le Jeay, libraire à Paris, en la rue Saint-Jacques, à l'enseigne du Grand Corneille, déclare : pour rendre hommage à la vérité... »

A minuit, furtivement, halluciné par cette séance, Le Jeay rentra chez lui. Il avait signé, sous la menace, une longue déclaration, portant en substance que cédant aux sollicitations d'un ami de Beaumarchais, il avait reçu cent louis et une montre enrichie de diamants ; qu'il avait eu la faiblesse de les offrir comme on lui demandait à Madame Goëzman pour corrompre la justice de son mari, mais qu'elle avait rejeté le tout « hautement et avec indignation » etc... Bien entendu il n'y était point question des quinze louis que Madame Goezman avait toujours au fond de son armoire.

Le lendemain 1er juin, Goëzman, armé de ladite déclaration, court chez le Duc de la Vrillière, chez Monsieur de Sartines, leur montre le papier, le colporte, proteste contre les prétendues calomnies et les tentatives de corruption de Beaumarchais.

C'est le scandale.

Beaumarchais en est prévenu, se refuse d'abord à le croire, puis devant l'évidence, écrit au premier président du Parlement une lettre de « mise au point » où il se déclare prêt à se défendre avec la dernière énergie si on l'attaque de cette ignoble manière. Goëzman continue, court chez tous les gens en place, et finalement dénonce Beaumarchais au Parlement comme calomniateur et corrupteur de juge.

Enquête, information, assignation des témoins. Le Jeay commence à perdre la tête, va voir un avocat, se confesse, et en reçoit le conseil de revenir à la vérité.

Goëzman eut vent de cette pirouette, et fit mander Le Jeay et son épouse ; il leur retira pour commencer la minute de la déclaration (elle était de sa main) et usa de chantage, de reproches, de menaces ; finalement on parlementa : Goëzman propose à Le Jeay de passer en Hollande, payant tous les frais, et d'y attendre qu'il ait arrangé l'affaire sous main. La femme Le Jeay refuse, et emmène son mari. Beaumarchais dénonce le coup au Premier Président, Le Jeay est invité à déposer au greffe, comme témoin ; il expose les agissements de Goëzman ; Madame Goëzman dépose aussi, mais feint l'ignorance. L'information est terminée, le commissaire rapporteur, M. Doé de Combault, dépose ses conclusions.

Les Chambres assemblées décrètent Le Jeay de prise de corps, Bertrand, Dairolles et Beaumarchais « d'ajournement personnel » (à la disposition de la justice) ; Madame Goëzman est assignée, comme témoin. Son époux, sans doute d'accord avec elle, demande contre elle une lettre de cachet, et l'expédie au couvent ; il veut se désolidariser de sa femme, la renier, aux yeux de la galerie tout au moins, pour écarter le soupçon qu'il sait peser sur lui autant que sur elle.

Les interrogatoires vont leur train. On extrait le malheureux Le Jeay des « Prisons de la Conciergerie du Palais » le 11 juillet, puis le 22 ; enfin il est libéré, et revient déposer le 20 août. Le 21 juillet, c'est Bertrand ; un mois après encore ; c'est aussi Beaumarchais le 25 juillet, puis Dame Gabrielle Julie Jamard, femme Goëzman.

L'affaire se complique de l'intervention d'officieux, de personnages de coulisses, relations communes de Beaumarchais et de Le Jeay ou Goëzman, et qui font des bêtises, témoignent à tort et à travers et causent par leur maladresse ou leur crédulité vis-à-vis de Goëzman. les pires ennuis à Beaumarchais ; c'est le sieur d'Arnaud-Baculard, littérateur dévôt et larmoyant que Goëzman arrive à enrôler dans sa clique ; c'est le remuant Marin, qui sous prétexte de chercher un terrain d'entente pour les deux parties, brouille encore plus les cartes, se fâche avec Beaumarchais, et jette alors de l'huile sur le feu en amenant Bertrand Dairolles à changer ses dépositions en faveur de Goëzman. Bref, c'est au mois de septembre la bagarre générale. C'est pourtant à ce moment que Beaumarchais obtient un arrêt de « soit communiqué » (premier jalon d'une revision) dans son procès La Blache.

IV

« Je m'empresse de rire de tout de peur d'être obligé d'en pleurer. »

Le Barbier, Figaro, I, 3.

Beaumarchais est enfin interrogé et confronté avec Madame Goëzman, la belle Gabrielle, comme il l'appelle chez ses amis. M. Goëzman, lui aussi, passe de ce côté de la barrière, après avoir longtemps siégé de l'autre.

Au greffe du tribunal, par devant Messieurs de Chazal, juge, et Frémin, greffier, l'ami Santerre, le gros exempt de police, et Maître Falconet, assignés comme témoins, ont déjà subi les assauts de Madame Goëzman, qui a récusé toutes leurs dépositions.

Le greffier, homme grave et triste, mais très doux, essaie de comprendre l'affaire, derrière ses bésicles ; mais ses vastes moustaches grises attestent par leur mouvement qu'il n'a jamais vu une aussi singulière déposante que la belle Gabrielle ; et quand, à la fin de chaque séance, il relit les dépositions à haute voix, et constate la suite de contradictions de Madame Goëzman, il hoche la tête, dans son étonnement impuissant d'avoir écrit toutes ces bizarreries inconséquentes. Et Madame Goëzman, qui est vraiment fort jolie, fait la lippe en constatant qu'elle s'enfonce dans un maquis inextricable, où, d'errement en errement, elle-même finit par perdre le latin de son époux, qui lui fait pourtant la leçon avant chaque audience.

Avec Beaumarchais, ce fut amusant au possible, et M. de Chazal passa de bons moments, pendant les deux séances de quatre heures chacune entre Beaumarchais et Madame Goëzman. Le « sieur Caron » reste spirituel, galant et ironique, plus que jamais : après les serments et les préambules ordinaires sur les noms et qualités des déposants, M. de Chazal leur demanda s'ils se connaissaient :

Pour cela non, dit Mme Goëzman, je ne le connais ni ne veux le connaître. — Je n'ai pas non plus l'honneur de connaître Madame ; mais en la voyant je ne puis m'empêcher de former un vœu tout différent du sien.

Madame Goëzman, sommée ensuite d'articuler ses reproches, si elle en avait à fournir contre Beaumarchais, répondit :

Écrivez que je lui reproche d'être mon ennemi capital, et d'avoir une âme atroce connue pour telle dans tout Paris.

A Beaumarchais on pose la même question :

Je n'ai aucun reproche à faire à Madame, pas même sur la petite humeur qui la domine en ce moment, mais bien des regrets à lui montrer de ne devoir qu'à un procès criminel l'occasion de lui présenter mes premiers hommages. Quant à l'atrocité de mon âme, j'espère lui prouver par la modération de mes réponses et par ma conduite respectueuse, que son conseil l'a mal informée sur mon compte.

Le greffier relut ; au bas de chaque page Beaumarchais et Dame Julie Jamard signèrent, lui la main un peu tremblante au début, puis plus ferme de page en page ; elle d'une grosse écriture maladroite et tordue. Puis le Juge demanda à Madame Goëzman si elle avait quelques observations à faire sur ce qu'elle venait d'entendre : « Ma foi, non, Monsieur, que voulez-vous que je dise à tout ce fatras de bêtises ? Il faut que Monsieur ait bien du temps à perdre pour faire écrire tant de platitudes. — Faites vos interpellations, Madame » lui dit M. de Chazal. « — Eh mais sur quoi, Monsieur ? Je ne vois pas, moi... Ah !... écrivez qu'en général toutes les réponses de Monsieur sont fausses ou suggérées. — Suggérées, diable, voilà qui est grave ; et par qui ? » demanda Beaumarchais. « Vous avez mal retenu votre leçon, Madame ; on a dû vous dire que je suggérais mes réponses aux autres. Passons. Mais n'auriez-vous rien à dire de particulier sur la lettre que j'ai eu l'honneur de vous écrire, et qui m'a procuré l'audience de M. Goëzman ? — Certainement, Monsieur ; écrivez... attendez... écrivez... quant à l'égard de la soi-disante audience... de la soi-disante... audience affirmée envers et contre tous... »

Enfin Madame Goëzman fut si longtemps à chercher que M. de Chazal lui dit :

Eh bien, Madame, qu'entendez-vous par la soi-disante audience ? — Je veux dire, Monsieur, que je ne me mêle point des affaires ni des audiences de mon mari ; mais seulement de mon ménage, et que si Monsieur a remis une lettre à mon laquais, c'est seulement par excès de méchanceté : ce que je soutiendrai envers et contre tous.

Le greffier écrivait :

« S'il est vrai que Monsieur ait apporté chez moi une lettre, auquel de nos gens l'a-t-il remise ? — A un jeune laquais blondin qui nous a dit être à vous, Madame. — Ah ! voilà une bonne contradiction ! Écrivez que Monsieur a remis la lettre à un blondin ! Mon laquais n'est pas blond, mais châtain clair, et si c'était mon laquais, comment est ma livrée ? — Je ne savais pas que Madame eût une livrée particulière. — Écrivez, écrivez, je vous prie, que Monsieur, qui a parlé à mon laquais, ne sait pas que j'ai une livrée particulière ; moi qui en ai deux, celle d'hiver et celle d'été ! — Madame, j'entends si peu vous contester les deux livrées d'hiver et d'été, qu'il me semble que ce laquais était en veste de printemps du matin, parce que nous étions au 3 avril. Pardon si je me suis mal expliqué.

Le lendemain, Madame Goëzman se fait attendre ; enfin elle arrive, à quatre heures après-midi (au lieu de dix heures du matin : elle avait probablement son ménage à faire à fond, ce jour-là). Ces Messieurs l'attendaient depuis le matin.

Ce jour-là, on parle des quinze louis. Madame Goëzman déclare :

Je réponds nettement et sans équivoque que jamais Le Jeay ne m'a parlé de ces quinze louis, ni me les a présentés. — Observez, Madame, qu'il y aurait bien plus de mérite à dire : « je les ai refusés », qu'à soutenir... envers et contre tous... que vous n'en avez eu aucune connaissance. — Je soutiens, Monsieur, qu'on ne m'en a jamais parlé : y aurait-il eu du sens commun d'offrir quinze louis à une femme de ma qualité : à moi qui en avais refusé 100 la veille ! — De quelle veille parlez-vous donc, Madame ? — Eh, pardi, Monsieur, de la veille du jour...

Elle s'arrêta net et se mordit la lèvre. « De la veille du jour, dit Beaumarchais, où l'on ne vous a jamais parlé de ces quinze louis, n'est-ce pas ? » La belle Gabrielle était furieuse.

Et l'audience continua jusqu'à huit heures du soir, sur ce ton, et avec des incidents du même genre.

*
* *

Beaumarchais se rend bien compte qu'il a une terrible affaire sur les bras, et Gudin, de quatre ans son benjamin, mais homme censé et de bon conseil, le comprend bien aussi. Autour de lui, spontanément, se sont aussi groupés son beau-frère veuf, Miron, homme d'esprit et lettré ; le médecin de la famille, Gardanne, provençal comme Marin et Bertrand ; Falconet son jeune avocat, plein de talent ; chacun l'aide à sa manière. Et le Prince de Conti met sa bourse à la disposition de Beaumarchais, ruiné pour le moment. Ils ne se quittent guère, et discutent de la situation, travaillant à assurer la bonne cause ; souvent aussi Julie est de la partie ; Julie, restée fille, et très intelligente elle aussi, a un véritable culte pour son frère, ce pauvre frère qu'elle voit si bon, si serviable, si dévoué aux siens et à ses amis, si généreux aux solliciteurs, et tellement calomnié, vilipendé, jalousé par quelques hommes qui essaient de soulever l'opinion contre lui.

L'opinion, l'opinion publique, c'est maintenant, depuis quelques années, la grande dispensatrice des faveurs et des disgrâces ; elle prend conscience d'elle-même, et son influence, sa hardiesse, croissent de jour en jour : elle agrée ou condamne les pièces de théâtre, et les gazetiers, dans leurs feuilles, se bornent à la paraphraser ; elle prend en main toutes les grandes affaires judiciaires, confirme ou conspue les décisions juridiques. Les libelles, factums, mémoires judiciaires, avis, revendications, pamphlets, fourmillent à cette époque, et circulent en cachette, imprimés souvent à l'étranger, introduits en contrebande, répandus clandestinement, parfois par de très puissants personnages ; généralement ce sont des écrivains dits « publics » — bien qu'anonymes presque toujours — qui les rédigent et les jettent à la balance de l'opinion.

C'est sur les plateaux de cette balance que va se dérouler toute l'affaire Goëzman ; c'est à coup de brochures et de mémoires, tour à tour violents, virulents. spirituels, sarcastiques, calomnieux, insinuants, selon les auteurs et les circonstances, qu'on va se battre.

***

Beaumarchais, qui monte volontiers sur les planches, compose et rédige entièrement lui-même un mémoire, le fait approuver par un ou deux des rares avocats qui le soutiennent et l'aident en matière légale, et le lance dans le public le 5 septembre 1773 ; c'est une révélation : combien là il est plus lui-même que dans les deux drames pleurards qui, seuls jusqu'alors, lui ont fait sa réputation d'écrivain, très médiocre ; plein d'esprit, fort bien écrit, d'un intérêt qui ne se dément pas d'un bout à l'autre malgré l'aridité du sujet, « ce Mémoire supérieurement fait est accueilli avec avidité » de l'avis même des mauvaises langues, et il y en avait, surtout parmi les écrivains journalistes et ceux qui composaient leurs mémoires.

Après un exposé des faits, Beaumarchais passe aux « réflexions » :

Quoi ! l'on irait jusqu'à supposer que l'on a mis pour moi le suffrage de M. Goëzman au misérable prix de cinquante louis ? En calomniant le plaideur, on verse à pleines mains l'avilissement sur le Juge. Si j'avais eu la coupable intention de corrompre mon Rapporteur dans une affaire dont la perte me coûte au moins cinquante mille écus ; loin de fatiguer mes amis de mes résistances, loin de marchander le prix des audiences, dont je ne pouvais me passer, n'aurais-je pas tout simplement dit à quelqu'un : allez assurer M. Goëzman qu'il y a cinq cent louis, mille louis à son commandement, déposés chez tel notaire, s'il me fait gagner ma cause ? Personne n'ignore que de telles négociations s'entament toujours par une proposition vigoureuse et sonnante. Le corrupteur ne veut qu'une chose n'emploie qu'un instant, ne dit qu'un mot, est jeté par la fenêtre ou conclut son traité : voilà la marche...

Mais, dira-t-on, c'est payer bien cher une audience que d'en donner cent louis. Certainement, c'est bien cher ; et mes débats et les tentatives de ma sœur prouvent assez que nous l'avons pensé comme vous : mais réfléchissez que cinquante louis n'ont pas suffi pour m'obtenir la première audience, et qu'un bijou de mille écus surmonté de quinze louis n'a pu me procurer la seconde, et vous conviendrez que ce qui vous semble aujourd'hui acheté, ne le parut pas encore assez, alors... Faites-moi donc au moins la justice que vous exigeriez de moi, et ne supposez pas que j'aie eu l'intention de corrompre un juge, lorsque tout concourt à porter jusqu'à l'évidence que je n'ai fait que céder à la dure nécessité de payer des audiences indispensables.

* * *

On vend ce mémoire partout, on se le disput[...] le lit à haute voix au *Caveau*, le grand c[...] l'époque. Beaumarchais jongle avec les quin[...] ces fameux quinze louis ; pareil à Polichi[...] à coups redoublés à droite, à gauche[...] rière, et conclut en montrant ses ma[...]

au public : « Messieurs, Mesdames, vous avez tout vu, ce ne sont pas des mains de corrupteur, ni une langue de diffamateur ! » et fermement les avocats-conseils, Maître Doé de Combault, — le propre rapporteur de l'affaire — et Maître Malbeste confirment les dits, faits et gestes de leur client.

Les camps se forment, et d'autant plus ardemment que l'affaire, aux yeux du public, dépasse infiniment le simple cadre du procès particulier ; de part et d'autre de ces quinze louis qui mettent en cause Goëzman, magistrat du Parlement Maupeou, ce sont les partisans de l'ancien Parlement, et ceux du Nouveau qui s'affrontent ; c'est toute la Réforme du Chancelier qui se joue dans une partie passionnée. Ce mémoire fait un bruit du diable ; le 15 septembre, Beaumarchais doit se décider à en donner une deuxième édition qui est enlevée aussi vite que la première.

Le dévôt Baculard publie le 18 octobre un Mémoire de quinze pages, touffu et grandiloquent à souhait, où il réclame, pour les attaques de Beaumarchais dans son Mémoire, des dommages-intérêts qu'il entend consacrer — pauvre saint homme ! — à des œuvres pieuses ; il veut faire supprimer le « libelle de Caron », et caractérise ainsi ledit Caron :

Abandonnant la bassesse et le tourment de l'intrigue à ces hommes du jour, espèces d'*Enfants perdus*, **qui** se [illegible]ent sur toutes les routes, marchant à la fortune *per* [illegible] *et populum* ; **qui** endurcis à la diffamation et au [illegible], s'agitent en tous les sens pour exciter le bruit, [illegible]ent de la réputation ; **dont** l'impudence ose et [illegible] **qu'on** ne saurait confondre, parce que leur [illegible]essus du ridicule et de l'insulte, **qui**, *en* [illegible]ue tôt) sont au comble de leurs vœux, lorsqu'à quelque prix que ce soit, ils sont parvenus à représenter sur la scène du monde...

Quel charabia ! Et comme toute cette peinture, qui n'a pas même le mérite de l'exactitude, est maladroite, lourde, et imprécise !

Marin, à son tour, annonce un mémoire. Le 18 novembre Beaumarchais lance un « Supplément au Mémoire à consulter etc... » Il reproduit les confrontations qui ont eu lieu contre Madame Goëzman et lui et conclut : « L'on m'annonce une femme ingénue et l'on m'oppose un publiciste allemand » ; puis il se retourne contre Goëzman, et démontre qu'il est l'âme de toute l'affaire.

Discutant l'authenticité de la déclaration attribuée à Le Jeay, il écrit :

Croyez-vous que ce soit sans y avoir bien réfléchi, que la déclaration commence (la seconde) par cette phrase : *Je déclare que Bertrand ni Beaumarchais...* en voyant ainsi nos deux noms dénués du plus mince égard, en songeant à cette façon de s'exprimer : *Bertrand*, *Beaumarchais*, *Lafleur*, *Larose*, je reconnais le style aisé d'un homme supérieur aux gens qu'il veut bien honorer de ses mauvais traitements. Je sens que la main du très familier libraire n'est ici que la patte du chat; et son écrit, que le manteau du Conseiller. Jamais le sieur Le Jeay, le plus modeste des hommes, n'eût traité avec tant de désinvolture le sieur Bertrand d'Airolles, qui l'a quelquefois aidé de son crédit, moins encore moi, chétif, qui n'avais point l'honneur d'en être connu.

Grand succès encore.

Huit jours après, Bertrand le benêt, qu[illegible]
ment tourné casaque, répand à son tour [illegible]
à consulter », où il s'en prend amèrem[illegible]

chais et à ses aides. Le surlendemain, c'est Madame Goëzman qui publie le sien, pénible, plat et violent à la fois ; son mari l'a écrit presque d'un bout à l'autre ; termes de haute juridiction, citations latines, renvois à des textes de lois y abondent.

Le 3 décembre, c'est au tour de Marin : c'est peut-être le plus dangereux ; publiciste dans le mauvais sens du mot, flatteur des grands en place, lié dans l'ombre avec les argousins de la police, insinuant et venimeux, il rampe et par ses réticences, ses silences qu'il veut rendre suggestifs et révoltants pour le lecteur, il se montre ennemi sournois et perfide, partant dangereux.

Marin, qui se pique d'orientalisme, a commencé son Mémoire par une citation du poète persan Saadi sur l'ingratitude : « Ne donne pas ton riz au serpent, parce que le serpent te piquera ».

Moins de deux semaines plus tard, paraît une « Addition au Mémoire de Madame Goëzman » pour servir de réponse au supplément du sieur Caron.

Madame Goëzman, héroïne et justicière, accuse ; elle accuse Beaumarchais de diverses atrocités, et bien sagement elle procède par ordre ; les lecteurs trouvent la *première atrocité*, la *deuxième atrocité*, la *troisième atrocité*, et ainsi de suite ; on se passionne de plus en plus pour cette affaire extraordinaire, aussi lit-on même les Mémoires des adversaires de Beaumarchais, seulement pour s'y documenter. Mal écrits, pédantesques, traînants, et indignement calomnieux [illegible] ensemble, ils ennuient et ne soutiennent pas la

*
* *

Le 20 décembre, quatre jours après l'*Addition* de Madame Goëzman, paraît enfin le troisième Mémoire de Beaumarchais ; il a pour titre : Addition au Mémoire à consulter pour P. A. Caron etc. ; plus important que les précédents il est très recherché aussi.

S'adressant à tous les écrivassiers qui l'ont assommé de leurs méchants écrits, Beaumarchais déclare :

Faut-il, pour vous plaire, que je sois comme Marin, toujours grave en un sujet ridicule, et ridicule en un sujet grave ? lui ! qui au lieu de donner son riz à manger au serpent, en prend la peau, s'en enveloppe, et rampe avec autant d'aisance que s'il n'eût fait autre métier de sa vie.

Voulez-vous que d'une voix de Sacristain, comme ce grand indécis de Bertrand j'aille vous commenter l'*Introibo*, et prendre avec lui le ton du Psalmiste pour finir par chanter les louanges de Marin ; après avoir discerné ses intérêts de ceux du Gazetier dans son épigraphe : *Judica me, Deus, et discerne causam meam... ab homine iniquo ?...*

Irai-je montrer une avidité, une haine aveugle et révoltante, en imitant le comte de La Blache, qui vous suit partout, vous M. Goëzman, vous défend dans tous les cas, vous écrit de tous les coins, et qu'on peut appeler à juste titre un homme de lettres ?

Serait-il bien séant que, d'un ton boursouflé, j'allasse escalader les cieux, sonder les profondeurs de l'Enfer, enjamber le Tartare, pour finir, comme le sieur d'Arnaud, par ne savoir ni ce que je dis, ni ce que je fais, ni surtout ce que je veux ?...

Quel homme, et quel avocat ! Il reprend l'affaire La Blache, qui a engendré celle-là, et attaque Goëzmann en tant que rapporteur ; il pose deux questions qui, dit-il, « embrassent entièrement le fond de l'affaire ». Première question : L'acte du premier avril 1770 est-il un arrêté de comptes, une transaction ou un simple acte préparatoire ? Deuxième question : L'arrêté de compte est-il faux ou véritable ? Plus loin, après réponse à ces deux questions, avec preuves à l'appui, Beaumarchais revient à ses personnages de second ordre et donne à chacun son compte : « A vous donc, M. Baculard ! »

C'est donc pour commencer « d'Arnaud Baculard qui ne dit jamais ce qu'il veut dire et ne fait jamais ce qu'il veut faire. Je n'en veux qu'un exemple : *Oui, j'étais à pied ! et je rencontrai dans la rue de Condé le Sieur Caron, en carrosse. Dans son carrosse !* (répétez-vous avec un gros point d'admiration.) Qui ne croirait, d'après ce triste *oui, j'étais à pied,* et ce gros point d'admiration qui court après mon carrosse, que vous êtes l'envie personnifiée ? mais moi qui vous connais pour un bon humain, je sais bien que cette phrase... ne signifie pas que vous fussiez fâché de me voir dans mon carrosse ; mais seulement de ce que je ne vous voyais pas dans le vôtre ; ... mais consolez-vous, Monsieur ; ce carrosse dans lequel je courais n'était plus à moi, quand vous me vîtes dedans ; le Comte de La Blache l'avait fait saisir, ainsi que tous mes biens : des hommes appelés à *hautes armes*, habit bleu, bandouillères et fusils menaçants, le gardaient à vue chez moi, ainsi que tous mes meubles, en buvant mon vin : et pour vous causer malgré moi le chagrin de me montrer à vous *dans mon carrosse*, il avait fallu, ce jour-là, que j'eusse celui de demander, le chapeau dans une main, le gros écu dans l'autre, la permission de m'en servir à ces compagnons huissiers ; ce que je faisais, ne vous déplaise, tous les matins. Et pendant que je vous parle avec tant de tranquillité, la même détresse subsiste encore dans ma maison... Pardon, Monsieur, si je n'ai pas répondu dans un écrit pour vous seul à toutes les injures de votre Mémoire ;

pardon si vous voyant « mesurer dans mon cœur les profondeurs de l'Enfer », et vous écrier : « Tu dors, Jupiter ! A quoi te sert donc ta foudre ? » j'ai répondu légèrement à tant de bouffissures. Pardon ; vous fûtes écolier, sans doute, et vous savez qu'au ballon le mieux soufflé, il ne faut qu'un coup d'épingle... A vous, Monsieur Marin... A quoi se réduit votre Mémoire ? A dire que vous n'étiez pas l'ami de M. Goëzman, et que vous étiez le mien ; voilà bien les assertions ; restent à débattre les preuves. »

Et par une suite de rappels à la mémoire de Marin, commençant chacun par : « Si vous n'étiez pas son ami pourquoi me dîtes-vous ceci, pourquoi fîtes-vous cela... ? » Beaumarchais confond le menteur et démasque ses fourberies.

« ... A vous, monsieur Bertrand !

Avez-vous lu, Monsieur, le long Mémoire tout saupoudré d'*opium* et d'*assa fetida*, qui court sous votre nom ? Je ne vous parle pas de sa diction, parce que c'est ce qui doit nous importer le moins, à vous et à moi qui ne l'avons pas écrit : je n'ai fait que l'entre-lire, parce qu'on y sent je ne sais quoi de fade, de saumâtre et de *mariné*, qui le rend tout à fait désagréable au goût : mais comme il a paru sous votre nom, je vais y répondre comme s'il était de vous ; il n'est pas toujours facile, Messieurs, dans vos fournitures provençales, de distinguer la facture du vendeur de celle qu'on présente à l'acheteur... (Marin était natif de La Ciotat, et Bertrand de Marseille.)

Au tour de Goëzman ; Beaumarchais le montre faussaire dans un acte d'état-civil : une signature fausse à un baptême, où il figurait comme parrain, étant peut-être plus proche parent de l'enfant du peuple qu'on baptisait là, et qu'il s'était engagé à faire élever à ses frais... ; faux nom, fausse adresse, et le voilà débarrassé. Heureusement Beaumarchais fut mis au courant et ne manqua pas de se blanchir un peu en noircissant proprement le fameux Valentin.

A la suite de cette communication, une enquête fut ouverte qui confirma les dires de Beaumarchais, et Monsieur le Conseiller Louis-Valentin Goëzman fut immédiatement, à son tour, décrété « d'ajournement personnel ».

Pour le nouvel an 1774, Marin présente une requête strictement juridique, toute rédigée par son avocat ; aussi est-elle fort bien menée ; il s'est senti tellement ridiculisé par Beaumarchais qu'il renonce à lui répondre.

Le 9 janvier 1774, on reprend *Eugénie* au Français ; Beaumarchais étant le héros du jour, le succès est grand ; un passage, où il est question de procès et de juge, donne lieu à de bruyantes allusions ; l'auteur ayant paru au foyer à l'entr'acte, est applaudi et ramené en triomphe à sa loge.

Pendant ce temps, les théâtres des Boulevards, ceux de la Foire, et même les Italiens, lancent à toute occasion des lazzi au *veau marin*, au *monstre marin*, et les spectateurs trépignent de joie.

Marin devient neurasthénique.

V

« Ne pouvant avilir l'esprit, on se venge en le maltraitant. »

Le Mariage, V, 4. *Monologue de Figaro.*

L'instruction de l'affaire avance, et le jugement approche. Aussi bien Beaumarchais, ayant un peu de répit, et plus que jamais soucieux de s'acquérir le suffrage public, joue-t-il des pieds et des mains pour réaliser au plus tôt la représentation du *Barbier* ; il en a la permission depuis un an, paraphée de Messieurs Marin, — lui-même — et de Sartines ; mais de nouveaux ordres sont donnés à l'ami Sartines. Et tandis que Beaumarchais est en train de diriger les répétitions au Français, un commissaire entre dans l'avant-scène où se trouvent l'auteur et le directeur, fait une courbette, et remet à chacun un pli : la pièce est interdite, par ordre supérieur. Beaumarchais blêmit, froisse le papier, et dit au Directeur : « Continuez à travailler, je reviens bientôt ». Il court trouver Sartines ; c'est un homme fin, aimable, séduisant même ; à peu près de même âge que Beaumarchais, travailleur et lettré, mais aussi facilement léger et inconséquent ; Beaumarchais l'intéresse et l'amuse beaucoup ; Sartines l'admire même, non sans une nuance de mépris, comme on admire un être très intelligent, mais qui emploie trop facilement son esprit à de mauvais coups ; volontiers il fermerait les yeux sur ce que le Ministère considère comme les fredaines de l'ex-horloger. Beaumarchais trouve le grand Suppôt de la Justice gouvernementale derrière son bureau, rêvant sur l'ordre ministériel qu'il a encore en mains. Lui s'installe dans un bon fauteuil, serre la main que lui tend Sartines. « Mon cher Monsieur, *il faut* que ma pièce soit jouée. Pourquoi cette interdiction ? — Mais à cause des circonstances, mon cher ami : vous avez un procès extraordinaire en cours de jugement. Vos Mémoires font grand bruit ; il y a eu des incidents à la représentation d'*Eugénie* il y a un mois ; on craint des incidents, des allusions nouvelles à votre situation présente ; bref, c'est à cause des circonstances actuelles que Monsieur de la Vrillière, de par le Roy, arrête la pièce — De par le Roy ! Nous connaissons cela ! La vérité, c'est que mes ennemis ont répandu le bruit que la Magistrature était bafouée dans mon *Barbier* ; d'autre part Marin, et vous-même qui l'avez lu officiellement, n'y avez rien trouvé de tel : il va donc de mon honneur qu'on joue le Barbier, et au plus tôt ; ce sont précisément les circonstances qui, loin de m'en dissuader, m'y déterminent. Si l'ordre est maintenu, je fais du scandale : je vais déposer ma pièce au Greffe du Parlement, avec la double approbation apposée par Marin et vous, et je requiers la lecture aux Chambres Assemblées : on saura ainsi que vous avez laissé désavouer votre opinion par Monsieur de la Vrillière ; ce sera votre réputation de dignité qui en souffrira ; je le regrette infiniment, mais j'ai assez à défendre ce qui reste de la mienne pour ne pas la laisser encore offenser sans réagir. — Mais, mon cher ami... — Point, vous dis-je ! Arrangez-vous pour faire lever la défense ; je pense que vous y arriverez en voyant Madame la

Dauphine, qui connaît la pièce et vous. Quand ce sera fait, vous pourrez me faire prévenir aux Français où je retourne pour continuer à diriger les dernières répétitions. Adieu ».

Et l'enfant terrible s'en fut en sifflotant.

Assez ennuyé, Sartines fit atteler, galopa à Versailles, vit La Vrillière, puis Madame la Dauphine, — la future Marie-Antoinette, — qui se réjouissait d'assister à la première. Deux heures après, Sartines était au Français, trouvait Beaumarchais en manches de chemise, dirigeant dans les coulisses ses jeux de scène, et lui annonçait la levée de la défense.

*
* *

Mais le lendemain soir, Monsieur de la Vrillière, la Dubarry et Monsieur le Duc d'Aiguillon avaient tant et si bien manœuvré qu'une défense absolue et définitive était intervenue, adressée aux seuls comédiens; les affiches furent cartonnées sur l'heure; les places, toutes louées déjà jusqu'à la sixième représentation inclusivement, durent être remboursées; les acteurs, qui avaient fait de grandes dépenses de costumes et de décors, en furent pour leurs frais et ne donnèrent rien le samedi 12 février; bref, cela fit beaucoup de mécontents. Goëzman, lui, qui avait eu froid dans le dos, se frottait les mains, et caressait sa barbiche. Le lendemain pourtant, il déchantait. Beaumarchais, depuis le jeudi, avait travaillé nuit et jour à son quatrième Mémoire; il l'avait lu à ses amis et retouché sagement sur leur conseil; l'esprit surexcité par cette défense intempestive, il s'est surpassé, et le dimanche, il donne aux magistrats, aux Princes et à la Cour, son « *Quatrième Mémoire pour, etc...*

contre Monsieur Goëzman juge, accusé de subornation et de faux ; Mme Goëzman et le sieur Bertrand, accusés ; les sieurs Marin, gazetier, d'Arnauld, Baculard, conseiller d'Ambassade et consorts, etc. Et réponse ingénue à leurs Mémoires, Gazettes, lettres courantes, cartels, injures et mille et une diffamations. »

A la sortie du bal de l'Opéra, dans la nuit du dimanche, des camelots crient et vendent le quatrième Mémoire ; c'est du délire. En trois jours, six mille exemplaires se vendent ; on assiège l'imprimerie, on se bat à la porte et l'on s'arrache les feuilles au sortir des presses, encore humides et non brochées.

L'entrée en matières est un chef-d'œuvre : Beaumarchais s'élève au sublime de sa bouffonne éloquence judiciaire ; il se suppose face à face avec Dieu, qui lui annonce ses malheurs :

« Si l'Être bienfaisant qui veille à tout... m'eût dit : Je suis celui par qui tout est ; sans moi tu n'existerais point ; je te douai d'un corps sain et robuste : j'y plaçai l'âme la plus active ; tu sais avec quelle profusion j'y versai la sensibilité, et la gaîté sur ton caractère : mais pénétré que je te vois du bonheur de penser, de sentir, tu serais aussi trop heureux si quelques chagrins ne balançaient pas cet état fortuné : ainsi tu vas être accablé sous des calamités sans nombre ; déchiré par mille ennemis, privé de ta liberté, de tes biens ; accusé de rapines, de fraudes, de faux, d'imposture, de corruption, de calomnie ; gémissant sous l'opprobre d'un procès criminel ; garroté par un décret, attaqué sur tous les points de ton existence par les plus absurdes « on dit », et ballotté longtemps au scrutin de l'opinion publique..., je me serais prosterné, et j'aurais répondu : Etre des êtres, je te dois tout, le bonheur d'exister, de penser et de sentir... ; s'il est écrit que je doive être exercé par toutes les traverses que ta rigueur m'annonce,... donne-moi la force de les repousser, et malgré tant de maux, je ne cesserai de chanter tes louanges... Si mes malheurs doivent commencer par l'attaque imprévue d'un légataire avide sur une créance légitime, sur un acte appuyé de l'estime réciproque et de l'équité des deux contractants ; accorde-moi pour adversaire un homme avare et injuste, reconnu pour tel ; ... fais qu'il soit assez maladroit pour prouver sa liaison secrète avec mes ennemis ; ... fais qu'aveuglé par la haine, il s'égare assez pour me supposer tous les crimes... »

La Blache alors voulut provoquer Beaumarchais en duel ; lui qui ne s'en souciait guère et qui l'année d'avant avait évité — en le payant cher — une rencontre avec le duc de Chaulnes, répondit à La Blache : « J'ai refusé mieux ! »

Si pour les suites de ce procès, continuait-il je dois être dénoncé au Parlement comme ayant voulu corrompre un juge incorruptible et calomnier un homme incalomniable ; suprême Providence..., fais que mon dénonciateur soit un homme de peu de cervelle ; qu'il soit faux et faussaire ; s'il se donne une complice, que ce soit une femme de peu de sens : si elle est interrogée, qu'elle se coupe, avoue, nie ce qu'elle a avoué, y revienne encore ; ... telle eût été ma prière ardente ; et si tous ces points m'avaient été accordés, encouragé par tant de condescendance, j'aurais ajouté : Suprême Bonté, s'il est encore écrit que quelque intrus doive s'immiscer dans cette affaire... (et il caricature Marin), *donne-moi* MARIN. Que si cet intrus doit suborner un témoin, j'oserais demander que ce fût un cerveau fumeux, un capitan sans caractère... (et il continue à « débiter » Bertrand), *donne-moi* BERTRAND. Et si quelque auteur infortuné doit servir un jour de Conseiller à cette belle Ambassade... (et il nous abîme Baculard, conseiller d'ambassade), *donne-moi* BACULARD.

Quel tourbillon ! Et comme avec aisance, merveilleux Guignol, il casse les reins à tous ces pantins !

D'un bout à l'autre, ce Mémoire est remarquable ; il y amène très habilement M. de Nicolaï, président de Grand'Chambre, ami de Goëzman, et qui a toujours témoigné contre Beaumarchais une partialité révoltante, allant jusqu'à se charger de distribuer chez lui les Mémoires de Goëzman : son nom, et ses aventures scandaleuses attiraient l'attention sur lui. Beaumarchais répand toujours à pleine main le sarcasme. Par une transition heureuse, il en vient à sa dénonciation du faux M. Goëzman ; puis il tombe à bras raccourcis sur Dairolles ; de là il s'élève à un tableau majestueux : il décrit l'assemblée des Chambres, et son émotion d'y comparaître. Puis vient le détail de l'insulte que lui a faite M. de Nicolaï, qui a voulu le mettre à la porte de la salle des Pas-Perdus, et l'a fait saisir par des gardes, prétendant que Beaumarchais lui tirait la langue !

Revenant, par une brusque charge offensive, à l'ami Marin, Beaumarchais s'en donne à cœur joie :

Ah, Monsieur Marin, que vous êtes loin aujourd'hui de cet heureux temps où, la tête rase et nue, en long habit de lin, symbole de votre innocence, vous enchantiez toute La Ciotat par la gentillesse de vos fredons sur l'orgue, ou la claire mélodie de vos chants au lutrin... Il a bien changé, le Marin ! Et voyez comme le mal gagne et se propage quand on néglige de l'arrêter dans son principe : ce Marin qui d'abord, pour toute volupté,

Quelquefois à l'Autel
Présentait au *Vicaire* ou *l'offrande* ou le sel.

quitte la jaquette et les galoches, ne fait qu'un saut de l'orgue au protectorat, à la censure, au secrétariat, enfin à la *Gazette* ; et voilà mon Marin les bras retroussés jusqu'au coude, et pêchant le mal en eau trouble ; il en dit hautement tant qu'il en veut ; il en fait tant qu'il peut ; il arrête d'un côté les réputations qu'il déchire de l'autre : Censures, Gazettes étrangères, Nouvelles à la main, à la bouche, à la presse ; Journaux, Petites Feuilles, Lettres courantes, fabriquées, supposées, distribuées, etc. ; encore quatre pages d'et cœtera; tout est à son usage. Écrivain éloquent, Gazetier véridique, Censeur habile, Journalier de pamphlets ; s'il marche, il rampe comme un serpent ; s'il s'élève, comme un crapaud. Enfin, se traînant, gravissant, et par sauts et par bonds, toujours le ventre à terre, il a tant fait qu'enfin nous avons vu de nos jours le Corsaire allant à Versailles, tiré à quatre chevaux sur la route : portant pour armoiries aux panneaux de son carrosse, dans un cartel en forme de buffet d'orgue, une Renommée en champ de gueule, les ailes coupées, la tête en bas, raclant de la trompette *marine* ; et pour support une figure dégoûtée, représentant l'Europe ; le tout embrassé d'une soutanelle doublée de gazette, et surmonté d'un bonnet carré, avec cette légende à la houpe : QUES-A-CO ? MARIN !

Pauvre enfant de chœur ! quelle caricature ! Marin traînera ce portrait jusqu'à la fin de ses jours.

Beaumarchais termine son Mémoire par le récit de l'aventure arrivée à sa sœur en Espagne, avec Clavijo ; il l'amène par le moyen d'une lettre infâme qu'il accuse ses ennemis de répandre, et qu'il pourrait bien avoir fabriquée lui-même pour insérer cette romanesque histoire : ruse de guerre ; absence de scrupules, de décence, de pudeur, exploitation intégrale du terrain ; cela fait partie de sa nature audacieuse et bruyante.

L'effet de ce Mémoire est extraordinaire ; il défraie toutes les conversations, à Paris comme à Versailles. Louis XV le lit, Mme la Dauphine et la du Barry se font jouer la scène de la confrontation avec Mme Goëzman ; en province et à l'étranger, tous les lettrés le savourent ; les membres exilés de l'ancien Parlement s'en régalent et écrivent leur admiration à l'auteur. Voltaire, dans son ermitage de Ferney, arbore plus que jamais son fameux sourire, et toute la vieille peau de son visage rit par ses mille rides. Il écrit à un ami : « J'ai lu le quatrième Mémoire de Beaumarchais, j'en suis encore tout ému ; jamais rien ne m'a fait plus d'impression ; il n'y a point de comédie plus plaisante, point de tragédie plus attendrissante, point d'histoire mieux contée et surtout point d'affaire épineuse mieux éclaircie. » Et c'est Voltaire, à l'ironie si facile et si redoutable, qui témoigne cette admiration sans réserves !

Quel succès !

A d'Argental, au marquis de Florian, Voltaire envoie des missives aussi enthousiastes. Pendant ce temps, à court de méchancetés, on avait naturellement répandu le bruit — Marin le premier — que Beaumarchais n'était point l'auteur des Mémoires qu'il signait, et qu'on connaissait la main qui les écrivait ; à quoi il avait répondu : « Les maladroits, que ne font-ils écrire les leurs par la même plume ! » Et Jean-Jacques l'ours disait à ceux qui lui en parlaient : « Je ne sais pas s'il les compose, mais je sais bien qu'on ne fait pas de tels Mémoires pour un autre. » A Francfort, dans une société, on les lisait tout haut, et c'est là qu'on suggéra à Gœthe qui s'y trouvait l'idée d'écrire un drame sur l'épisode Clavijo.

Maupeou, lui, faisait la grimace, en voyant ainsi mettre en pièces son Parlement.

Au début de février 1774, les Français reprennent *Eugénie* : Beaumarchais est à la mode. Ce jour-là justement, il s'était glissé au parterre, seul, *incognito*, pour voir... Il avait à côté de lui un bavard qui parlait de la pièce, de son auteur, du procès de l'auteur, et qui finit par déclarer qu'ayant dîné ce jour-là chez M. d'Argental, il y avait entendu lire une lettre de Voltaire, « qui persiste à croire », dit notre homme, « que Beaumarchais n'a jamais empoisonné personne. Or on est bien sûr parmi Messieurs du Parlement, qu'il a empoisonné ses trois femmes ! » Beaumarchais le laissa dire, et quand il eut fini, s'adressant à lui, avec le plus grand sérieux : « Il est si vrai, Monsieur, dit-il, que ce misérable a empoisonné ses trois femmes, quoiqu'il n'ait été marié que deux fois, qu'on sait de plus au Parlement Maupeou, qu'il a mangé son père en salmis, après avoir étouffé sa belle-mère entre deux épaisses tartines, et j'en suis d'autant plus certain que je suis ce Beaumarchais-là qui va vous étrangler si vous ne décampez pas immédiatement ! » Le bavard s'empressa d'obtempérer, et l'on rit beaucoup.

*
* *

C'est pour le 26 février qu'on attend le jugement ; la semaine précédente, Bertrand fait une découverte et en donne acte aux Parisiens, en répandant une « Addition » à son mémoire ; il y déclare n'avoir jamais été l'ami de Beaumarchais, proteste contre le décret d'ajournement personnel dont il a été l'objet, et se montre encore plus bête que précédemment.

Quant au malin Marin, c'est la veille même du jugement qu'il lance son dernier factum : il croit ainsi, en empêchant Beaumarchais de répondre, avoir la victoire avec le dernier mot : il essaie de se sortir de la boue où l'a entraîné Beaumarchais, et à cet effet il nie tout ce que son adversaire a avancé : à l'en croire, il n'a rien écrit dans aucune gazette, ni dans les

Nouvelles à la main ; et pourtant il est de notoriété publique que c'est chez lui qu'on se procure les unes et les autres ; à la suite de ses dénégations, il explique que Beaumarchais n'est pas l'auteur de ses Mémoires, ni de ses pièces, et que le littérateur est son compatriote le médecin Gardanne, qu'il injurie et couvre d'accusations déshonorantes.

Gardanne répond sur l'heure, et le lendemain 26 février, jour du jugement, tandis que Beaumarchais subit un dernier interrogatoire, et que les juges discutent de la sentence qu'en toute équité ils doivent rendre, chacun lit sa « Réponse aux libelles imprimés et publiés par les sieurs Marin et Bertrand Dairolles. » Homme sage et paisible, dans les quelque huit pages qu'il offre au public, il se borne à montrer l'insanité et la méchanceté des insinuations répandues contre lui.

*
* *

Samedi 26 février 1774 ! L'aube du grand jour s'est levée ; la veille au soir, le prince de Monaco a invité Beaumarchais à venir, après son jugement, lire chez lui le *Barbier* ; Beaumarchais reçoit de nombreuses invitations de ce genre ; il les accepte toutes, comme des preuves de sympathie. Ira-t-il pourtant ? Peut-être pas : le pilori le menace.

On l'attacherait à un poteau, en plein air, et il y resterait exposé aux regards du public, La honte, à tout jamais.

Mais Beaumarchais n'entend pas laisser les choses aller jusque là ; il se tuera sur l'heure s'il est condamné au pilori ; il n'en a rien dit à personne : c'est la preuve que sa résolution est sérieuse. Toute la nuit d'ailleurs

— il l'avait passée chez Gudin qui loge quai des Orfèvres, séparé du Châtelet par un pont — il avait dépouillé des liasses de papier, classé, étiqueté, rangé, déchiré, brûlé ; il a mis ses affaires en ordre, préparé au mieux tous les règlements de comptes à venir. A trois heures du matin, il a fini : devant être au Greffe à six, pour y subir un dernier interrogatoire, il ne se couche pas. Les mains dans les poches, les yeux gonflés de sommeil, les cheveux en désordre, il arpente sa chambre de long en large : heures pesantes, dernières heures du condamné qui n'a plus qu'à attendre, et qu'occupe involontairement un vaste retour sur soi-même.

Beaumarchais se revoit tout enfant, puis au petit collège où il aurait pu mieux travailler, puis à l'horlogerie où il a perdu trois ans sur six ; il revoit sa mère qu'il aurait pu rendre plus heureuse : son premier duel, les premiers amis de Cour, dont certains sont morts ; son vieux Pâris-Duverney en particulier ; une vision d'Espagne sonore et colorée s'y ajoute, avec la petite marquise qu'il a entraînée à une vie scandaleuse ; la première d'*Eugénie*, où il est hué ; la première des *Deux Amis*, où il est hué ; sa seconde femme, de toutes celles qu'il a aimées la meilleure sans doute, morte : son petit garçon, mort aussi ; la malheureuse querelle avec le duc de Chaulnes ; beaucoup de ses amis l'ont lâché depuis qu'il se débat ; Bertrand, Marin, d'Arnauld ne sont pas les seuls : on l'a traîné dans la boue ; il voit toute sa vie manquée ; il s'assied, il se sent las, découragé, le cœur très gros, et il pleure tout à coup à chaudes larmes, les coudes sur les genoux, les poings sur le front, il pleure comme un enfant, il sanglote. Dans l'âtre, les cendres de papier voltigent, refroidies.

Beaumarchais se ressaisit ; en toilette soignée —

il doit aller le soir réciter *Le Barbier*, — une copie de sa pièce en poche, il descend l'escalier.

Gudin, qui s'est levé matin pour accompagner son ami et l'attend au rez-de-chaussée, réfléchit lui aussi au sort de Beaumarchais ; et il se demande comment un être si foncièrement bon, si affectueux avec les siens, si charitable et généreux, comment un esprit si pétillant et si bien doué, un homme qui n'a jamais attaqué personne et a rendu service à beaucoup de ceux qu'il a rencontrés, a pu voir s'accumuler sur sa tête tant de haines féroces et de calomnies immondes ; c'est l'envie des jaloux et des petits esprits ; et puis il avait égratigné dans leur orgueil, parfois sans le vouloir, nombre de gens puissants ; c'est aussi la facilité avec laquelle les bruits les plus manifestement erronés ou méchants s'accréditent parmi ceux qui ne connaissent ni l'intéressé ni ses affaires.

*
* *

Gudin l'attend ; les brumes froides qui montent de la Seine cachent le vieux Châtelet ; frileux, Beaumarchais et son ami, à pied, seuls sur le Quai des Orfèvres, s'en vont silencieux au Greffe. Gudin embrasse Beaumarchais, et reste aux Pas-Perdus. Le dos voûté, vieilli, un sourire désabusé aux lèvres, Beaumarchais s'éloigne dans l'aube grise du Palais. A la porte du Greffe, il se redresse, fronce le sourcil, serre les poings et reprend son air fier ; l'homme a disparu, le plaideur est là.

Beaumarchais assiste à l'arrivée de ses juges, ils ont l'air mal éveillés... Enfin il est une dernière fois appelé à la barre pour confirmer ou infirmer quelques détails de l'instruction ; il est très fatigué ; vers dix heures et demie, il n'a plus qu'à attendre ; il a repris tout son empire sur lui-même.

Peu à peu les amis arrivent, autour de midi : Beaumarchais reçoit ; dans la fièvre des discussions, des paris, des enjeux pour et contre, lui seul semble garder son calme ; il parle de tout, sauf de son affaire, et avec la plus grande aisance ; cependant son sort se décide dans la Grand'Salle. Les juges discutent, supputent, tentent de se mettre d'accord : c'est terriblement délicat de rendre un verdict équitable ; l'opinion est surexcitée, le Parlement a mauvaise presse. L'auteur des Mémoires l'a bafoué et bravé, ès-personnes de Messieurs de Nicolaï, Gin et Goëzman ; un des siens, Goëzman, est convaincu de manœuvres frauduleuses et déshonorantes, même hors l'affaire en litige : l'histoire du baptême en est une : Beaumarchais de son côté a fait tenir de l'argent à la femme d'un de ses juges ; le fait est constant et reconnu par lui ; or les audiences généralement ne s'achètent pas ; Mme Goëzman, malgré ses dénégations, a reçu et gardé de l'argent · les autres sont moins gravement compromis.

Déjà vers midi, on se presse aux abords du Palais ; des bruits plus ou moins fantastiques circulent ; en fait, on ne sait encore rien, sinon que les juges ont bien du mal à se mettre d'accord.

*
* *

Vers deux heures, harassé, Beaumarchais écrit un mot pour s'excuser auprès du prince de Monaco ; ne sachant à quelle heure le jugement sera rendu, il préfère se dégager pour la soirée ; puis, sortant par une porte sur les quais, il gagne la maison de Lépine et, tout habillé, se couche sur un lit et dort du sommeil du juste.

Après douze heures de délibérations, les juges décidèrent enfin de punir tout le monde, plus ou moins, mais uniformément les trois principaux prévenus, Goëzman, sa femme et Beaumarchais. Et tard dans la soirée, la salle de l'audience ayant été ouverte au public qui s'y précipite, le premier Président lut la sentence :

L'avocat général requiert pour le Roy, pour les cas résultant du procès, Le Jeay, Bertrand d'Airolles, Gabrielle-Julie Jamart, femme de M. Goëzman, Caron de Beaumarchais, être mandés en la Chambre pour y être admonestés et condamnés chacun en trois livres d'aumône applicables au pain des pauvres prisonniers de la Conciergerie ; ladite Jamart, femme dudit M. Goëzman, condamnée en outre à rendre, au profit des mêmes, la somme de 360 livres par elle reçue dudit Le Jeay, et injonction est faite audit Maître Goezman mis hors de Cour d'être plus circonspect à l'avenir ; est ordonné que ledit Caron de Beaumarchais sera mandé en la Chambre du Conseil, pour y demander pardon à la Cour du peu de respect avec lequel il a parlé, dans ses mémoires, de la magistrature en général et de plusieurs membres de la Cour en particulier ; comme aussi que les quatre mémoires imprimés à Paris par ledit Caron seront lacérés et brûlés au pied du grand escalier de la Cour par l'exécuteur de la haute justice, comme contenant des expressions et imputations scandaleuses, indécentes et injurieuses à la magistrature ; défenses audit Caron de Beaumarchais de plus à l'avenir récidiver et faire de pareils mémoires sous peine de punition corporelle, et pour les avoir fait condamné en 12 livres d'aumône applicables au pain des pauvres prisonniers de la Conciergerie.

Cette lecture fut hachée de toutes les manifestations possibles et imaginables de la part du public : applaudissements, hurlements, piétinements, sifflets ; ce fut terrible ; le premier Président termina au milieu d'un tolle général, et les juges, sous les huées de la populace, se retirèrent par des couloirs détournés.

*
* *

Dehors, le soir était venu étoilé et glacial. Maître Falconet, que Beaumarchais avait prié d'attendre la proclamation, arriva à se frayer un chemin dans la cohue hurlante et courut chez Mme Lépine ; Beaumarchais dormait encore. Sa famille et ses amis intimes étaient dans les pièces voisines et attendaient dans l'angoisse. Dès que Falconet, poussant la porte, fut entré et qu'on vit ses traits décomposés, les sœurs de Beaumarchais se mirent à pleurer ; le vieux père Caron, les larmes aux yeux, mordait sa moustache. Beaumarchais s'éveilla et apparut, essayant de sourire. Falconet s'étant enfin ressaisi, put s'expliquer : on avait craint le pire, le pilori.

La situation, pour n'être pas désespérée, n'en était pas moins très inquiétante pour l'avenir : c'était la ruine et le discrédit, l'exil peut-être ! Beaumarchais rassura tout le monde, mit son chapeau, prit Gudin par un bras, Falconet par l'autre, dit bonsoir à la société et déclara : « Nous allons voir ce qu'il me reste à faire. Au revoir. » Ils sortirent avec prudence ; en effet la sentence maintenant rendue était exécutable dès l'heure qu'il plairait à « Messieurs du Parlement », et l'on pouvait venir chercher Beaumarchais d'un instant à l'autre. Comme il était nuit, le danger était moindre ; Beaumarchais, après quelques pas, plein d'une émotion affectueuse, remercia de leur généreux soutien ses deux compagnons de route, et chacun rentra chez soi.

Beaumarchais pourtant erra longtemps au long des quais ; malgré son énergie, il était plus inquiet qu'il n'avait voulu paraître, et l'avenir se montrait à lui affreusement angoissant. D'abord la honte de recevoir à genoux, tête baissée, mains au dos, la sentence devant la Cour, et de s'entendre dire par le premier Président : « Je te blâme et te déclare infâme. » Ensuite le désordre complet de ses affaires, sa ruine, la misère ; la nécessité d'aller vivre à l'étranger, mais de quoi, comment ? En outre le chagrin de mettre sa famille au désespoir, les inquiétudes que lui donnaient la santé de son père et celle de Mme Lépine.

A petits pas maintenant, légèrement voûté, la canne sous le bras, les mains aux poches, — il fait si froid dehors, si froid aussi au cœur du pauvre homme — Beaumarchais se dirige vers la demeure qu'il s'est choisie pour y être tranquille, depuis qu'il a dû disperser les siens aux quatre coins de Paris, ruiné qu'il est par La Blache ; il est simplement retourné rue Saint-Denis, dans la petite maison vieillotte, à la façade ventrue, où il est né, louée depuis qu'il l'a quittée à des amis, qui lui ont prêté sur sa demande une des chambrettes.

Et c'est plein d'unein dicible mélancolie qu'il y rentre ce soir-là, avec l'impression qu'il n'aurait jamais dû la quitter, qu'il aurait dû rester comme son père, à monter des horloges et des montres à l'obscure clarté d'un vitrage verdâtre... « Et maintenant je ne peux pourtant pas en rester-là ; il faut que j'arrive à ma réhabilitation, La Blache comme Goëzman ; il faut que je rebâtisse ma fortune, il faut que je fasse des affaires, il faut que je sois soutenu et aidé par le Gouvernement, il faut que je me rende nécessaire, indispensable même : le tout est d'être indispensable. Comment cela ?... » Il s'endormit aux prises avec cette grave question.

*
* *

Le lendemain tout Paris, tout Versailles étaient en rumeur : chacun maintenant savait la décision du Parlement ; rue de Condé, où il n'y avait plus que le portier, ce fut toute la journée un défilé ininterrompu de carosses armoriés, d'où descendaient de belles dames et de beaux seigneurs poudrés, venus s'inscrire et signer à la porte du grand homme. C'étaient le duc de Nivernois, la marquise de Tessé, le duc de Noailles son père, le duc d'Orléans, grand-père de Louis-Philippe, le prince de Monaco, M. de Miromesnil, le duc de Chartres, Mme la comtesse de Miramont, le duc de Richelieu, vieux libertin, le duc de La Vallière, M. de Maurepas, M. de La Borde, M. de Mézieu, M. de Sartines qui vint à pied, incognito — il était au service du Gouvernement, le malheureux, — signer d'un grand S et de trois étoiles ; le prince de Conti qui, toujours frondeur, laisse un billet portant, entre autres assurances d'amitié : « Je veux que vous veniez dîner chez moi demain. Nous sommes d'assez bonne maison pour donner l'exemple à la France de la manière dont on doit traiter un grand citoyen tel que vous. » Ayant même appris où Beaumarchais se tenait, il s'y fit conduire et s'entretint un long moment avec lui, dans sa voiture ; Gudin, derrière la fenêtre de la rue Saint-Denis, attendait que son ami, qu'il ne quittait plus guère, remontât. « C'est à dater du moment où je ne suis plus rien, déclare Beaumarchais, que chacun s'empresse de me compter pour quelque chose. »

Et bien d'autres grands personnages, de ces grands d'avant la Révolution, frivoles, mais si larges d'idées, si éclectiques, si cultivés, amis sincères de Beaumarchais dont ils avaient appris à connaître, au hasard des rencontres, la profonde bonté, l'esprit étincelant, l'intelligence et l'énergie, vinrent lui offrir leur crédit et leur secours, et l'assurer de leur bienveillance. Le 28 février donc, le « blâmé » va souper chez le prince de Conti, avec quarante des plus puissantes et nobles têtes de France, aux côtés de Mme Larrivée, la dernière et somptueuse maîtresse de l'hôte, rentrée en faveur auprès de lui après quelque dix ans d'oubli.

Et Beaumarchais ne pousse-t-il pas l'audace jusqu'à choisir ce moment là pour faire graver son effigie par Cochin et la répandre ?

VI

« Pourquoi faut-il qu'il y ait du louche en tout ce que tu fais ? »

Le comte à Figaro, Mariage, III, 5.

Tout ce bruit effraie bien un peu l'ami Sartines, qui craint d'être obligé de sévir « AU NOM DU ROI... » D'autant plus qu'on prête à Beaumarchais l'intention de publier de nouveaux mémoires contre ses juges : ces Messieurs d'ailleurs ont cru préférable, devant l'agitation causée par leur arrêt, de s'en tenir au prononcé, et de dispenser leurs victimes de l'exécution ; Beaumarchais n'en reste pas moins blâmé, et cherchant à s'acquérir la bienveillance du Gouvernement.

Sartines, qui connaissait sa retraite, le fait appeler : « Mon cher ami, lui dit-il, je serais désolé de vous voir encore ennuyé ; aussi je vous conseille absolument de ne point vous montrer, où que ce soit. Toute cette affaire fait trop de bruit, irrite trop de gens puissants, pour ne pas un jour avoir des conséquences graves et définitives pour vous, si l'on ne laisse l'opinion se calmer tout à fait. Encore il y a huit jours, vous avez peut-être su qu'à la représentation de *Crispin rival de son maître*, il y avait eu de bruyantes manifestations à un passage sur la vénalité des magistrats. Nicolaï, qui y était, a été sifflé et a dû sortir. Ce n'est pas tout que d'être blâmé, il faut encore être modeste !

Soyez sage, surtout n'écrivez point. — Le Roi ne veut pas — et tout s'arrangera à la longue. — Merci de l'avis, je suis bien disposé à le suivre ; je me dispose même à partir pour l'Angleterre ; seulement je voudrais, le plus vite et le plus sûrement possible, faire casser les arrêts rendus, aussi bien dans la tragi-comédie La Blache que dans le vaudeville Goëzman ; je suis disposé à attendre ; mais pas trop ; ne pourrais-je, d'une manière ou d'une autre, intéresser Sa Majesté à mon sort ? — Eh, eh, il y aurait peut-être moyen, surtout si vous allez en Angleterre. Vous savez peut-être qu'il s'y imprime une petite feuille scandaleuse et redoutable puisque, entre nous disons-le, il y a à la Cour des hommes, des femmes, et des choses scandaleuses ; cela s'appelle *Le Gazetier cuirassé* ; effectivement il n'y a rien à faire contre le drôle qui rédige cette feuille, un nommé Théveneau de Morande ; il est à l'étranger ; tout ce qui est en notre pouvoir c'est d'envoyer des agents là-bas et de l'expédier en silence ; cela, l'Angleterre nous en laisse libres ; c'est ce qui a été fait tout dernièrement, à la suite de la composition de *Mémoires secrets d'une femme publique*, dont Morande a gracieusement expédié un exemplaire à l'intéressée, Mme la comtesse du Barry, en expliquant que moyennant finances il consentirait à se taire. Il avait déjà réussi de semblables opérations avec quelques grands d'ici. Mme du Barry, et pour cause, n'est pas restée insensible aux révélations des *Mémoires secrets*, et a supplié Sa Majesté de réduire au silence, coûte que coûte, ce dangereux bavard ; le roi et le duc d'Aiguillon, après avoir vainement envoyé votre ami le comte de Lauraguais en parlementaire, pensant qu'il valait mieux se défaire une fois pour toutes du maître-chanteur que risquer d'avoir à payer la forte somme chaque fois qu'il lui plairait, m'ont chargé d'envoyer des exempts de police là-bas, avec mission de ramener Morande silencieusement, ou de le jeter dans la Tamise, silencieusement aussi ; tout cela était entendu avec l'ambassadeur d'Angleterre, et Sa Majesté britannique. Malheureusement, nos policiers ont commis la sottise de parler de leur mission à une aventurière française, une certaine Mme de Godeville, installée là-bas, et Morande prévenu a crié partout à la tyrannie, se déclarant exilé politique ; les Anglais s'y sont laissé prendre, et nos exempts et espions sont rentrés il y a un mois, après avoir été copieusement rossés et ayant échappé de peu à la corde. Bref, ils se sont véritablement évadés et sont revenus bredouilles. — Très amusant, tout cela. Peut-être trouverai-je là-bas, dans mes relations, un gaillard décidé qui réglerait l'affaire. Je le mettrais alors en rapports avec Lauraguais ; Sa Majesté sans doute m'en saurait gré. Enfin je verrai. Au revoir, mon cher, je vous écrirai tout ce qui me semblera intéressant là-bas, et vous me donnerez des nouvelles de Paris et de Versailles. — C'est cela, je vois souvent notre ami commun La Borde, qui me renseignera sur Versailles ; quant à Paris, je dois, professionnellement, savoir tout ce qui s'y passe. Au revoir, Beaumarchais, bon voyage, et surtout soyez bien sage. » Et après une vigoureuse poignée de main, le sourire aux lèvres, Beaumarchais quitta M. de Sartines.

*
* *

Le soir même, après avoir écrit un certain nombre de lettres et dit adieu à sa famille éplorée et à Gudin, le pauvre grand homme, dans une petite pluie fine et froide, quittait Paris, en diligence, comme un humble bourgeois.

Il passe quelques jours en Flandre, puis s'embarque sur un vieux petit voilier, et arrive à Londres, ne sachant pas plus d'anglais qu'il ne savait d'espagnol, quand dix ans avant il arrivait à Madrid. Mais c'est encore l'heureux temps de l'Encyclopédie, « où le monde entier parle français », y compris la Grande Catherine et Frédéric le Grand.

Beaumarchais partit sous le pseudonyme de chevalier de *Ronac* — simple anagramme de Caron, — pour éviter les ennuis que n'aurait manqué de lui susciter alors son véritable nom. Et avec toutes ses économies en poche, il trouva vite, Ploone Street, un petit appartement qu'il fit tapisser et meubler avec le soin qu'il avait pour tout ce qu'il entreprenait. Avant son départ, il avait écrit à La Borde, la lettre suivante où transparaît son véritable état d'esprit :

Ils l'ont donc enfin rendu, cet abominable arrêt, chef-d'œuvre de haine et d'iniquité ! Me voilà retranché de la société, et déshonoré au milieu de ma carrière. Je sais, mon ami, que les peines d'opinion ne doivent affliger que ceux qui les méritent ; je sais que des juges iniques peuvent tout contre la personne d'un innocent et rien contre sa réputation ; toute la France (!) s'est fait inscrire chez moi depuis samedi... Vous le savez, mon ami, j'avais mené jusqu'à ce jour une vie tranquille et douce (si on veut !) et je n'aurais jamais écrit sur la chose publique, si une foule d'ennemis puissants ne s'étaient réunis pour me perdre... J'ai de la force pour supporter un malheur que je n'ai pas mérité; mais mon père, qui a 77 ans d'honneur et de travaux sur la tête, et qui meurt de douleur, mes sœurs, qui sont femmes et faibles, dont l'une vomit le sang et dont l'autre est suffoquée, voilà ce qui me tue et ce dont on ne me consolera point.

Puis, de Flandre, il lui avait envoyé, pour la remettre au Roi, une lettre déclarant qu'il garderait le silence puisque son Souverain le demandait, mais qu'il s'en allait en Angleterre sous le nom qu'il lui confiait, attendant que le Roi voulût bien lui faire rendre justice. De son côté La Borde, ayant vu Sartines et sûr de rendre ainsi service à son ami, essayait de plaider sa cause auprès de Louis XV, lui montrant le véritable aspect des choses.

Louis XV crut trouver une excellente occasion, donnant, donnant, de se débarrasser d'un lourd souci et de permettre à Beaumarchais de gagner sa grâce ; après avoir lu à son lever la lettre que La Borde, « valet de chambre » du Roi, lui remettait, Louis XV demanda : « C'est vraiment un homme de valeur, votre ami Beaumarchais ? Nous sommes en froid lui et moi, depuis que La Vallière m'a montré qu'il calculait si bien, il y a six ans, mais je ne lui en veux point, et l'ai toujours tenu pour fort intelligent ; puisqu'il tient tant à se réhabiliter et que Sartines, m'avez-vous dit, lui a touché un mot de l'affaire Morande, qu'on ne peut aujourd'hui étouffer que par une diplomatie adroite et qui inspire confiance, je suis disposé à le charger des négociations, puisqu'il est là-bas, et sous un nom supposé ; sera-t-il assez discret, peut-on être assez sûr de lui pour cette mission ? Apparemment c'est un travail de bas policier : en fait c'est une mission diplomatique de confiance. — Sire, je suis sûr que vous pouvez compter sur lui ; il mettra toute son intelligence et son habileté au service de Votre Majesté lorsqu'elle lui fera connaître que tel est son désir. — Eh bien, La Borde, chargez-vous de le prévenir et mandez-le à Versailles dès qu'il pourra. Je donnerai mes ordres pour que le chevalier de Ronac soit introduit sans difficultés dès qu'il se présentera. Et s'il mène le travail à bien, je lui octroierai toutes facilités pour arriver à cassation, puisqu'il veut encore plaider ! Comme ses deux affaires ne comportent aucun fond grave et que seule leur forme constitue les charges contre lui, il s'en tirera sans doute, s'il sort de la juridiction du Parlement de mon chancelier... Donc, je l'attends, La Borde, qu'il se presse. »

La Borde accomplit ses courbettes, se retira, écrivit sur-le-champ à Beaumarchais, dépêcha un courrier particulier à Londres, et quatre jours plus tard, le chevalier de Ronac faisait son entrée, bien modeste, dans le petit bureau de travail du Roi, autrefois si familier. Louis XV se montra bon homme, lui donna ses ordres et l'envoya pour explications et détails complémentaires au duc d'Aiguillon. Indirectement impliqué par Beaumarchais dans l'affaire Goëzman, ami assez intime de l'ex-conseiller qui l'avait aidé de sa plume avant et après la chute de Choiseul, le Duc ne connaissait pas Beaumarchais ; le chevalier de Ronac trouva donc devant lui un ministre affable et courtois.

Muni de toutes les instructions nécessaires, Beaumarchais regagna l'Angleterre. Grâce au comte de Lauraguais, il trouva très vite Morande et son acolyte le marquis de Pelleport, installés dans une petite imprimerie en sous-sol dans les faubourgs. Toujours chevalier de Ronac, Beaumarchais manœuvra très adroitement, fut bientôt agréé par le *Gazetier cuirassé*, et sur ses promesses écrites et dûment signées Ronac, il parvint en huit jours à arrêter l'impression des *Mémoires secrets* et de deux autres libelles, et à consigner les paquets prêts à partir vers la Hollande et la France ; Morande consentit à remettre à Beaumarchais-Ronac un exemplaire de chacun de ses ouvrages, et sur l'assurance de recevoir une somme importante, à lui laisser huit jours pour retourner en France et rapporter l'argent ; au bout des huit jours, si rien n'arrivait, Morande se déclarerait relevé de ses engagements, expédierait ses paquets et reprendrait l'impression. Beaumarchais à nouveau traversa le Pas-de-Calais, arriva à Versailles, vit le Roi et lui donna les trois exemplaires. Louis XV se montra émerveillé de sa promptitude, et l'envoya à nouveau à d'Aiguillon, pour rendre compte de sa mission et régler définitivement le marché ; mais Louis XV craignait son ministre, et pour lui, et pour Beaumarchais ; il défendit donc à celui-ci de dire à d'Aiguillon qu'il avait vu le Roi et donné les libelles avant d'aller chez le ministre.

D'Aiguillon reçut le chevalier de Ronac qui lui montra les engagements de Morande, les résultats obtenus, et demanda les crédits convenus avec le gazetier pour acheter son silence. Vivement intéressé — il était assez maltraité dans un des libelles. — très étonné aussi de la célérité et de la sûreté de manœuvre du diplomate-policier, le regardant avec attention, d'Aiguillon crut reconnaître la tête de l'auteur des *Mémoires*, dont des gravures en effigie circulaient, et s'écria : « Vous êtes le diable ou Monsieur de Beaumarchais ! — Je ne suis que Beaumarchais, monsieur le Duc ! Pour vous servir. — Très bien, Monsieur, ce que vous avez fait est appréciable, certes, mais personnellement et pour la sûreté de l'État, je désirerais vivement que vous aidiez la police à s'emparer du sieur Morande, après l'avoir habilement interrogé sur les personnalités des autres auteurs de libelles, et après avoir reçu de lui les noms de ses correspondants français, car il a évidemment des instigateurs puissants et de solides appuis financiers, : vous me comprenez, Monsieur de Beaumarchais ? — Trop bien, Monsieur le Duc, dit Beaumarchais en se levant : empêcher de paraître des libelles déshonorant la Cour de France, je le veux bien : jouer le rôle de délateur et de fourbe, non ; je ne veux pas devenir l'auteur d'une persécution de bastilles et de cachots. C'est tout ce que j'ai à vous dire, Monsieur le Duc. Je vous rappelle seulement que dans ces conditions je me refuse à continuer ma mission, qui ne serait plus celle dont Sa Majesté m'avait chargé, et que d'ici huit jours les libelles paraîtront si vous persistez dans vos intentions. Monsieur le Duc, j'ai bien l'honneur de vous saluer ! » Le duc mit Louis XV au courant : Beaumarchais invité à donner ses raisons, les donna, et le Roi comprit sans peine que la commission était odieuse à Beaumarchais, qui, outre le peu de confiance qu'il pourrait apporter aux dires d'un individu tel que Morande, jugeait déshonorant de jouer, de quelque manière que ce fût, le rôle de mouchard. Le duc garda rancune à Beaumarchais qui faillit tout abandonner, dégoûté et découragé. Le Roi insista, lui répéta qu'il avait toute confiance en lui et qu'il lui demandait seulement de détruire complètement les libelles.

Muni de 20.000 francs, pris sur la cassette royale, et d'un titre de rente viagère de 4.000 francs pour maître Théveneau de Morande, — l'honneur de Mme du Barry valait-il 150.000 francs d'aujourd'hui ? — Beaumarchais s'embarqua pour la troisième fois : on était alors au 8 avril 1774.

***

Une fois à Londres, il s'aperçut très vite que Morande n'était plus à son égard dans les mêmes dispositions que huit jours avant ; déjà à Calais il avait eu l'impression qu'on le suivait : le duc d'Aiguillon se vengeait, et tentait de mettre des bâtons dans les roues ; à Calais, Beaumarchais avait dit à voix haute, à l'hôtel, qu'il resterait quelques jours, et il avait embarqué le soir même, pour dépister les limiers du ministre ; une minuscule barque pontée, réquisitionnée à grand peine, l'avait roulé jusqu'à Hastings ; arrivé à Londres, il retrouva Morande méfiant, exigeant, constata que sa véritable identité avait été dévoilée, et il eut les plus grandes difficultés à ramener le gazetier à la foi des traités ; il y parvint enfin, et Morande, devenu respectueux devant le courage, l'énergie et l'honnêteté de Beaumarchais, admirant aussi en lui l'auteur des Mémoires, lui confia même qu'il eût à rester sur ses gardes : le duc d'Aiguillon voulait entraver les pourparlers et au besoin faire disparaître Beaumarchais. Morande avait reçu d'anonymes indications l'invitant à aider à la préparation d'un guet-apens, et craignait d'y passer à son tour par la suite. Dans ces conditions, Beaumarchais, à peu près sûr de Morande, dont les indications correspondaient avec ses propres constatations, alla trouver Lord Rochford — l'ex-ambassadeur d'Angleterre en Espagne, devenu ministre d'État, — qu'il avait bien connu autrefois à Madrid, le mit au courant des faits, ébaucha même avec lui un projet d'accord entre les deux Gouvernements, d'après lequel l'Angleterre veillerait désormais à empêcher la parution chez elle de libelles contre le Gouvernement français.

Lord Rochford lui accorda en outre quelques gardes du corps, grâce auxquels Beaumarchais put rentrer sain et sauf en France, comme il le désirait, la conclusion de l'affaire avec Morande restant toujours en suspens, mais résolue en principe ; le gazetier avait consenti à en rester au *statu quo*, jusqu'au retour de Beaumarchais.

Le 20 avril Beaumarchais, épuisé, presque à bout de ressources et découragé, arriva à nouveau à Versailles, vit le roi, se plaignit à lui des procédés du duc d'Aiguillon ; le roi, mécontent du Duc, envoya Beaumarchais, que La Borde accompagna sur ordre, le trouver; le Duc s'emporta, et le prit de haut : « Comment, Monsieur, osez-vous me tenir de pareils propos? C'est abominable ; supposer de pareilles manœuvres chez d'autres prouve seulement qu'on n'en serait pas incapable... le cas échéant, — Monsieur ! — Je ne m'occupe pas des affaires de police, je suis ministre des Affaires étrangères, et si vous êtes importuné, dans votre tâche de policier, par des concurrents, c'est à la police qu'il faut porter vos doléances, Monsieur. Je pense que Monsieur de Sartines sait mieux que personne d'où partent vos espions. Allez, Monsieur, ne m'importunez plus de vos soupçons dont je n'ai que faire, et jugez-vous heureux que je ne vous aie pas fait jeter dehors ! — Fort bien, Monsieur le Duc, je me moque de vos menaces, et je me passerai de votre aide ; je vous prie seulement de me laisser servir mon Roi, sans vous mettre à la traverse. »

Par acquit de conscience, Beaumarchais alla trouver Sartines, plus encore pour le mettre au courant que pour s'assurer de son amitié. D'Aiguillon sut que Beaumarchais avait vu Sartines ; sa colère contre le pauvre diplomate n'eut plus de bornes ; mais le Roi ayant tout appris chargea La Borde d'écrire à son ami que « Sa Majesté approuvait sa conduite et sa confiance en M. de Sartines » ; c'était implicitement désavouer d'Aiguillon.

Beaumarchais, peu inquiété de la haine du ministre, presque assuré qu'elle resterait maintenant passive, après cette alerte, repartit promptement, accompagné cette fois de Gudin, heureux de voyager, et qui partit avec lui en touriste, ignorant sa mission. Beaumarchais lui en donna connaissance quand ils furent à Londres. Ayant pris ses dernières dispositions vis-à-vis de Morande, Beaumarchais, le lendemain, par une nuit sans lune, le 27 avril 1774, accompagné du gazetier docile et de Gudin qui se sentait l'âme virile d'un conspirateur, prit place, devant l'imprimerie faubourienne de Morande, dans un tombereau où l'on avait chargé les brochures ; l'on gagna la campagne, et à quelque distance de Londres, du côté de Saint-Pancras, dans un four à plâtre abandonné on incinéra les *Mémoires secrets* et autres ouvrages à paraître du sieur Théveneau de Morande, qui, muni de son sac d'or et de son titre de rente, flanqué de Gudin e Beaumarchais, rentra à Londres avec eux au petit jou

*
* *

Beaumarchais débarrassé de ces libelles, mais voyant toutes les difficultés auxquelles un étranger chargé d'une mission comme la sienne pouvait se trouver en butte, reprit, sans perdre de temps, ses négociations avec lord Rochford, sur les bases déjà élaborées durant son précédent voyage. En moins d'une semaine, l'accord fut mis sur pied, rédigé et conclu. Muni d'une copie de cet accord secret, pris de sa propre initiative, au nom du Gouvernement français, Beaumarchais rentra en France le 8 mai avec Gudin : catastrophe !

A Boulogne, où ils débarquèrent, ils apprirent par un courrier arrivant de Paris que Louis XV était atteint de la petite vérole, et qu'on ne pensait pas le sauver. Beaumarchais était au désespoir : « Mon vieux Gudin, voyez-vous, j'ai travaillé pour le Roi de Prusse ! Sans doute arriverons-nous à Paris pour y trouver le roi expirant ; j'admire la bizarrerie du sort qui me poursuit. Si le Roi eût vécu en santé huit jours de plus, j'étais rendu à mon état, que l'iniquité m'a ravi. J'en avais sa parole royale, et il se montrait plein de bienveillance à mon égard ; de 780 lieues faites en six semaines pour le service du Roi, il ne me restera que les jambes enflées et la bourse aplatie ! »

De Boulogne il écrit à La Borde et lui dépêche un courrier : il désire trouver le familier du roi dès son arrivée à Paris, et voir si la situation est vraiment sans espoir. Il écrit aussi à Morande, et les brillants résultats auxquels il est parvenu par sa diplomatie intelligente et cordiale apparaissent dans sa lettre :

Vous avez fait de votre mieux, Monsieur, pour me prouver que vous rentriez de bonne foi dans les sentiments et la conduite d'un Français honnête... ; c'est en me persuadant que vous avez dessein de persister dans ces louables résolutions que je me fais un plaisir de correspondre avec vous ; quelle différence de destinée entre nous ! Le hasard me désigne pour arrêter la publication d'un ouvrage scandaleux ; je travaille jour et nuit pendant six semaines ; je fais près de sept cent lieues, je dépense près de 500 louis pour empêcher des maux sans nombre. Vous gagnez à ce travail 100.000 francs et votre tranquillité, et moi je ne sais plus même si je serai jamais remboursé de mes frais de voyages.

Puis il monte en diligence pour Paris, trouve La Borde à l'arrivée : « Le Roi est mourant, mon pauvre ami, et il n'a pas, que je sache, laissé d'instructions vous concernant : seule Mme du Barry, quand tout sera fini, serait disposée à tenir la parole de Sa Majesté, mais de toute évidence le Dauphin (le Louis XVI du lendemain) n'aura rien de plus pressé, son grand-père mort, que d'exiler celle qu'il n'a jamais appelée que « la » du Barry.

Effectivement, Louis XV mourait le 10 mai et Louis XVI exilait, sitôt après, la du Barry. Immédiatement on brocha, comme c'était la rage alors en toutes circonstances, un petit quatrain, pas bien fort d'ailleurs, sur les bouleversements de la Cour :

> *Les Barils* ont fui
> *L'Aiguillon* ne pique plus
> *La Vrille* est usée
> *Le Pou* a sauté.

Alors Beaumarchais, sans le sou, comme sans espoir, rédigea pour le nouveau Roi, sur les conseils de Sartines, qui le remit, un Mémoire relatant toutes les péripéties de sa mission, et rappelant à Louis XVI les engagements de Louis XV. Démarche absolument inutile à ce moment ; Louis XVI occupé à liquider la succession grand-paternelle, à changer de ministres, dominé par des préoccupations urgentes, ne prêta qu'une attention toute relative au Mémoire qu'on lui remit, et considéra que Beaumarchais pouvait attendre.

*
* *

?

On était au début de juin 1774 ; Beaumarchais voyait approcher la culbute définitive ; il savait que « plus tard » ce serait « trop tard » ; les délais pour l'appel seraient expirés, et Louis XVI, n'ayant pas besoin de ui, le rembourserait peut-être de ses frais, mais ne lui accorderait pas la grâce que constituait alors une lettre de *relief de temps*, c'est-à-dire un allongement plus ou moins considérable du délai d'appel.

Beaumarchais se sentait perdu ; il alla voir Sartines, et lui demanda conseil. Sartines s'était passablement encanaillé au contact de la police et de policiers plus ou moins propres. Aussi donna-t-il à Beaumarchais les simples indications suivantes : « Que voulez-vous, mon cher, il n'y a qu'un moyen de vous en tirer, et un seul, c'est de mettre vos services à la disposition du Roi, et de vous rendre à un moment donné, dans certaines circonstances, indispensable. Nous nous comprenons ? » interrogea Sartines, après une pause, et en jetant à Beaumarchais un coup d'œil significatif. « Je vous crois d'ailleurs assez fort, mon cher, pour ne pas commettre de sottise ou de maladresse ; tout est là, vous savez ! — Bon, merci toujours, je verrai. » Beaumarchais sortit perplexe de l'entrevue : « Évidemment, se dit-il, dans ma situation il faut risquer le tout pour le tout ; je me sens perdu, et je le suis très prochainement s'il n'arrive un événement capable de me rendre nécessaire à Louis XVI, mais il n'y a aucune raison pour que ledit événement se produise de lui-même ; ce ne pourrait être qu'une mission diplomatique secrète, nécessitée par des attaques politiques à l'étranger ; or le roi et la reine, actuellement, ne donnent pas prises aux libellistes.

« Ne donnent pas ?... eh si, peut-être, après tout ; il y a toujours moyen de frapper les gens, même s'il n'y a rien à leur reprocher ; la couronne de France n'est pas très bien assurée ; pas d'enfant dans la famille de Bourbon-France, ni chez les sœurs de la Reine ; les gazettes étrangères l'ont remarqué déjà ; il y aurait là un moyen d'attaquer en forçant un peu la note et en tapant à droite et à gauche ; mais je ne voudrais pas leur faire de mal... un moyen : le faire, puis le défaire ; oui, très bien, mais cela exige un plan serré, tel que personne ne souffre de l'opération, pas même moi ; pas même moi !... »

Il était arrivé chez lui, toujours rue Saint-Denis ; il monta à sa chambre, s'enferma et réfléchit longuement, en mâchonnant sa plume d'oie. Enfin, il s'installa à sa table, et commença à écrire, au milieu de nombreuses ratures : Plan : 1) *Lettre à Sartines me mettant à la disposition du Roi à qui il en donnera connaissance par la suite.* 2) *Par Morande, mais en gardant l'anonymat, insertion dans quelques gazettes de Londres d'une note relative au libelle supposé : Titre* (ici un temps, puis beaucoup de ratures ; enfin Beaumarchais le met sur pied comme suit) : *Dissertation extraite d'un plus grand ouvrage ou avis important à la branche espagnole sur ses droits à la couronne de France, à défaut d'héritiers, et qui peut être même très utile à toute la famille de Bourbon, surtout au roi Louis XVI.* « On ne croira jamais avec un titre pareil que c'est du Beaumarchais » ; (ici une longue pose, des ratures ; enfin Beaumarchais se décide à chercher un nom vraisemblablement juif, quitte, pense-t-il, à en prêter plusieurs à l'auteur supposé pour dépister les recherches) : *Guillaume Angelucci* ; *pour Morande mettre* : *G. A. à Paris* 1774 : 3) *dire que l'édition se prépare en Angleterre et en Hollande* ; 4) *pour plus de sûreté attaquer violemment Sartines dans l'ouvrage et le signaler dans les gazettes* ; 5) *ne mettre Sartines au courant de rien* ; 6) *le Roi ayant connaissance des gazettes et s'inquiétant de l'ouvrage, appellera Sartines comme intéressé puisqu'attaqué, et comme lieutenant de la Police du Royaume* ; *Sartines lui conseillera de m'envoyer.* 7) *Après quoi, je partirai ; animer le voyage, assaisonner les négociations, essayer d'obtenir du Roi lui-même, un ordre officiel en bonne et due forme, pour faciliter le travail ;* 9) *retour en France avec une demande de cassation d'arrêt dans chaque main.*

« Et je ne dirai rien à personne, même à Sartines. qui pourrait trouver que j'exagère. Et le tour est joué ; personne n'en souffrira que les deniers publics ; on m'a volé les miens, j'ai travaillé six semaines envers et contre tous pour n'obtenir de résultats que pour les autres, et me voir frustrer de la juste récompense que je méritais : tant pis ; je joue mes dernières cartes à un jeu dangereux. Si je réussis, cela rétablira l'équilibre ; finis, les scrupules ! *Primum vivere...* Sans compter que l'indemnité destinée à mettre au silence maître Angelucci rentrera dans mes poches; elles auront meilleure mine. Allons-y ; la lettre à Morande d'abord, la lettre au Roi, ensuite, par Sartines, et enfin la composition du libelle ; pas trop court, ni trop long, pas trop doux, ni trop dur, et surtout pas trop Beaumarchais ; j'en ferai tirer deux exemplaires clandestinement à Londres, sans Morande, certes : il ne faut pas que je lui donne le mauvais exemple, et il ne comprendrait pas du tout. Ne perdons pas de temps, et n'allons pas trop vite. Ma parole, me voilà dans la peau de mon intrigant de Figaro ! » C'est dans le sac de Scapin que Beaumarchais entrait en réalité, poussé par la nécessité ; pour reconquérir sa situation et son honneur qu'on lui a injustement arrachés en public, il va se déshonorer, et berner Louis XVI : mais c'est en lui-même que toute l'affaire se passera.

*
* *

Huit jours après, à la fin de juin, tout était prêt ; tout avait admirablement marché ; deux gazettes anglaises et une hollandaise avaient annoncé, en termes semblables, le libelle prêt à paraître. Louis XVI, navré, avait appelé Sartines qui proposa au Roi Beaumarchais, dont l'adresse était prouvée par l'affaire Morande, et qui, déclara Sartines, « ne demande, comme il me l'a écrit dans la lettre que j'ai remise ces jours derniers à Sa Majesté, qu'à servir son Roi, et à reconquérir ce qu'il a perdu. » Le Roi chargea Sartines de tout régler et ne vit même pas Beaumarchais. En attendant de repartir, Beaumarchais se donne du bon temps ; il va voir chez son ami de Conti une pièce inspirée à Marsolier par l'épisode Clavijo : *Norac* (Caron) *et Javolci* (Clavijo). Pendant ce temps Gœthe prépare son *Clavijo*, lui aussi.

Beaumarchais tenait, à toutes fins utiles, à être mandaté directement par le Roi. Il partit pourtant sans autre chose que les recommandations de Sartines, bien muni d'argent par le Trésor, et ayant dans sa valise le manuscrit du libelle qu'il était chargé de supprimer et qu'il allait en réalité imprimer à deux exemplaires à Londres.

Il y joue fort bien son rôle, s'abouche même avec lord Rochford, à qui naturellement il raconte la même farce, pour avoir plus de facilités à mener à bien sa polissonnerie et en monter le décor ; certainement il a un ou deux acolytes qui, pour la police anglaise, jouent Angelucci et ses complices. Lord Rochford ne paraît guère disposé à aider, en quoi que ce soit, le pseudo-diplomate, dont il considère la mission « comme une affaire de police, d'espionnage, en un mot de sous-ordre. » Et pour cause ! Ce malheureux Lord, auquel Beaumarchais farcit les oreilles des méfaits d'Angelucci, (qui en Angleterre s'appelait Hatkinson) et des difficultés qu'il éprouve à remplir sa mission, voit mal où Beaumarchais veut en venir et n'a guère confiance, vu l'équivoque de l'affaire, le vague persistant qui plane sur Angelucci ; en outre, l'affaire Morande l'a assez dérangé, et il désire vivement ne plus mettre le nez dans toutes ces histoires.

Beaumarchais en profite pour réclamer inlassablement à Sartines, pendant plus de quinze jours, un ordre signé du Roi, et dont il a même l'aplomb de donner le modèle, ainsi conçu : « Le sieur de Beaumarchais, chargé de mes ordres secrets, partira pour sa destination le plus tôt qu'il lui sera possible ; la discrétion et la vivacité qu'il mettra dans leur exécution sont la preuve la plus agréable qu'il puisse me donner de son zèle pour mon service. » Sartines, qui connaît Beaumarchais, maintenant, commence à craindre que cet enfant terrible ne fasse des siennes, et auprès de ce jeune roi inexpérimenté, mais doucement têtu, il s'applique à obtenir pour son partenaire le billet si ardemment réclamé. Il l'obtient enfin, le 10 juillet, à Marly, Louis XVI l'a écrit de sa main, daté et signé sous la dictée de Sartines qui commençait à craindre pour sa place un échec possible de Beaumarchais et la colère que la Reine en aurait éprouvé. Beaumarchais déborde de joie, et écrit au Roi une lettre épico-lyrique de remerciements enthousiastes.

Il est étonnant que devant l'insistance de Beaumarchais, puis son exaltation débordante, ni Sartines ni Louis XVI n'ait flairé la gêne, l'intrigue que cache tout cela. Bref, Beaumarchais, sa boîte d'or au cou, fait des merveilles, il l'écrit tout au moins. Il a fixé, après délibération avec lui-même sans doute, le prix du silence de l'honnête Angelucci, toujours introuvable et invisible pour tout autre que lui, à la somme de 1.400 livres sterlings, 150.000 francs d'aujourd'hui ; pour ce prix, quatre cents exemplaires sont brûlés au même endroit que ceux de Morande deux mois auparavant ; pas de rentes pour l'avenir ; c'est-à-dire pas de serrure de sûreté, simplement quelques engagements écrits, avec au bas, d'une écriture mal assurée et contournée — celle de Beaumarchais avec sa main gauche, peut-être — : *G. Angelucci aprove le rescrit.* Quoi de plus bizarre, d'ailleurs, que de voir ce bon Juif signer sans sourciller un traité où il est qualifié de *menteur* ? Beaumarchais s'emballe et néglige de petites précautions ; l'on ne saurait songer à tout...

Il passe à Amsterdam, censément avec Angelucci, pour surveiller l'anéantissement d'une certaine édition de Hollande ; il a envoyé précédemment son valet, porteur d'ordres, pour suspendre cette impression : personne ainsi ne pourra dire qu'il a traversé *seul* de Londres à Calais, puis voyagé *seul* de Calais à Amsterdam, alors qu'il prétend avoir été accompagné d'Angelucci, qui a laissé à Londres son nom d'Hatkinson ; à Amsterdam, tout se passe bien, naturellement, et il caressait, du moins l'écrit-il à ses amis, le doux projet de visiter le pays en voyageur, lorsqu'il apprend — on ne voit trop comment. puisque tous pourparlers étaient terminés avec lui — que Guillaume Angelucci s'est enfui, ayant dans sa valise, outre les 1.400 livres sterlings, un exemplaire du libelle, soustrait clandestinement au feu.

*
* *

Il s'est enfui, cet homme énigmatique, et il a même laissé son adresse, ou à peu près ! Beaumarchais veut faire du zèle, et il commence à s'enfoncer dans un inextricable pataugeage ; il a songé, arrivé à Amsterdam, que, si tout finissait si vite et si commodément, on en arriverait à croire à Versailles que rien n'était plus facile à remplir que ce genre de mission, et il a voulu forcer un peu la marche, puisque Louis XVI et Sartines « marchent » si bien. Oui, Angelucci a laissé savoir qu'il allait à Nuremberg, avec l'argent fourni, réimprimer sa diatribe en français et en italien : comme tout cela est vraisemblable ! Beaumarchais le sait avant son départ d'Amsterdam, car il va s'élancer à la poursuite du fuyard et il écrit à M. de Sartines :

Je suis comme un lion ; je n'ai plus d'argent, mais j'ai des diamants, des bijoux ; je vais tout vendre, et, la rage dans le cœur, je vais recommencer à postillonner... Je ne sais pas l'allemand, les chemins que je vais prendre me sont inconnus, mais je viens de me procurer une bonne carte, et je vois déjà que je vais à Nimègue, Clèves, Dusseldorf, Cologne, Francfort, Mayence, et enfin à Nuremberg. J'irai jour et nuit, si je ne tombe pas de fatigue en chemin. Malheur à l'abominable homme qui m'a forcé à faire 3 ou 400 lieues de plus, quand je croyais m'aller reposer ! Si je le trouve en chemin, je le dépouille de ses papiers et je le tue, pour prix des chagrins et des peines qu'il me cause. »

Et Beaumarchais pose sa plume, et se renverse en arrière sur sa chaise, dans un vaste éclat de rire. Quelle bonne farce !

Cela sonne faux, sent l'artifice ; sa manière de s'exprimer n'est pas bien naturelle ; manifestement il s'emballe, et sa scapinade éhontée pourrait bien enfin retomber sur sa tête, tout comme les fourberies dudit Scapin sur la sienne...

VII

« La politique, l'intrigue ?... Je les crois un peu germaines. »

Le Mariage, III, 9.

Beaumarchais prend une chaise de poste à Amsterdam, et par étapes, pendant dix jours, court après l'insaisissable Angelucci ; c'est un voyage au long cours, il s'échauffe au jeu et s'énerve ; on est au 14 août 1774. Il est maintenant assez près de Nuremberg, — le dernier relai a été passé vers midi — et traverse la forêt de Neustadt ; les gros chevaux trottent bien, dans un bruit de ferraille, et le vaste cocher somnolant les excite d'une pointe de fouet de loin en loin ; les sapins noirs filent de chaque côté de la route tortueuse. Tout à coup, à un tournant, Beaumarchais, qui mijote cet épisode depuis son arrivée à Amsterdam, pousse un cri, feint d'avoir vu quelque chose sur la route, se penche à la portière et prie le cocher d'arrêter ses bêtes, pris, dit-il, d'un besoin pressant de s'alléger. Le cocher descend de son siège et en profite pour se dérouiller les jambes en arpentant la route ; cinq minutes, dix minutes, vingt minutes, les jambes du cocher sont tout à fait dérouillées, et les chevaux piaffent, et le voyageur ne réapparaît point. « Il a beau être Français, marmone le gros Allemand, il ne faut tout de même pas ce temps-là pour... » Il prend une petite trompe suspendue à son cou, — tous les cochers de chaises, en ce pays, avaient une trompe de ce genre pour se prévenir mutuellement aux tournants — et l'embouche ; le son du cor retentit au fond des bois, et le gros Teuton qui s'engageait à grand peine entre les branchages, aperçoit son voyageur qui revient, pâle et l'air défait, titubant sur ses jambes, la figure barbouillée de sang, et se tenant la poitrine à deux mains. Le gros Allemand, compatissant, vole à son secours, avec ses grandes bottes ; il ne sait pas le français, Beaumarchais ne sait pas l'allemand, mais ils s'expliquent tout de même. D'une voix mourante, Beaumarchais déclare : « J'ai été attaqué par des brigands, je me suis défendu, mon pistolet n'a pas fonctionné et j'étais poignardé et perdu, si vous n'aviez sonné du cor, ce qui les a mis en fuite. Je vous dois la vie, vous aurez un bon pourboire. » Pantelant, Beaumarchais se laisse traîner par le sphérique conducteur jusqu'à la voiture. Plein d'attentions, le cocher lui installe des coussins confortablement, panse sommairement à l'eau d'un ruisseau voisin les blessures de la victime, et fouette ses chevaux. Parfois, il se penche sur le côté de son siège pour voir par la portière comment va son malade. A un moment, il le voit rangeant un rasoir dans sa trousse de voyage ; bref Beaumarchais ne perd point connaissance, et le gros cocher, dont le fouet claque, mène à grande allure son voyageur vers Nuremberg. On y est bientôt ; les chevaux sont en nage, et le 14 août au soir, après cette mémorable alerte, M. de Ronac descend à l'auberge du Coq Rouge, blessé à la figure, la main gauche déchirée, éraflé seulement à la poitrine, — le couteau du brigand, paraît-il, a glissé sur la boîte d'or qui contient l'ordre de Louis XVI.

Il est fiévreux, et l'hôtelier le trouve agité et

bizarre, et s'en inquiète. Il craint que son voyageur ne casse la vaisselle. Beaumarchais passe là la nuit. Le lendemain matin, convenablement pansé et bandé, après une nuit agitée, il se rend chez le bourgmestre de Nuremberg, et dépose une plainte entre ses mains : le bourgmestre, lui, parle à peu près français.

Beaumarchais donne un récit détaillé de l'agression. Puis il ajoute le signalement du pseudo Angelucci, et déclare au bourgmestre qu'il pourrait bien être mêlé à cette affaire-là, qu'il doit se cacher à Nuremberg, et qu'on tâche de l'arrêter au nom de l'impératrice Marie-Thérèse d'Autriche, qu'il se fasse appeler Angelucci ou Hatkinson.

Là, le bourgmestre tique : « Burquoi fulez-fus, Bonsieur, gué ce Chuif il ait su gué fus alliez tescentre te foidure chuste à ce moment et bur ce gué fu fuliez vaire tans la vorêt ? — J'ai mes raisons, Monsieur, mais je ne puis les donner qu'à Sa Majesté l'Impératrice, chez qui je vais me rendre précisément au sujet de ce Juif — Ché druve dou celà pien bas glair ; ché fois, Bonsieur, gué fus n'avez bas été assassiné bar tes foleurs, buisgué fus connaissez si pien les chens qui fus ont adagué. » Beaumarchais est un peu inquiet des trop sages paroles du bourgmestre. Très nerveux, il commence à craindre qu'on ne découvre plus ou moins la vérité ; elle est beaucoup plus simple, beaucoup moins héroïque aussi : Beaumarchais a tout simulé, depuis le besoin pressant qui a nécessité l'arrêt, jusqu'aux blessures assez graves qu'il porte, et qu'il s'est faites avec son rasoir, le rasoir de Figaro, le barbier intrigant...

*
* *

Il avait ainsi monté la fabuleuse histoire, et c'est celle qu'il racontera à Marie-Thérèse, quand il aura atteint Vienne comme il le désire ; il racontera que, de sa voiture, il a aperçu Angelucci à cheval ; c'est alors qu'il a poussé ce cri, et prétexté ce besoin, pour faire arrêter ; Angelucci ayant reconnu la voiture et le voyageur en se retournant (comme c'est vraisemblable !) s'enfonce sous bois ; Beaumarchais descend, poursuit Angelucci embarrassé par les arbres, et le pistolet au poing, l'arrête, le désarçonne, le fouille, vide sa valise, y retrouve le fameux exemplaire volé, et le sac contenant les 1.400 livres sterling (qu'il dit) ; content en somme d'avoir retrouvé la graine du libelle, il laisse la vie sauve à Angelucci ; il lui laisse même, — quel mauvais placement de générosité ! — une partie, la moitié environ de l'argent : puis il l'abandonne, et s'apprête à regagner sa voiture quand arrivent les brigands qui lui ôtent l'argent repris ; lutte, pistolet dont l'amorce ne prend pas, coups de poignard reçus dont le plus dangereux rencontre la providentielle boîte en or, arrivée du cocher qui ne voit aucun voleur puisqu'ils se sont enfuis au son du cor, tout cela n'est plus que l'enfance de l'art après de tels efforts d'imagination inventive. Naturellement, il ne parlera de sa mission et de la prétendue rencontre avec Angelucci qu'à l'impératrice, chez qui l'ordre si ardemment réclamé à Louis XVI lui assurera l'entrée et la confiance. La vérité, c'est qu'il fallait simuler une reprise difficile du libelle et qu'à Nuremberg l'histoire n'était pas possible ; et puis ces blessures, censément reçues au péril de sa vie pour l'honneur du Roi et de la Reine, feraient un effet superbe et l'aideraient à obtenir sa réhabilitation ; et puis il fallait bien trouver une raison à la disparition des 1.400 livres alors que le libelle était retrouvé ; ou bien Beaumarchais aurait été considéré comme un piètre négociateur si, reprenant le libelle à ce fourbe d'Angelucci, il déclarait lui avoir laissé tout l'argent ; ou bien s'il disait le lui avoir repris, il en devait compte au Trésor, et ne gagnait rien à toute la combinaison ; c'est pour parer à cet inconvénient qu'il a ajouté cette histoire de voleurs ; une moitié de l'argent étant restée à Angelucci, et l'autre moitié ayant été volée à Beaumarchais, il est naturel qu'il n'en reste point entre ses mains. En vérité l'argent ni le libelle n'avaient quitté sa valise depuis Paris ; seul le rasoir en était sorti...

*
* *

Beaumarchais, le bras en écharpe et la tête entourée de linges, partit pour Vienne, mais les secousses de la voiture le fatiguaient trop, et comme il n'y avait qu'à descendre le Danube à partir de Ratisbonne, il prit ce mode de locomotion, reposant, et envoya à Vienne par la route, avec ses bagages, le gros cocher et sa voiture avec laquelle il comptait rentrer à Paris une fois guéri. Il arriva à Vienne, toussant, et ses plaies insuffisamment pansées. Puis il prépara une lettre pour l'impératrice ; il y donnait sa véritable identité, se déclarant prêt à la prouver *de visu* par l'ordre du Roi qu'il portait toujours, mais ne désignait que vaguement sa mission et ses raisons de demander une audience, de crainte, disait-il, qu'un autre n'ouvrît la lettre. Il ne connaissait personne à Vienne et ne voulait pas recourir à l'ambassade de France. Il rencontra bien le prince de Ligne, qu'il connaissait et qui s'émut de le voir en si mauvais état, mais ce fut tout. Il se fit donc recevoir chez le secrétaire de l'impératrice ; il se fit même mal recevoir, en vérité : le baron de Neny le prit pour un aventurier, à le voir balafré et dans une tenue peu reluisante. Ses airs mystérieux aussi n'inspiraient point confiance. Le baron refusa de prendre la lettre sans explications de Beaumarchais, qui refusa de lui en donner ; et le baron s'apprêtait à le faire reconduire, quand, élevant la voix et payant d'audace, Beaumarchais cria : « Monsieur, je vous rends garant envers Sa Majesté de tout le mal que votre intransigeante attitude et votre refus pourront lui causer, et elle en sera mise au courant sous peu : vous en saurez quelque chose. Une dernière fois, voulez-vous, oui ou non. remettre ma lettre à Sa Majesté ? » Étonné du ton qui lui annonçait quelqu'un, et vaguement inquiet, le baron prit la lettre en maugréant : « C'est bon, c'est bon, on la remettra, votre lettre, Monsieur ! Mais cela n'avancera point à grand chose, car je suis bien sûr que l'Impératrice ne vous recevra pas ! — Ce n'est pas, Monsieur, ce qui doit vous inquiéter ! »

Baumarchais sait que maintenant il lui faut jouer serré. Pourtant il se voit déjà au bout de ses peines ; des jours meilleurs approchent, et il retrouvera la considération et la situation perdues. Le lendemain, on vint chercher Beaumarchais à son hôtel avec un carrosse de la Cour, de la part de M. le comte de Seilern, directeur de la Régence. Beaumarchais fut mieux reçu, et sur l'affirmation qu'il était chargé de mission par Louis XVI, et désirait voir à ce sujet l'impératrice, il fut conduit par Seilern lui-même, toujours en voiture princière, au château de Schœnnbrün, résidence d'été de Sa Majesté.

Assez fatigué, Beaumarchais fut introduit très vite, toujours avec Seilern, et, après courbettes, sortit romanesquement de sa petite boîte d'or l'ordre de Louis XVI, que Marie-Thérèse, mère de Marie-Antoinette, reconnut bien pour être de son gendre ; soit émotion, soit comédie, il commença à s'évanouir, et ce fut Marie-Thérèse elle-même, qui se précipita pour lui avancer une chaise ; quand il fut remis :

« Vous pouvez parler en toute liberté, Monsieur, dit-elle, devant M. de Seilern, qui ne manquera pas de nous aider l'un et l'autre de ses bons conseils, s'il en est besoin. »

Beaumarchais a une fièvre intense ; la conférence s'engage, mais l'impératrice, écrivait plus tard Beaumarchais, paraît surprise de toute cette histoire : on le serait à moins : à chaque péripétie nouvelle dont Beaumarchais rend compte, l'impératrice joignant les mains de surprise, répète :

Mais, Monsieur, où avez-vous pris un zèle aussi ardent dans les intérêts de mon gendre et surtout de ma fille ? — Madame, j'ai été l'un des hommes les plus malheureux de France sur la fin du dernier règne. La Reine, en ces temps affreux, n'a pas dédaigné de me montrer quelque sensibilité; en la servant aujourd'hui, sans espoir même qu'elle en soit jamais instruite, je ne fais qu'acquitter une dette immense ; plus mon entreprise est difficile, plus je suis enflammé pour sa réussite... — Mais, Monsieur, quelle nécessité à vous de changer de nom ? — Madame, je suis trop connu, malheureusement, sous le mien dans toute l'Europe lettrée..., et partout où je paraîs sous le nom de Beaumarchais, soit que j'excite l'intérêt ou la compassion, ou seulement la curiosité, l'on me visite, m'invite, m'entoure, et je ne suis plus libre de travailler aussi secrètement que l'exige une mission aussi délicate que la mienne.

L'Impératrice voulut lire le libelle et demanda à Beaumarchais force détails sur les allusions, et l'ami Ronac se fit un plaisir de les lui donner. Il offrit même à l'impératrice de faire réimprimer à Vienne ce méchant ouvrage en en supprimant les méchancetés, pour que le Roi et la Reine ne soient pas trop affligés quand ils le liraient, idée pour le moins baroque. En outre il insista auprès de Marie-Thérèse pour qu'elle fasse rechercher, sans perdre un instant, le fameux Angelucci à Nuremberg.

Mais cet homme aura-t-il osé s'y montrer, sachant, après votre rencontre, que vous y alliez vous-même ? dit l'Impératrice. — Madame, pour l'engager encore plus à s'y rendre, je l'ai trompé en lui disant que je rebroussais chemin et reprenais sur-le-champ la route de France.

L'impératrice était sceptique et le personnage décidément lui restait suspect. Elle n'en montra rien pourtant, le remercia aimablement du zèle « ardent et raisonné » qu'il montrait, l'invita à lui laisser la brochure jusqu'au lendemain, et lui dit : « Allez vous mettre au lit, et faites-vous saigner promptement. On n'oubliera pas, ici ni en France, combien vous avez montré de zèle en cette occasion pour le service de vos maîtres. »

L'invitation à la saignée pourrait bien partir d'un doute sur la plénitude des facultés dont jouissait Beaumarchais.

Bref, l'impératrice le fait reconduire, toujours en voiture de la Cour. Puis elle convoque le prince de Kaunitz, son premier ministre, et avec Seilern et lui, discute de la situation. L'exaltation du personnage, ses balafres, sa boîte d'or au cou, son zèle pour le moins étonnant, font naître des doutes. Kaunitz préconise une enquête discrète et rapide.

Beaumarchais rentre à son hôtel, très fier d'avoir « roulé » tant de gens, et non des moindres, et, toujours possédé de cet intarissable zèle, qu'il peut dépenser sans compter, puisqu'en somme il « tourne à vide », il prépare quelques notes fiévreuses et ingénieuses, destinées à *faciliter* les recherches de la police à Nuremberg ; en vérité il embrouille tout à plaisir. pour faire chercher longuement les policiers et écarter tous doutes possibles sur l'existence réelle du trop malin Angelucci et les friponneries si bien combinées du diplomate intrigant à la recherche de son honneur perdu...

Beaumarchais charge de porter ses notes le gros cocher, qui doit le ramener à Paris, et l'attend à Vienne depuis quelques jours. Kaunitz profite de l'occasion et interroge lui-même ledit cocher : celui-ci déclare qu'il n'a vu aucun des voleurs, qu'il n'a point aperçu le moindre cavalier sur la route avant que Beaumarchais fasse arrêter, mais l'a vu ranger son rasoir après l'alerte.

Dans ces conditions, il était permis de supposer que Beaumarchais jouait, outre l'impératrice, M. de Sartines et son Gouvernement, ou qu'il était fou, ou bien encore que Beaumarchais avait été tué et dévalisé par un aventurier qui avait pris son nom, ses papiers, bref toute son identité, et que c'était à celui-là que Marie-Thérèse venait d'avoir affaire.

*
* *

Dans la soirée, Beaumarchais est dans sa chambre d'hôtel, attendant qu'on lui rapporte le libelle, conformément à la promesse que lui ont donnée le matin

Marie-Thérèse et le comte de Seilern. Au lieu de cela, vers 9 heures du soir, un bruit de bottes, de bottes, de bottes, dans l'escalier ; curieux, Beaumarchais entrouvre sa porte ; horreur ! il se trouve face à face avec huit grenadiers, baïonnette au fusil, deux officiers, l'épée nue, et un secrétaire de la Régence, porteur d'un mot très poli du comte de Seilern, l'invitant à se laisser arrêter, quitte à obtenir par la suite toutes explications désirables sur cette décision, qu'il ne manquerait pas alors d'approuver entièrement lui-même. Beaumarchais est atterré, puis furieux, et commence à froisser le papier, à s'emporter, invectivant contre le secrétaire qui n'en peut mais, et lui demandant des raisons que le malheureux ne saurait lui fournir : « Point de résistance, Monsieur ! — Monsieur ! j'en fais quelquefois contre les voleurs, jamais contre les empereurs ! »

On ne fouille point, mais on appose les scellés sur tous ses papiers, sur sa valise ; elle contenait le reste des 1.400 livres sterling ; Beaumarchais avait vécu dessus depuis Amsterdam, et avait payé à son cocher le prix du voyage ; il pouvait d'ailleurs avoir une grosse somme sur lui, ayant écrit d'Amsterdam à M. de Sartines, qu'à court d'argent, il vendait ses bijoux : il n'avait pas de bijoux, n'avait rien vendu, mais inventé vente et joyaux pour rendre vraisemblable sa possibilité de dépenses dans la suite du voyage. Bref on scelle tout ce qu'il ne porte point sur lui ; on charge le tout dans la voiture, et quelques jours après on dirige la voiture et le cocher sur Paris, avec un officier et un grenadier ; l'officier est porteur d'un vaste rapport sur les résultats de l'enquête menée à Nuremberg et à Vienne.

Quant à l'infortuné diplomate, il est mis au secret avec à la porte quatre grenadiers, qu'on relève deux fois par jour ; en outre, on lui a ôté son pistolet, vu son agitation désespérée, ainsi que tous instruments propres à blesser, tels que rasoir, ciseaux, couteaux, etc. Il va pouvoir à nouveau mesurer le temps, comme dans sa prime jeunesse... Le lendemain, le Secrétaire de la Régence vient lui rendre visite et tente de le calmer : « Monsieur, il n'y a nul repos pour moi jusqu'à ce que j'aie écrit à l'impératrice. Ce qui m'arrive est inconcevable. Faites-moi donner des plumes et du papier, ou préparez-vous à me faire enchaîner bientôt, car il y a de quoi devenir fou ! »

*
* *

On lui accorde plumes et papier, et il commence furieusement à noircir des feuillets, qui pour l'impératrice, qui pour Sartines, qui pour rassurer sa famille : il est assez inquiet sur le sort qu'on lui réserve ; réflexion faite, il se rend compte que son seul tort consiste à avoir joué trop bien sa comédie, avec trop de zèle, trop de brio ; il se rend compte aussi que toute enquête, même si l'on examine ses bagages, ne saurait prouver sa culpabilité ; en mettant les choses au pire, on pourra croire, sur la parole d'un cocher, qu'il a inventé une histoire de brigands ; quant à l'affaire Angelucci elle-même, elle ne peut lui attirer d'ennuis ; il a pris toutes ses précautions, personne ne peut lui causer de désagréments ; au fond, même, l'affaire est excellente et son mérite auprès du Roi se trouvera singulièrement accru du fait de sa détention ; il écrit donc à Sartines et à l'impératrice, en ne parlant que très peu de lui, et en insistant sur « la faute horrible qu'on commettait à Vienne, contre les intérêts de Sa Majesté. » Après une semaine « d'angoisse meurtrière », on lui envoie un Conseiller de la Régence, cette fois, pour l'interroger. Dramatique, Beaumarchais déclame : « — Je proteste, Monsieur, contre la violence qui m'est faite ici au mépris de tout droit des gens : je viens invoquer la sollicitude maternelle, et je me trouve accablé sous le poids de l'autorité impériale ! »

Le Conseiller sourit, et déclare : « Écrivez toutes vos réclamations, Monsieur, je me charge de les remettre à M. le comte de Seilern qui sans doute en fera part à Sa Majesté. » Beaumarchais écrit donc, toujours en négligeant sa personne et en prenant habilement la chose du seul point de vue des intérêts royaux ; il ajoute force détails sur Angelucci et fait montre d'une grande inquiétude sur ses agissements possibles.

Trois longues semaines se passent. Beaumarchais maintenant est calmé : il a envisagé la situation sagement, et a constaté que finalement il ne risquait rien ; tout en donnant à ses gardes la comédie de l'inquiétude, il demande des médecins, et se laisse soigner ; il est bien nourri, il a demandé le barbier qui vient le raser et le coiffer tous les jours, il a demandé de la lecture, on lui en a donné ; bref, il vit aux frais de la princesse ; mais de nouvelles sur son sort, point.

Enfin le 21 septembre, il reçoit une lettre de M. de Sartines, et le Conseiller qui la lui remet lui déclare en outre, avec un obséquieux sourire — on a fait une gaffe diplomatique, il faut la réparer, autant que possible : « — Vous êtes libre, Monsieur, de rester ou de partir ! selon votre désir ou votre santé. — Quand je devrais mourir en route, je ne resterai pas un quart d'heure à Vienne ! » On lui présente 1.000 ducats de la part de l'impératrice. Il les refuse, « sans orgueil mais avec fermeté ! — Mais vous n'avez plus rien de vos affaires ici ; tout est à Paris. — C'est bien, je ferai mon billet de ce que je ne puis me dispenser d'emprunter pour mon voyage. — Monsieur, une impératrice ne prête point ! — Et moi je n'accepterai rien, je ne recevrai rien d'une puissance étrangère chez qui j'ai été si odieusement traité. »

Finalement il est bien obligé de prendre, provisoirement au moins, les 1.000 ducats, se cherche une voiture et rentre à Paris, neuf jours après, portant simplement une petite trousse de toilette sous son bras. On l'accable d'embrassades chez les Lépine, où il est descendu, et chez qui son père et Julie, prévenus, sont arrivés en toute hâte : et le vieux père Caron, avec des coquetteries, annonce en souriant à son petit Pierre, qu'il va encore une fois — c'est la troisième, — se marier, avec la vieille amie veuve chez qui il demeure maintenant ; le jeune fiancé est dans sa 77e année.

*
* *

Beaumarchais prit à peine le temps d'embrasser tout son monde, changea de vêtements, et se fit conduire immédiatement chez M. de Sartines ; la lettre reçue à Vienne était très brève, disant seulement que l'impératrice l'avait pris pour un aventurier, qu'il avait reçu un rapport incroyablement compromettant pour Beaumarchais — il y avait de quoi — mais que sûr de son protégé, le lieutenant de police avait immédiatement réclamé, par courrier de retour, la libération du prisonnier ; Sartines évidemment avait été atterré par cet incident ; la lettre de Beaumarchais sur l'histoire des brigands l'avait amusé, un peu étonné ; mais Sartines avait passé par tant d'étonnements avec Beaumarchais depuis qu'il le connaissait. Il avait, somme toute, partie liée avec lui, et si accablantes que soient les charges relevées par les soins de Kaunitz contre Beaumarchais, Sartines ne pouvait mieux faire que réclamer son prisonnier ; le renier, c'était perdre sa place, dès que Marie-Antoinette serait au courant de l'affaire. Et Sartines ne fut à peu près rassuré, pour son compte propre tout au moins, qu'au reçu d'un billet de Beaumarchais expédié par courrier de « Haage, dernier poste d'Autriche, 23-9-74, à midi », et lui annonçant son retour. Bien entendu, ne voulant pas vexer Beaumarchais, il n'avait touché à aucune des valises, à aucun des bagages de celui-ci que le gouvernement d'Autriche lui avait expédiés sous scellés, et quand Beaumarchais vint le voir, tout cela lui fut remis intact ; Sartines lui montra le rapport de Kaunitz, le témoignage du cocher, celui du bourgmestre de Nuremberg, celui de l'aubergiste du Coq-Rouge qui l'avait cru un peu aliéné ; ils en rirent l'un et l'autre à gorge déployée, mais Beaumarchais continue à s'en étonner : son accoutrement, sa boîte d'or pendue au cou, son changement de nom, ses blessures, ses airs profonds et son agitation, son zèle invraisemblablement empressé, tout lui paraît bien banal et nullement de nature à inspirer quelque défiance ; il vit depuis trois mois dans une sphère de pure fiction, et tout cela n'est rien à côté des dépenses d'esprit inventif, des trésors d'imagination qu'il a semés à tout vent entre Londres et Vienne. Il a du mal à se remettre au diapason d'une réalité moins fantaisiste, et pourtant, dans cette affaire, il a frôlé la potence d'au moins aussi près que dans l'affaire Goëzman ; là, il la méritait ; il ne se fait pas d'illusion ; c'est une scapinade de premier ordre, admirablement conçue et réalisée, et qui lui a demandé plus de prudence, d'intelligence circonspecte et d'imagination habile que la destruction de n'importe quel libelle véritable ; c'est une remarquable fourberie, excusée en partie, sinon légitimée, du fait qu'il en avait souffert beaucoup d'autres en peu de temps, du fait que quelques personnages d'une bassesse immonde l'avaient poussé à la mort, et que, s'il vivait, il ne le devait qu'à son esprit ; mais il était mort civilement, déshonoré par un blâme et par tous les bruits odieux dont on l'avait couvert ; il était ruiné, sa famille qu'il avait toujours nourrie et entretenue depuis vingt ans était dispersée et malheureuse ; il ne méritait rien de tout cela et risquait d'en souffrir jusqu'à la fin de sa vie, s'il n'avait joué cette pièce à ses risques et périls, et sans nuire à personne, reprenant seulement au trésor une faible partie de ce qu'on l'avait si injustement forcé à verser. Ce n'est tout de même plus Figaro : Scapin...

VIII

« D'abord, il a fallu la faire.
Souvent ensuite la défaire... »
Couplet sur le Barbier ou La Précaution Inutile.

Certes, maintenant, il était sauvé ; il rédigea pour le Roi, et lui fit remettre le 15 octobre 1774, un long Mémoire sur toute cette affaire, et Louis XVI, pour long qu'on soit dans les Gouvernements à témoigner de la reconnaissance, ne devait pas manquer un jour de le récompenser en lui faisant rendre justice, si tant est que justice soit récompense.

A la fin de son Mémoire, Beaumarchais posait comme suit la question des mille ducats de l'impératrice, qu'il se refusait à garder : « J'ose espérer, Sire, que Votre Majesté voudra bien ne pas désapprouver le refus que je persiste à faire de l'argent de l'impératrice, et me permettre de le renvoyer à Vienne. J'aurais pu regarder comme une espèce de dédommagement flatteur de l'erreur où l'on était tombé à mon égard, ou un mot obligeant de l'impératrice, ou son portrait, ou telle autre chose honorable que j'aurais pu opposer aux reproches qu'on me fait partout d'avoir été arrêté à Vienne comme un homme suspect ; mais de l'argent, Sire ! C'est le comble de l'humiliation pour moi, et je ne crois pas avoir mérité qu'on m'en fasse éprouver pour prix de l'activité, du zèle et du courage avec lesquels j'ai rempli de mon mieux la plus épineuse commission. » Il reste toujours déclamatoire dans tous les actes de sa vie ; quant à sa modestie, il vaut mieux ici n'en point parler.

Les 1.000 ducats furent rendus et échangés par les soins de Monsieur de Mercy, Ambassadeur d'Autriche à Paris, contre un magnifique diamant qu'on l'autorisa à porter comme un présent de l impératrice, ce dont il ne manqua point de se vanter alentour.

Il se trouve somme toute avoir une chance extraordinaire dans sa malchance ; personne n'aurait espéré, même lui, remonter si vite et si brillamment les gradins qu'il avait descendus depuis quatre ans. Un peu plus de dix-huit mois lui suffirent ; il aida les circonstances, on a vu comment ; les circonstances l'aidèrent aussi : Maurepas, exilé à la fin du règne de Louis XV et rappelé à la place d'honneur par Louis XVI, l'a vu souvent à ses débuts à la Cour et à Étioles ; il l'apprécie et le goûte beaucoup ; lui-même est assez spirituel — il était exilé pour avoir chansonné la Dubarry — et adore l'esprit de Beaumarchais ; Sartines, lui, monte en grade et passe au Ministère de la Marine ; M. de Vergennes, aux Affaires étrangères, est lui aussi très favorable à Beaumarchais ; il s'efforce donc de se hausser encore dans la faveur des uns et des autres ; Maurepas aime bien rire, Beaumarchais se chargera de l'amuser jusqu'à ses derniers jours, et en obtiendra ainsi tout ce qu'il demandera.

Justement Louis XVI et les nouveaux ministres désirent, au contentement général, rétablir l'ancien Parlement ; Maupeou déjà est renvoyé et traîne sa mélancolie sur la route de Rueil à Chatou, où on le rencontre souvent. Mais les Ministres ne sont pas tous d'accord sur les conditions dans lesquelles doit s'opérer ce rappel pour qu'il soit vraiment utile, et ne puisse nuire à l'autorité royale : Maurepas, d'accord avec les autres, consulte Beaumarchais, et lui demande — il le connaît bien, avec ses qualités et ses défauts — un Mémoire *court, élémentaire, où ses principes, exposés sans enflure et sans ornements, fussent propres à frapper tout bon esprit qui pourrait manquer d'instruction.* En deux semaines, Beaumarchais a composé une brochure qu'il intitule : *Idées élémentaires sur le rappel du Parlement.* Il la remet, et lit son brouillon chez le Prince de Conti, fervent adepte de l'ancien système. Succès.

*
* *

Pendant ce temps Goëzman est besogneux, et Marin est renvoyé de la *Gazette de France.* Beaumarchais, lui, fait sa cour à Sartines, et s'efforce de gagner du terrain, en rappelant inlassablement ses services et leur but. Le 11 décembre 1774, il lui écrit :

J'ai fait depuis le mois de mars dernier plus de mille huit cents lieues ; c'est bien aller, je pense ; j'ai coupé le sifflet à trois monstres en détruisant deux libelles et en arrêtant l'impression d'un troisième. Pour cela, j'ai laissé mes affaires au pillage ; j'ai été trompé, volé, assassiné, emprisonné, ma santé est détruite, mais qu'est-ce que cela fait, si le roi est content ? Faites qu'il me dise seulement *je suis content* et je serai le plus content du monde. J'espère encore que vous n'avez pas envie de me laisser le *blâme* de ce vilain parlement, que vous venez d'enterrer sous les décombres de son déshonneur. L'Europe entière m'a bien vengé de cet odieux et absurde jugement, mais cela ne suffit pas. Il faut un arrêt qui détruise le prononcé de celui-là ; j'y vais travailler avec toute la modération d'un homme qui ne craint plus ni l'intrigue ni l'injustice. J'attends vos bons offices pour cet important objet.

Votre dévoué,

BEAUMARCHAIS.

Le Parlement Maupeou a été « enterré » quinze jours avant. Beaumarchais reprend courage. Immédiatement il sollicite la cassation de l'arrêt La Blache sur rapport Goëzman. Encore un petit Mémoire, mais Beaumarchais ne peut se passer de griffer au passage le Parlement Maupeou et La Blache, et aucun des avocats au Conseil d'État ne veut contre-signer son Mémoire comme l'exige la règle ; pressé, il le réduit à une simple requête juridique, mais entêté, il intrigue auprès de M. de Miromesnil, garde des Sceaux, pour obtenir l'autorisation de publier sa diatribe contre le comte de La Blache, comme « nécessaire à sa justification ». Et il y parvient, grâce à ses appuis. Le jugement de cassation est même renvoyé à huitaine pour lui laisser le temps nécessaire. Le démon de l'intrigue le tourmente toujours, rien ne lui sert de leçon, et avec la même imprudence, la même âpreté que l'année précédente, il embouche son bruyant clairon. Il ignore la modestie et l'humilité, il est incapable de pudeur et de réserve dans sa vie privée ; un Mémoire public était parfaitement inutile en l'occurrence, et parfaitement déplacé le fait de vendre ledit Mémoire, ce qui était d'ailleurs contraire à tous les usages.

« *Toujours, toujours, il est toujours le même.* » Et ne mérite-t-il pas le couplet supplémentaire qu'on a ajouté à sa folle chanson, qu'il venait de lancer à peine rentré à Paris, pour attirer l'attention qu'il ne défrayait plus depuis près de six mois :

Toujours, toujours, il est toujours le même
Ce polisson
Qui se croit beau garçon ;
On voit dans sa chanson
Son impudence extrême ;
Quand Thémis le flétrit,
Loin d'en être contrit,
Toujours, toujours, il est toujours le même.

Le 22 janvier 1775, donc, il répand son Mémoire ; il y examine à fond toutes les clauses de l'arrêté de comptes avec Duverney, montre sa clarté, sa bonne foi, et prouve jusqu'à satiété que cet acte est absolument authentique et le jugement du 6 avril 1773 absolument inique ; et le 28 janvier, le Conseil le casse. Mais Beaumarchais a failli tout perdre ; on l'admoneste sévèrement, en supprimant de son Mémoire toutes les expressions injurieuses qu'il contient, et les libraires reçoivent défense de le vendre. Le Roi se réserve la connaissance de ce Mémoire et c'est lui qui l'interdira définitivement, s'il y a lieu ; au Conseil des Dépêches du 4 février, le Roi décida que ce Mémoire resterait supprimé et Beaumarchais reçut l'interdiction de le faire vendre. Il est bien près de s'être aliéné la bienveillance de Louis XVI.

Entre temps, malgré ses bruyantes protestations quand l'Impératrice lui a offert 1.000 ducats, Beaumarchais encaisse en deux fois du Trésor Français 30.000 livres de la part de Louis XVI « pour avoir détruit un mauvais livre. »

*
* *

Pirouette ! Il a enfin réussi grâce surtout à la Reine à lever toute interdiction concernant le *Barbier de Séville*, et avec deux ans de retard, Figaro va enfin paraître à la scène où on l'affiche pour le Jeudi 23 février.

Beaumarchais a sa pièce en poche depuis plus de trois ans ; d'abord il a donné chez Le Normand, à Etioles où l'on aimait bien ce genre de distractions, quantité de petites farces et improvisations plus ou moins guignolesques et grivoises. C'est à partir de l'une d'elles, la meilleure sans conteste, que Beaumarchais monta son opéra-comique, en utilisant à cet effet nombre des ariettes jadis rapportées d'Espagne et sur lesquelles il brochait quelques chansons polissonnes ou moqueuses. *La précaution inutile* de ce fin Normand trop oublié qu'est Noland de Fatouville, et *On ne s'avise jamais de tout* de Sedaine, lui ont incontestablement servi pour bâtir son canevas.

Les Italiens ayant refusé l'opéra-comique, on conseilla à l'auteur de le transformer pour les Français, à un dîner chez la petite Ménard ; Beaumarchais enleva donc un certain nombre de chansons, en laissa quelques-unes, et son texte fut reçu à la Comédie-Française ; quatre actes, beaucoup de *gros sel*, mais parfaitement inoffensif pour le Gouvernement, les institutions, les mœurs ; Marin l'avait approuvé comme censeur, c'est tout dire ! En 1773, querelle du Duc de Chaulnes ; en 1774, interdiction sous prétexte qu'il y massacre la magistrature, ce qui est faux ; en 1775, la pièce a bien changé : Beaumarchais se dédommage de l'injuste défense d'antan en y glissant toutes les allusions satiriques dont on avait craint l'effet ; c'est décidément pour lui un procédé, une sorte de revanche très légitime qu'il s'accorde et qui lui est dictée absolument par le même raisonnement qui l'a poussé à sa supercherie diplomatique : « On me traite de fripon, de voleur, de menteur ? Je ne le suis pas ? Pour leur donner raison, faisons-nous tel ; on accuse ma pièce de contenir des attaques et des allusions qui n'y sont pas ? mettons-les ! » Et Beaumarchais se mit à l'aise, ce qui n'était pas très délicat, l'approbation des pouvoirs ayant été donnée pour une pièce de quatre actes sans danger, et non pour celle en cinq actes, bravant l'autorité, que Beaumarchais offrit au public ce 23 février. Il a saturé sa pièce de sarcasmes amers ou violents contre le siècle et la justice, ajouté l'apologie de la calomnie par Basile, farci ses tirades de quolibets et d'allusions à l'adresse des uns et des autres ; il étire son œuvre de longueurs inutiles, la bourre de morceaux fades. Il en est bien puni.

Il pouvait escompter un triomphe avec cette pièce, promise depuis deux ans, qui avait fait la joie de plusieurs salons très lettrés, et dont on chuchotait qu'elle était fort gaie et spirituelle, digne de l'auteur des Mémoires. L'affluence d'ailleurs fut considérable, et la « première » fit plus d'entrées, de beaucoup, que les plus célèbres tragédies de Voltaire, que *Mérope* même, de fameuse mémoire. Et pourtant, sauf le premier acte qui fut bien accueilli, la représentation fut hachée de sifflets, de cris, de protestations, et les spectateurs s'en furent fort mécontents.

Beaumarchais est trop opiniâtre pour se tenir battu. Ses quelques amis lui conseillent d'émonder sa pièce trop touffue, trop fatigante ; les acteurs eux aussi exigent des suppressions et le retour aux quatre actes ; Beaumarchais grogne, et se livre en rechignant aux corrections qu'on lui suggère : cela consiste presque uniquement à arracher le plus grand nombre des petites feuilles volantes qu'il a ajoutées à son manuscrit primitif ; voilà la pièce légère, saupoudrée de sel fin, spirituelle, rentrée dans ses quatre actes ; elle gagne infiniment, et c'est celle-là qui restera.

Le dimanche 26 février, seconde représentation, et la pièce monte aux nues, dans sa nouvelle toilette ; on est même abasourdi de la rapidité et de l'extraordinaire habileté des corrections ; le 28, mardi-gras, même succès : la pièce décidément est adoptée par le public, et Beaumarchais est sacré Successeur de Molière. Ses amis disent qu'il s'est *mis en quatre* pour que sa pièce plaise au public, ses ennemis ripostent en déclarant qu'il eût mieux fait *de mettre ses quatre actes en pièces* ; quant à lui, il fredonne, sur sa « *Précaution Inutile*, représentée et tombée sur le Théatre de la Comédie Française aux Tuileries le 23-2-75 » :

D'abord il a fallu la faire,
Souvent ensuite la défaire,
Au gré des acteurs la refaire,
En en parlant, n'oser surfaire,
Presque toujours se contrefaire,
Et n'obtenir pour tout salaire
Que les brouhahas du parterre,
La critique du monde entier,
Souvent pour coup de pied dernier
La ruade folliculaire.
Ah ! Quel triste, quel sot métier,
J'aime mieux être un BON BARBIER
BON BARBIER
BARBIER
BIER
BIER

*
* *

Des additions qui avaient donné la pièce en cinq actes, telle qu'elle a si malencontreusement été présentée au public, Beaumarchais n'a laissé subsister que quelques fragments : l'étourdissante apologie de la calomnie ; plus loin, quand Basile dit à Bartholo : « Vous avez lésiné sur les frais, et dans l'harmonie du bon ordre, un mariage inégal, un passe-droit évident, *un jugement inique*, sont des dissonances qu'on doit toujours réparer et sauver par l'accord parfait de l'or ».

La nouveauté, c'est Figaro, — l'étourdissant Figaro ; nous le connaissons, nous, depuis longtemps ; Figaro, c'est tellement Beaumarchais lui-même ! Tellement qu'au récit de ses aventures de 1772 : « fatigué d'écrire, ennuyé de moi, dégoûté des autres, abimé de dettes et léger d'argent... », il ajoute en 1775 : « accueilli dans une ville, *emprisonné* dans l'autre, et partout supérieur aux événements ; loué par ceux-ci, *blâmé* par ceux-là ». A l'énumération des ennemis des gens de lettres dont il a été victime, « les insectes, les moustiques, les critiques, les censeurs, » il ajoute en 1775 *les maringouins*. Sur son manuscrit, il a plusieurs fois biffé le nom de Basile et l'a remplacé par celui de Guzman ; l'allusion est trop claire, trop dangereuse, et bien à regret Beaumarchais laisse à Basile son premier nom de baptême.

Même hors Figaro, Beaumarchais reste dans l'actualité : *Bartholo* : « Siècle barbare... ! qu'a-t-il produit pour qu'on le loue ? Sottises de toute espèce : la liberté de penser, l'attraction, l'électricité, le tolérantisme, l'inoculation, le quinquina, l'Encyclopédie, et les drames !... »

Il ramène à de justes limites les énumérations rabelaisiennes : le portrait de Bartholo dans la pièce en cinq actes était trop poussé, et Beaumarchais en a supprimé toute la deuxième partie, comme aussi celui de Rosine qui lui faisait pendant :

C'est un beau gros, court, jeune vieillard, gris-pommelé, rasé, rusé, blasé, majeur s'il en fut, libre une seconde fois par veuvage et tout frais émoulu de coquardise ; encore en veut-il retâter, le galant. Mais c'est bien l'animal le plus cauteleux.

Le Comte. — Tant pis. Et comment vivent-ils ensemble?

Figaro. — Comme Minet et chien galeux renfermés en même sac ; toujours en guerre ; se peut-il aller autrement ? Mignonne, pucelette, jeune, accorte et fraîche, agaçant l'appétit, peau satinée, bras dodus, mains blanchettes, la bouche rosée, la plus douce haleine, et des joues, et des yeux, des dents !... Que c'est un charme à voir. Toujours vis-à-vis un vieux bouquin, lui toujours boutonné, rasé, frisqué et guerdonné, comme amoureux au baptême, mais ridé, chassieux, jaloux, sottin, marmiteux, qui tousse, et crache, et gronde, et geint tour à tour...

Le *Barbier* fit une honorable carrière : une vingtaine de représentations se succédèrent.

Il y a pourtant quelqu'un qu'inquiète la scène si bien amenée presqu'à la fin du tiers acte, et où l'on envoie Basile se coucher : c'est Voltaire ! Eh oui, Voltaire : sa dernière tragédie, *Irène*, était en répétition et le père de l'héroïne s'y appelait Basile. Celui de Beaumarchais eut un tel succès qu'aux dernières représentations du Barbier, au parterre, on criait dès le début de la scène : « Basile, allez vous coucher ! », et celui de Voltaire risquait fort, par son seul nom, d'être accueilli des mêmes cris : cela suffit à faire tomber une pièce, et Voltaire trouva plus prudent d'appeler *Léonce* le père d'Irène ; heureux hasard, le nom de Basile ne terminait aucun vers de la pièce : la rime n'eut pas à souffrir de la raison.

IX

« Une vieille dragonne »...
Beaumarchais, *sur d'Eon.*

Avec Beaumarchais, Cupidon ne perd jamais ses droits. Ne devant plus voir Mademoiselle Ménard sous peine de nouveaux incidents, il s'est épris d'une autre jolie actrice, du Théâtre Français, celle-là ; c'est à elle qu'a été donné le rôle exquis de Rosine dans le Barbier ; Beaumarchais aux répétitions l'a d'abord appréciée comme artiste, puis plus intimement chez lui.

Pour elle et sur sa demande, il affine encore ce rôle de charmante ingénue, tandis que sa « petite Doligny », comme il l'appelle, est assise sur ses genoux, et l'embrasse à bouche que veux-tu. C'est une ravissante et mignonne poupée de théâtre, blonde, rose et gaie.

A côté de cette amusette passe-temps, Beaumarchais a une autre affection, plus spirituelle, certes, mais dont il ne dédaigne pas les attraits matériels ; une jeune fille de vingt ans, d'origine suisse, fille de fonctionnaire et connue d'un ami de Beaumarchais, enthousiasmée à la lecture des Mémoires, surtout du quatrième, et dans ce quatrième, par le romanesque épisode Clavijo, voulut à toute force en connaître l'auteur.

L'ami commun se rendit donc chez Beaumarchais : « Mon cher, j'ai une de mes jeunes amies qui joue fort bien de la harpe, mais dont l'instrument est en réparation ; elle en est bien privée et vous fait demander si vous ne pourriez pas lui prêter le vôtre quelque temps... Au fond, » ajouta confidentiellement l'ami, devant l'étonnement légitime que cette bizarre demande causait à Beaumarchais, « au fond, je crois surtout qu'elle brûle du désir de vous connaître. Elle est d'ailleurs charmante et fort cultivée. — Eh bien, » dit en souriant Beaumarchais «, dites-lui que je ne prête rien, mais que, si elle veut vous accompagner ici, j'aurai grand plaisir à l'entendre et je lui jouerai quelque chose aussi ».

Timide et rougissante, elle vint.

Gudin, qui avait la prétention de s'y connaître en femmes, apprécia. Beaumarchais, lui, apprécia la jolie jeune fille et la musicienne. Gracieuse sous sa toque à la Quésaco — c'était la dernière mode des coiffures féminines, lancée grâce au ridicule de Marin — elle joua à la perfection quelques œuvres transposées de Bach ; Beaumarchais joua à son tour. On se plut beaucoup, et le prestige de ce héros, si séduisant de près, comme à travers ses plaidoiries, enflamma d'amour tendre ce jeune et généreux cœur de vingt ans. Très vite prise au filet de ce Lovelace, Marie-Thérèse Villermawlaz devint l'amie du grand homme, malgré les vingt-trois ans d'âge qui les séparaient. Elle parvint, dans une certaine mesure, à brider Beaumarchais et l'obligea à une vie moins légère. Nature exquise, elle avait, déclare la bonne Julie, résolument vieille fille, elle, « la légèreté française sur le piedestal de la dignité suisse ».

*
* *

La saison théâtrale d'hiver finissait au Français chaque année à la Passion ; on rouvrait à la Quasimodo. A la dernière séance, on lisait à l'adresse des spectateurs un compliment de clôture. *Le Barbier de Séville* terminant la saison, Beaumarchais brocha le compliment, une farcette en un acte qu'on offrit à l'ultime public le 29 mars, et qui eut du succès.

D'ores et déjà Beaumarchais travaillait à un opéra, dont il offrit à Gluck, alors à Paris, d'écrire la musique, et à une suite du *Barbier de Séville*, où Figaro aurait encore le premier rôle, et où il garderait le caractère de l'auteur de ses jours, qui, déjà fort de son expérience, couchait sur le papier pour son personnage maintes tirades qui étaient encore plus applicables à Beaumarchais lui-même neuf ans plus tard quand on joua le *Mariage de Figaro* ; mais dès cette époque il en écrivait dans le goût de celle ci-dessous :

Feindre d'ignorer ce qu'on sait, de savoir ce qu'on ignore ; d'entendre ce qu'on ne comprend pas, de ne point ouïr ce qu'on entend ; surtout de pouvoir au delà de ses forces ; avoir souvent pour grand secret de cacher qu'il n'y en a point ; s'enfermer pour tailler des plumes, et paraître profond quand on n'est que vide et creux ; jouer bien ou mal un personnage ; répandre des espions et pensionner des traîtres ; amollir des cachets, intercepter des lettres, et tâcher d'ennoblir la fausseté des moyens par l'importance des objets ; voilà toute la politique ou je meurs !

Le comte. — Eh, c'est l'intrigue que tu définis !

Figaro. — La politique, l'intrigue, volontiers, mais comme je les crois un peu germaines, en fasse qui voudra !

Et plus loin :

O bizarre suite d'événements ; comment cela m'est-il arrivé ? Pourquoi ces choses et pas d'autres ? Qui les a fixées sur ma tête ? Forcé de parcourir la route où je suis entré sans le savoir, comme j'en sortirai sans le vouloir, je l'ai jonchée d'autant de fleurs que ma gaîté me l'a permis : encore je dis *ma* gaîté sans savoir si elle est à moi plus que le reste, ni même quel est ce moi dont je m'occupe ! assemblage informe de parties inconnues ; puis un chétif être imbécile ; un petit animal folâtre, un jeune homme ardent au plaisir, ayant tous les goûts pour jouir, faisant tous les métiers pour vivre, maître ici, valet là, selon qu'il plaît à la fortune ; ambitieux par vanité, laborieux par nécessité, mais paresseux... avec délices ; orateur selon le danger, poète par délassement, musicien par occasion, amoureux par folles bouffées, j'ai tout vu, tout fait, tout usé.

Comme c'est bien lui, avec ses qualités et ses défauts de bohème sentimental, ses vices d'homme d'affaires cynique...

*
* *

Pirouette ! Pendant qu'il se reposait, en écrivant, de toutes les émotions endurées depuis quatre ans, de nouveaux libelles, de vrais libelles cette fois-ci, composés par de tristes hères, se préparaient à Londres. Décidément il ne fallait compter l'aide de Lord Rochford que comme une bonne volonté passive.

Louis XVI, content de son « jockey diplomatique qui ne demande que du pain pour manger et des chevaux pour courir », le charge encore d'aller détruire ce qui s'imprime à Londres sur son compte. Beaumarchais ne s'est jamais montré enchanté de ces missions de police, et toujours il a essayé d'y ajouter des entreprises vraiment diplomatiques, géniales même, plus à son honneur, et dont il pût par la suite tirer gloire en public.

Toujours mené par la nécessité de reprendre son état-civil et sa situation honnête de gentilhomme-négociant, il accepta cette troisième mission, et le 8 avril 1775, une semaine après son compliment de clôture au Français, il s'embarquait vers Londres, pour la sixième fois en un an. A peine arrivé, il est démasqué et reçoit des lettres anonymes l'invitant à rembarquer au plus tôt, sous menaces de mort. Il les fait imprimer aux journaux, et sort, publiquement, sous son nom si propre à exciter la curiosité.

Il travaille vite, aidé par Lord Rochford ; les auteurs des libelles sont mis sous clef.

Alors, reçu un peu partout, il s'instruit sur la politique anglaise, extérieure surtout : époque critique, où les possessions françaises en Amérique sont menacées par l'impérialisme britannique, où aussi les colonies anglaises d'Amérique du Nord pensent à s'affranchir de la métropole, dont toutes les lois et le régime commercial paralysent les affaires des colons. Bien connaître la situation pour se tenir en alerte, pour aider secrètement, le cas échéant, à une diminution de l'hégémonie britannique dans les eaux américaines, cela constitue évidemment une impérieuse nécessité pour le gouvernement français ; Beaumarchais l'a compris, et il va se rendre utile, nécessaire, et suffisant. Au Roi, directement, ce qui n'était pas d'usage, il écrit le 27 avril : « Je puis donner les notions les plus saines sur l'action de la métropole, sur ses colonies et la réaction du désordre de celles-ci en Angleterre ; ce qu'il doit en résulter pour les uns et les autres ; l'importance extrême dont tous ces événements sont pour les intérêts de la France ; ce que nous devons espérer ou craindre pour nos îles à sucre ; ce qui peut nous donner la paix ou nécessiter la guerre, etc... »

Voilà du zèle utile ; Beaumarchais demande seulement au Roi, pour l'instant, de « daigner ne point l'abandonner au ressentiment , à la haine des ministres et des courtisans qui feront tout pour le perdre s'ils apprennent qu'il envoie à Sa Majesté des rapports sans passer par leur canal ».

*
* *

Eh hop ! nouvelle pirouette.

La destinée de Beaumarchais attirait toujours dans son sillage les phénomènes les plus étonnants, et Charles-Geneviève-Louis-Auguste-André-Timothée d'Eon de Beaumont (tout cela pour un seul) était bien alors le personnage le plus extravagant de France. de Navarre, et des Iles Britanniques.

On connaît cette énorme mystification historique, l'une des plus belles qu'ait vues le XVIIIe siècle : ancien avocat, ancien dragon, ancien secrétaire d'ambassade à Londres, duelliste redoutable, titulaire de la Croix de Saint-Louis pour faits d'armes, le Chevalier d'Eon avait eu en 1766 une violente querelle et une menace de duel avec notre Ambassadeur à Londres, M. de Guerchy. Scandale ; on conseillait à Louis XV de faire enlever d'Eon ; Louis XV parut consentir, mais son ancienne amitié pour d'Eon l'incita à prévenir le chevalier qui déjoua toutes les manœuvres ministérielles et policières, demeurant à Londres l'espion secret de Louis XV ; une correspondance clandestine, très serrée, resta en possession de d'Eon ; il s'agissait d'une revanche du traité de paix de 1763, de ce malencontreux traité de Paris; il était question simplement d'un projet de descente en Angleterre, imaginé par le Duc de Broglie, étudié secrètement par Louis XV et pour lequel d'Eon avait été fort utile. Louis XV lui servait une pension, et à la mort de ce roi, il ne fut plus question de rien ; d'Eon avait alors 47 ans, il était criblé de dettes, il n'avait plus de pension, et guère de moyens de gagner sa vie dans ce pays ; en outre, il ne pouvait rentrer en France. Or, depuis sa querelle qui avait attiré l'attention sur lui, d'aucuns chuchotaient que d'Eon était une femme, et même que Louis XV le savait parfaitement : souvenir pris au sérieux d'une lointaine mascarade diplomatique, où Louis XV aurait utilisé d'Eon, très jeune alors, pour une mission à la Cour d'Elisabeth de Russie, auprès de qui « elle » serait entrée en qualité de *lectrice*. Il avait effectivement une voix très féminine et une figure poupine.

Louis XV lui-même a-t-il laissé sourdre l'opinion que d'Eon était femme, au moment de la querelle avec de Guerchy et pour ne pas sévir contre cet utile diplomate, l'a-t-il affublé d'un jupon, et est-il alors l'auteur premier de la mystification ? Mystère. Le fait est que, dès 1771, les bruits les plus contradictoires couraient sur ce personnage, et que d'énormes paris s'engageaient à Londres et en France sur son sexe. D'Eon, peut-être dirigé par Louis XV, laissait subsister les doutes, et l'opinion penchait de plus en plus pour sa féminité.

*
* *

Louis XV meurt, d'Eon a des dettes, la pension s'éteint ; s'il fait constater qu'il est homme, il restera en disgrâce, peut-être même sera-t-il un jour ou l'autre jeté à la Bastille ; s'il déclare qu'il est femme et possède des papiers importants que son bavardage peut rendre compromettants pour la mémoire de Louis XV et pour ses ministres, sans doute voudra-t-on les lui racheter. Des pourparlers s'engagent effectivement, mais n'aboutissent pas : le premier plénipotentiaire n'arrive pas à obtenir des conditions raisonnables ; le second flirte avec le dragon et lui promet 100.000 écus de dot si « elle » consent à l'épouser. D'Eon refuse, et pour cause.

Mais les dettes sont toujours là, et d'Eon, dans la misère, flaire encore la possibilité de gagner une pension pour ses vieux jours, en vendant cher une correspondance dont le caractère compromettant disparaît d'ailleurs avec le temps.

D'Eon le comprend mieux que personne. Et de son côté, Beaumarchais, dès novembre 1774, écrivait à Sartines : « Le secret de d'Eon est de n'en pas avoir, de tromper ceux qui croient le surprendre, de palper les 100.000 écus, et de rester à Londres ». Le malin Figaro se trompait sur tous les points : il croyait à la féminité de d'Eon, et point à l'existence du secret.

Sans doute Beaumarchais avait-il proclamé un peu haut à Londres, selon son habitude, ses opinions sur le sexe de d'Eon. Toujours est-il qu'un beau soir, d'Eon se fit annoncer, chez lui, Ploone Street ; Beaumarchais, piqué au vif de sa curiosité, reçut « la chevalière » avec la grande courtoisie qu'il montrait pour toute femme ; il n'avait encore jamais vu d'Eon, et ne fondait son opinion sur elle que d'après sa propre croyance.

D'Eon commença : « Monsieur, je n'ai point encore l'honneur de vous être connue, mais je me suis présentée parce que sans doute, un jour ou l'autre, j'aurais eu affaire à vous. Je ne doute pas que le Gouvernement qui vous a envoyé ici ne vous ait chargé d'une mission plus ou moins diplomatique à mon égard. — Mais non, Mademoiselle, je n'ai reçu aucun ordre vous concernant ». Ici d'Eon mit force sanglots dans sa voix, et reprit : « C'est que, monsieur, vous avez devant vous une malheureuse femme qui... — Ah, vraiment, alors, vous êtes bien femme ? — Hélas, oui, monsieur, une malheureuse femme qui a dû, (par la faute de parents cupides, à qui le bien d'un de mes oncles ne devait revenir qu'à la condition qu'ils eussent un héritier mâle), conserver jusqu'ici l'apparence d'une virilité qu'elle n'a pas. Mon Dieu, je suis bien à plaindre. Presque vieille aujourd'hui, pleine d'habitudes prises à la vie des camps, je n'aurai pas connu l'amour, et mes vieux jours se passeront dans une misère noire, si l'on ne me secourt pas ! Je voudrais tellement entrer en France, et ce serait tant l'intérêt de Sa Majesté ! Si on vous avait chargé d'une mission, je ne doute pas que nous nous serions entendus. Il y a longtemps que je serais rendue à ma Patrie, et que le Roi aurait reçu tous les papiers importants relatifs à la confiance de Louis XV, et qui ne doivent pas rester en Angleterre ; si je reste ici, sans secours, c'est la misère, c'est la mort à bref délai. Et quand le Gouvernement anglais prendra alors connaissance de ces papiers, ce sera la guerre, inévitablement, avec la France ; tenez, je les ai là ces papiers, je vais vous les montrer, vous vous rendrez compte alors! » Et d'Eon sortit de toutes les coutures de son habit des lettres de Louis XV, des lettres et des projets du Duc de Broglie, qu'il mit sous les yeux de Beaumarchais ; celui-ci assis à son bureau les examinait avec attention et intérêt : s'il pouvait les rendre à Louis XVI, sans effaroucher la « Chevalière », réussir là où les autres avaient échoué, quel succès !

D'Eon, lui, se mordait les lèvres pour ne pas rire devant cet homme qu'on disait si fin et si avisé, négociateur et diplomate de premier ordre ; debout derrière le fauteuil du « petit ministre », l'ex-dragon surveillait Beaumarchais pour le tenir en respect au cas où celui-ci aurait voulu s'emparer par force des documents. Mais non, Beaumarchais n'y pensait pas. D'Eon reprit : « Je mets toute ma confiance en vous, Monsieur, et je serai heureuse de vous devoir la tranquillité de mes derniers jours. Ces papiers, voyez-vous, ne représentent qu'une fraction infime de ceux que j'ai, et qui sont encore bien autrement terribles. Je vous demande en grâce, Monsieur, de remettre ceux-ci à Monsieur le Prince de Conti que j'ai connu autrefois très particulièrement, en le priant d'agir auprès du Roi en ma faveur. Je demande seulement qu'on paie mes dettes, qu'on me donne de quoi vivre, et qu'on me laisse rentrer en France. — Mademoiselle, je prendrai les ordres de mon Gouvernement ; je remettrai votre lettre à Monsieur de Broglie, votre paquet à Monsieur de Conti, et je ne doute pas que, vous sachant dans ces excellentes dispositions, mon Gouvernement ne vous donne satisfaction ». D'Eon, en se retrouvant dans la rue, regarda le fenêtre éclairée derrière laquelle passait et repassait l'ombre de Beaumarchais. Le dragon riait ; il tira sa pipe, la bourra, l'alluma et s'en fut en marmonant : « N. de D. ! Sont-ils crevants, tous ces gens-là, à me prendre pour une Vénus ! »

*
* *

D'Eon, un an avant, avait envoyé à Monsieur de Vergennes un compte d'apothicaire, où, à côté de ses dettes « passives », il se prétendait créancier du Trésor Français et lui réclamait quelque deux cent mille francs :

En novembre 1757, écrit d'Eon, le roi actuel de Pologne, étant envoyé extraordinaire de la république en Russie, fit remettre à Monsieur d'Eon, secrétaire de l'ambassade de France, un billet renfermant un diamant estimé 6.000 livres, dans l'intention que Monsieur d'Eon l'instruirait d'une affaire fort intéressante qui se tramait alors à Saint-Pétersbourg. Celui-ci se fit un devoir de confier le billet et le diamant à M. le Marquis de l'Hospital, ambassadeur, et de reporter ledit diamant au comte de Poniatowski, qui, de colère, le jeta dans le feu. M. de l'Hospital, touché de l'aspect honnête de M. d'Eon, en écrivit au cardinal de Bernis, qui promit de lui faire accorder par le roi une gratification de pareille somme pour récompense de sa fidélité ; mais Monsieur le cardinal de Bernis ayant été déplacé et exilé, le sieur d'Eon n'a jamais reçu cette gratification, qu'il se croit en droit de réclamer, ci 6.000 livres.

M. le comte de Guerchy a détourné le roi d'Angleterre de faire à M. d'Eon le présent de mille pièces qu'il accorde aux ministres plénipotentiaires qui résident à sa cour, ci 24.000 livres.

Autre article. Plus, n'ayant pas été en état, depuis 1763 jusqu'en 1773, d'entretenir ses vignes en Bourgogne, M. d'Eon a non seulement perdu mille écus de revenu par

…ore toutes ses vignes, et croit pouvoir porter …a moitié de sa récolte, ci 15.000 livres.

…Eon, sans entrer dans l'état qu'il pourrait pro… …enses immenses que lui a occasionnées son …res depuis 1763 jusqu'à la présente année … l'entretien et la nourriture de feu son cou… … pour les frais extraordinaires que les cir… …xigés, croit devoir se borner à réclamer ce …s l'entretien d'un ménage simple et décent …mite aux frais et domestiques nécessaires; …n conséquence à la modique somme de …nois par an, ce qui fait, pour lesdites dix …0.000 livres.

…blait naturellement qu'il recevait une pension …elle depuis qu'on l'avait rayé des cadres, et que total se montait à 96.000 livres.

Beaumarchais rentre à Paris le 23 avril, après une mauvaise traversée, de Douvres à Boulogne cette fois. Le 27, il envoie au Roi un mémoire particulier. qu'il lui fait comme d'habitude tenir par Sartines. Il contient en particulier quelques réflexions de ce genre : « Quand on pense que cette créature tant persécutée est d'un sexe à qui l'on pardonne tout, le cœur s'émeut d'une juste compassion... J'ose vous assurer Sire, qu'en prenant cette étonnante créature avec adresse et douceur, quoique aigrie par douze années de malheur, on l'amènera facilement à remettre tous les papiers relatifs au feu Roi à des conditions raisonnables ».

Il confère à ce sujet avec Maurepas et Vergennes qui ont vraiment pour lui de l'estime et une amitié solide. Très vite il repart pour l'Angleterre pour y terminer sa mission relative aux libelles, et pour obtenir de d'Eon des précisions, en attendant que le Roi

fasse intervenir sa décision à son sujet
en outre à suivre de très près la politi
et, reçu un peu partout, à se renseig
sources.

Avec une activité extraordinaire, il me
en ordre, organise son temps, voit et éc
coup de monde, suit très attentivement l
des Chambres anglaises, et se documente
ticulier sur les conséquences possibles, pour la
de la révolte, qui s'amplifie, des colons amé
Placé au-dessus des partis, Beaumarchais voit
rablement clair dans cette querelle qui s'enve
de jour en jour ; il a déjà commencé depuis quel
temps à recueillir un certain nombre de « pensée
qui lui viennent ; elles montrent une belle clairvoyanc
qu'elles soient morales, politiques, économiques o
littéraires ; on y trouve celle-ci :

On remédie à une sédition accidentelle, mais point à un soulèvement général qui naît invinciblement de la nature des choses, et c'est l'état actuel de l'Angleterre envers l'Amérique. Cette dernière double sa population en dix-neuf ans. Elle s'est ouvert des passages intérieurs avec les pays du Sud et le golfe du Mexique. Elle peut à la rigueur se passer de la Métropole ; y a-t-il quelque obstacle à sa séparation aujourd'hui ? Elle ne sera que retardée, ce sont les éléments naturels qui l'amènent et non l'esprit de vertige et de trahison.

Toujours au mieux avec Lord Rochford, alors Ministre des Affaires Etrangères — cela dura quelques mois seulement, — il le fait parler très facilement. Lord Rochford bavarde très aisément pour peu qu'il soit bien dirigé, et Beaumarchais s'y entend. Au mieux aussi avec Wilkes, Lord Maire de Londres, un gaillard dans son genre, — avec cette différence que sa moralité est nulle, tant dans sa vie privée que dans sa vie publique. Grosse fortune, il donnait souvent à dîner ; un soir qu'il avait Beaumarchais à sa droite, il lui déclara à haute voix, au sujet des affaires américaines et de la récente proclamation du Roi, déclarant rebelles les colons : « Depuis longtemps le Roi d'Angleterre me fait l'honneur de me haïr. De ma part je lui ai toujours rendu la justice de le mépriser ; le temps est venu de décider lequel a le mieux jugé l'autre, et de quel côté le vent fera choir les têtes. » C'est dire qu'on s'attendait au pire, même en ramenant à leurs justes limites les insolences de ce brasseur d'opinions. Quant à d'Eon, il continue à simuler la vieille fille avec une rare adresse, et Beaumarchais continue à s'y laisser prendre avec une rare naïveté ; le mieux est qu'il se croit très fort et, en diplomate digne de ce nom, il ne néglige aucune précaution vis-à-vis de cette vieille bonne femme « fougeuse et rusée ». D'Eon joue la grande coquette, envoie à Beaumarchais son portrait, lui demande le sien, l'appelle son *ange tutelaire*, lui envoie ses œuvres, parues en 1774, et intitulées « Ses loisirs » : ils étaient alors considérables, puisqu'ils occupent treize volumes in-octavo !

*
* *

Dans le courant de juillet, Beaumarchais retourne à nouveau en France : c'est son huitième voyage Londres-Paris ; il a toutes les précisions désirables de la part de d'Eon, et des notions intéressantes pour le Gouvernement sur les affaires américaines ; il vient prendre des instructions définitives et des fonds à l'usage de d'Eon.

Il ne perd pas de vue sa réhabilitation, et plus il se rend nécessaire, plus il s'en rapproche ; un moment viendra où le roi, pour être logique avec lui-même, ne pourra pas charger d'une mission de toute confiance et vraiment importante un personnage qui reste privé de tous ses droits civiques. Il se rapproche du roi lui-même, par l'envoi direct de comptes-rendus, et de questions auxquelles Louis XVI est obligé de s'intéresser et de répondre de sa propre initiative. Beaumarchais fait sa conquête, et bientôt, fort de l'appui de Maurepas, de celui du Roi, de celui de la Reine, les trois premiers personnages du Royaume, il pourra obtenir justice. Mais que de travail, que de fatigues pour une chose si naturelle, si légitime en apparence : Se faire rendre justice ! Les droits de l'homme ne seront proclamés que quinze ans plus tard...

En attendant, son procès La Blache est renvoyé, pour réinstruction, devant le Parlement d'Aix-en-Provence.

Beaumarchais, chargé le 25 août par Louis XVI de recupérer les papiers de d'Eon, repart bientôt, avec Gudin : neuvième voyage ! fallait-il qu'il eût confiance en l'avenir, pour passer ainsi des années à jouer le diplomate, sans aucun des titres ni des avantages qu'on leur accorde, et avec toutes les haines qui leur sont réservées, outre celles que son nom et sa faveur de coulisse lui suscitaient.

X

« De l'intrigue et de l'argent, te voilà dans ta sphère ! »

Suz. à Fig. *Mariage*, I, 1.

Cette fois-ci, c'est avec d'Eon la phase sinon définitive, du moins décisive. « La Chevalière », à qui Beaumarchais a soin de tenir la dragée haute, déclare peu à peu toute sa cargaison de papiers. Toujours buvant, fumant (Beaumarchais n'avait jamais fumé) et jurant comme un estafier allemand, d'après les propres dires de Beaumarchais, — on n'est pas dragon pour rien — d'Eon découvre toutes ses pièces : il y en a en souffrance dans un coffre cadenassé chez un amiral de ses amis, il y en a dans son appartement, il y en a jusque sous les lames de parquet de sa chambre, soigneusement classées, étiquetées, emballées et cartonnées.

D'Eon tient absolument à avoir la permission de rentrer en France. C'est le point noir, et qui donne lieu à un échange pressé de lettres entre Vergennes et Beaumarchais, embarrassés l'un et l'autre.

Mais au fond l'affaire d'Eon n'intéresse Beaumarchais que très relativement, maintenant. Il l'a commencée, il la terminera, et la terminera bien, c'est entendu. Mais la grande affaire maintenant, c'est l'Amérique ; Beaumarchais sent que c'est le moment d'agir, et il a mené les choses rondement. L'affaire d'Eon n'est plus qu'un prétexte officiel qui va lui permettre de développer devant le roi, et devant lui seul, ses considérations politiques sur l'intérêt et la nécessité qu'il y aurait à agir secrètement en faveur des colons anglais d'Amérique. Brusquement, Beaumarchais déclare à Gudin qui visite le pays et ne suit pas son ami dans ses pérégrinations, dont il ne connaît pas les visées : « Mon cher, je repasse en France — dixième fois — pour quelques jours, afin de régler rapidement une affaire qui, par correspondance, demanderait deux mois. Revenez-vous avec moi ou non ? Ce sera comme vous voudrez. » Gudin qui s'amusait beaucoup à Londres et avait sur le métier un ouvrage profond, *Les progrès des arts et de l'esprit humain sous le règne de Louis XV*, laissa Beaumarchais partir seul.

On est au 16 septembre 1775. Le 18, Beaumarchais est à Paris, où il arrive secrètement ; seuls Sartines et Vergennes sont avisés. Le 21, Monsieur de Sartines remet de sa part, cacheté, au roi, un mémoire serré, où à côté de vues que la suite des événements ne vérifia pas (Révolution en Angleterre : la paille de l'œil du voisin...) Beaumarchais montre une étonnante perspicacité diplomatique :

AU ROI

Sire,

... Je me suis dérobé d'Angleterre sous prétexte d'aller à la campagne. Je suis venu tout courant de Londres à Paris, pour conférer avec Messieurs de Vergennes, et de Sartines sur des objets trop importants et trop délicats pour être confiés à la fidélité d'aucun courrier. Sire, l'Angleterre est dans une telle crise, un tel désordre au dedans et au dehors, qu'elle toucherait presque à sa ruine, si ses rivaux étaient eux-mêmes en état de s'en occuper sérieusement... ; les Américains.. ont trente-huit mille hommes effectifs, sous les murs de Boston ; ils ont réduit l'armée anglaise à la nécessité d'y mourir de faim ou d'aller chercher ses quartiers d'hiver ailleurs... Environ quarante mille hommes défendent le reste du pays... Je dis, Sire, qu'une telle nation doit être invincible surtout ayant derrière elle autant de pays qu'il lui en faut pour ses retraites... Tous les gens sensés sont donc convaincus en Angleterre que les colonies sont perdues pour la Métropole, et c'est aussi mon avis... Aujourd'hui, pour augmenter encore le trouble, il s'est ouvert une souscription secrète à Londres pour envoyer de l'or aux Américains, ou payer les secours que les Hollandais leur fournissent... L'Amérique échappe aux Anglais en dépit de leurs efforts... La fin de cette crise amènera la guerre avec les Français si l'opposition triomphe en Angleterre... Notre ministère, mal instruit, a l'air stagnant et passif sur tous ces événements qui nous touchent la peau. Un homme supérieur et vigilant serait indispensable à Londres aujourd'hui. »

Ce fut naturellement lui. Le 23 septembre le roi, par l'entremise de Monsieur de Vergennes, l'engage à continuer ses recherches et à tenir son gouvernement au courant de la marche à suivre. Beaumarchais, exultant, repart sur-le-champ. Il est amusant de constater l'intérêt qu'il porte, à côté de cette question si absorbante, à toutes les découvertes et études à l'ordre du jour, quelles qu'elles soient. Ainsi de Calais, avant de s'embarquer, il écrit à Vergennes :

« Monsieur le Comte, je supplie V. E. de permettre que deux cartes marines de l'hémisphère austral que j'ai oubliées à Paris et qui me sont très importantes pour des observations sur la longitude des lieux découverts par le Capitaine Cook, vous soient adressées, ainsi que quelques observations de médecins de divers pays sur les battements du pouls dont je veux raisonner à Londres avec le docteur M*** ; dans l'espoir que V. E. voudra bien me les envoyer par le courrier de M. de Guines (l'Ambassadeur) ce qui me les fera parvenir sans frais, je suis... etc ».

Il a profité de son voyage pour soumettre à Vergennes la solution qu'il envisage quant au retour de d'Eon, et sitôt arrivé à Londres, il reprend ses pourparlers avec « La Chevalière » : il l'oblige par une déclaration signée, incluse dans le traité, à reconnaître son sexe *véritable*, et à porter désormais, en conséquence, *des habits de femme.* D'Eon signe tout ce qu'on veut, puisque Beaumarchais lui remet un contrat de douze mille livres de rentes et promet de plus fortes sommes dont le montant lui sera remis. Le gouvernement entend pourtant ne pas payer les 300.477 livres seize sous et les deniers que d'Eon réclamait l'année d'avant dans le fameux bordereau. Le 5 octobre la convention est prête, et le 7, Beaumarchais, fier comme Artaban, écrit à Vergennes pour lui rendre compte de ses succès.

Puis il dîne encore chez Wilks avec Gudin cette fois, qui voit d'Eon pour la première fois, et qui avale avec sérieux et compassion toutes les calembredaines et tous les boniments qu'*elle* lui sert. Quelques jours après, Beaumarchais, Gudin et d'Eon partent tous trois à la campagne chez Lord Ferrers, l'amiral gardien des papiers, et chez qui Beaumarchais doit prendre livraison du coffre. Ils visitent le pays, les manufactures de Birmingham, les exploitations agricoles. C'est pendant cette petite villégiature qu'à un relai de diligence « le petit ministre » fut abordé par un voyageur qui ayant entendu Gudin appeler Beaumarchais, se précipita et lui dit : « C'est vraiment un grand bonheur pour moi de vous rencontrer juste comme j'arrive en Angleterre. Je viens de Philadelphie où l'on lit vos Mémoires avec passion ; c'est un chef d'œuvre, ils font là-bas une vive sensation, et l'on vous tient en grande estime pour votre belle indépendance. » Beaumarchais ne manqua pas l'occasion d'interroger longuement cet Américain sur la situation des colons et la marche des hostilités.

*
* *

A la fin de novembre suffisamment documenté sur l'Amérique, et flanqué de son précieux coffre, nanti des liasses de papiers plus précieuses encore, et accompagné de l'inséparable Gudin, Beaumarchais s'apprèta à rentrer en France, certain d'avoir conduit au mieux l'affaire d'Eon.

L'ex-dragon, bien qu'en possession de tous les papiers nécessaires à sa rentrée en France, n'y suivit pas son « ange tutélaire ». *Elle* ignorait qu'il s'envolait pour fort peu de temps et qu'il reviendrait très prochainement, porteur d'ailleurs de dernières indications, combien précises, *la* concernant.

*
* *

Beaumarchais a le chagrin d'apprendre, seulement en rentrant, la mort de son bon vieux père, décédé le 23 octobre, et à qui il devait d'être bien parti dans la vie. Sans s'arrêter longtemps à le pleurer, Beaumarchais est obligé de continuer ses multiples travaux.

D'une habileté consommée, il envoie au roi, sitôt

rentré, une série de questions relatives à d'Eon, à la suite desquelles, sans transition, il dresse tout son plan d'action pour l'Amérique et requiert des réponses précises du roi. Il pousse trop vite son jeu, et Louis XVI se dérobe encore.

Trois mois après, Beaumarchais avait remporté de haute lutte la victoire sur ce bon roi qui, doucement entêté dans son indécision, marquait souvent de la rétivité et agissait par à-coups. Beaumarchais — et la France — en auront quelques preuves par la suite. Pour l'instant il « pousse » Louis XVI avec une ardeur excessive. Mais lui néanmoins s'intéresse aux agissements de son agent diplomatique, en est satisfait et travaille par lui-même à répondre à ses questions ; de sa propre main il remplit les blancs dont Beaumarchais a fait suivre chacune de ses demandes :

Points essentiels... à présenter à la décision du roi avant mon départ pour Londres, ce 13 décembre 1775, pour être répondus en marge : le roi accorde-t-il à la Demoiselle d'Eon la permission de porter la croix de Saint-Louis sur ses habits de femme? — *Réponse du roi* : En province seulement. — Sa Majesté approuve-t-elle la gratification de 2.000 écus que j'ai passée à cette demoiselle pour son trousseau de fille ? — *Réponse du roi* : Oui. — Lui laisse-t-elle disposition entière, dans ce cas, de tous ses habillements civils ?— *Réponse du roi* : Il faut qu'elle les vende.

Quand Beaumarchais, ayant épuisé la question d'Eon, passe à la question américaine, le Roi se dérobe, élude, ses réponses deviennent « cela se peut » « c'est inutile », ou bien il n'y en a pas. Etrange époque, vraiment, où le Roi de France échange ces demandes et réponses avec un condamné de droit commun déchu de sa personnalité civile, et qui est chargé, plus que le Ministre des Affaires Etrangères, de mener la plus grave affaire de politique extérieure qui ait occupé le règne de Louis XVI !

Le 13 décembre, il repart, bien décidé à donner tous ses soins aux affaires d'Amérique. Il a certes quelques commissions pour d'Eon, mais la question semble réglée. Elle le semble, oui, mais Beaumarchais a trouvé en face de lui un gaillard qui n'est pas loin de le valoir, qui plongé dans la diplomatie depuis près de vingt ans, en connaît coins et recoins, et qui à l'encontre de Morande dont Beaumarchais déclare que « de l'état de braconnier il l'a fait passer à celui d'un excellent garde-chasse », suit maintenant le sentier de la maraude.

D'Eon se montrait peu pressé de rentrer à Paris, et faisait beaucoup de tapage à Londres, exploitant à plaisir l'incertitude sur son sexe, encourageant les paris.

Beaumarchais qui lui a promis de nouveaux fonds n'est pas disposé à les lui verser dans ces conditions, et d'Eon se fâche tout rouge ; Beaumarchais, sûr de lui-même et de l'approbation de Vergennes, garde son calme, lui répond dignement et essaie de forcer « cette folle » à entendre raison ; il la traite en vieille fille vexée : le fait est que d'Eon en simule les accents avec un rare bonheur, et, pour exhaler sa mauvaise humeur contre « son ange », prend prétexte des bruits fâcheux qui courent Paris, depuis que l'on connaît plus ou moins la mission de Beaumarchais et le prochain retour de d'Eon, et selon lesquels Beaumarchais s'apprêterait à épouser cette vieille dragonne. Il est le premier à en rire, mais il croit si absolument que d'Eon est du beau sexe, qu'il écrit à Vergennes : « Tout le monde me dit que cette vieille folle est folle de moi. Elle croit que je l'ai méprisée, et les femmes ne pardonnent pas une pareille offense... »

D'Eon tout en restant à Londres, ce qui gêne Beaumarchais et Vergennes, se tient enfin tranquille. Beaumarchais *la* surveille du coin de l'œil, et peut à la première incartade lui faire supprimer sa rente.

Bref c'est, pendant dix-huit mois que d'Eon reste encore à Londres, un calme relatif. Pour obtenir de nouveaux fonds, elle déclarera bien n'avoir remis à Beaumarchais que la moitié des papiers et qu'il en reste d'autres, mais c'est tout, et Beaumarchais ne se laissera pas prendre. Il a d'ailleurs bien autre chose à faire qu'à s'occuper de ce dragon si bruyant, mais assez inoffensif somme toute.

*
* *

D'abord il profite de sa présence à Londres pour arrêter un quatrième libelle ; il a de plus en plus la certitude qu'un personnage très puissant subventionne et dirige toute cette bande noire. Il se borne à le mander à Vergennes et à donner des indications à la police anglaise qui agit en conséquence : c'est plus sûr pour lui et pour Vergennes. Puis il s'attelle à son rôle d'intermédiaire entre la France et les Américains et prépare le terrain aux négociations secrètes. Le plus urgent est d'obtenir de Louis XVI son consentement positif à secourir clandestinement les insurgés d'outre-mer. Beaumarchais expédie à Vergennes lettre sur lettre, et s'efforce d'y démontrer que la France risque la guerre très prochaine avec l'Angleterre et commencera par perdre ses colonies, si elle adopte toute autre solution que celle préconisée par son zèlé diplomate de Londres.

Celui-ci est déjà en relations depuis quelque temps avec un jeune agité américain, rencontré chez Wilks ; étudiant en Angleterre au moment où commence la révolution, il s'enrôle dans l'opposition, aux côtés de Wilks, et profite des avances de Beaumarchais, souvent trop confiant sur ses projets, pour s'offrir le beau rôle auprès du Comité Secret américain qui le nomme député secret des colonies à Londres, et auquel il expédie des lettres pleines de promesses, bourrées d'espoirs magnifiques quant à la générosité de la France, générosité que lui, Arthur Lee, a suscitée par ses innombrables démarches auprès de l'ambassadeur de France à Londres, et qui a amené Monsieur de Vergennes à lui envoyer un agent secret, etc... Autant de mensonges ; alors que Beaumarchais luttait auprès du Gouvernement et se bornait à bien augurer de son opiniâtreté, Lee, au courant de ses travaux, avait l'audace d'écrire à Boston :

> A la suite de mes actives démarches auprès de l'ambassadeur de France à Londres, M. de Vergennes m'a envoyé un agent secret pour m'informer que la Cour de France est prête à envoyer pour 5 millions d'armes et munitions au Cap Français, d'où elles passeront aux Américains...

Beaumarchais lui déclarant qu'il tentait sa démarche suprême, Lee lui tenait ce langage : « Monsieur, il faut que vous obteniez cette fois-ci la réponse de votre Gouvernement ; s'il nous refuse le secours, il aura sous peu affaire à l'Angleterre ; les ministres chez vous sont incroyablement passifs ; j'attends votre réponse pour envoyer la mienne définitive. »

(Il avait déjà écrit la lettre ci-dessus.)

« Nous offrons à la France, pour prix des secours secrets qu'elle nous enverrait, un pacte secret de commerce par lequel nous lui réserverons, pendant un temps déterminé après la paix, l'expédition de tous les produits dont nous enrichissons l'Angleterre depuis cent ans, et nous y ajouterions une clause spéciale de protection de vos colonies, dans la mesure de nos forces. Toute autre solution de votre part vous amène la guerre avec l'Angleterre, sans l'appui des Américains s'ils sont vainqueurs, et unis à la métropole s'ils sont vaincus. J'ajoute que le gouvernement espagnol a, mieux que le vôtre, plus rapidement tout au moins, compris ses intérêts : il est prêt à nous aider fortement, et nos deux députés qui sont à Madrid se déclarent très contents. »

Beaumarchais rentre en France dans les premiers jours de mars et remet, daté du 29 février 1776 et cacheté, à Monsieur de Vergennes un ultime « mémoire au Roi seul », intitulé catégoriquement *La Paix ou la Guerre.* Il y résume tout le passé, le présent, et l'avenir possible, suivant la solution, de l'affaire américaine :

Sire,

La fameuse querelle entre l'Amérique et l'Angleterre... impose à chaque puissance la nécessité de bien examiner par où l'événement peut influer sur elle, et la servir ou lui nuire. Mais la plus intéressée de toutes est certainement la France, dont les îles à sucre sont, depuis la dernière paix, l'objet constant des regrets et de l'espoir des Anglais... Dans un premier Mémoire remis il y a trois mois à Votre Majesté par M. de Vergennes, j'ai tâché d'établir que Votre Majesté ne pouvait être blessée de prendre de sages précautions contre des ennemis qui ne sont jamais délicats sur celles qu'ils prennent contre nous. Aujourd'hui... je suis obligé de prévenir Votre Majesté que la conservation de nos possessions d'Amérique et la paix qu'Elle paraît tant désirer dépendent uniquement de cette seule proposition : il *faut secourir les Américains.* C'est ce que je vais démontrer.

Admettons toutes les hypothèses possibles et raisonnons: 1° Si l'Angleterre triomphe de l'Amérique, ce ne peut être qu'avec une dépense énorme d'hommes et d'argent ; or le seul dédommagement que les Anglais se proposent est d'enlever à leur retour les îles françaises, de se rendre par là les marchands exclusifs du sucre, qui peut seul réparer les dommages de leur commerce ; 2° si les Américains sont vainqueurs, les Anglais au désespoir de voir leur existence diminuée des trois quarts, n'en seront que plus empressés à chercher un dédommagement dans la prise facile de nos possessions d'Amérique ; 3° si les Anglais se croient forcés d'abandonner sans coup férir les colonies à elles-mêmes, la perte étant la même pour leur existence, et leur commerce étant également ruiné, le résultat pour nous est semblable au précédent... ; 4° si l'opposition se met en possession du ministère et conclut le traité de réunion avec les colonies, les Américains, outrés contre la France, dont les refus les auront seuls forcés à se soumettre à la métropole, nous menacent dès aujourd'hui de joindre toutes leurs forces à celles de l'Angleterre pour enlever nos îles. — Que faire donc en cette extrémité pour avoir la paix et conserver nos îles ? Vous ne conserverez la paix que vous désirez, Sire, qu'en empêchant à tout prix qu'elle ne se fasse entre l'Angleterre et l'Amérique, et le seul moyen d'y parvenir est de donner des secours aux Américains qui mettront leurs forces en équilibre avec celles de l'Angleterre, mais rien au delà... Si l'on répond que nous ne pouvons secourir les Américains sans blesser l'Angleterre et sans attirer sur nous l'orage que je veux conjurer de loin, je réponds à mon tour qu'on ne courra point ce danger si l'on suit le plan que j'ai tant de fois proposé, de secourir secrètement les Américains sans se compromettre, en leur

imposant de ne faire aucun acte tendant à divulguer des secours que la première indiscrétion du Congrès lui ferait perdre à l'instant. Et si Votre Majesté n'a pas sous la main un plus habile homme à y employer, je me charge et réponds du traité, sans que personne soit compromis. Votre Majesté voit sans peine que tout le succès dépend ici du secret et de la célérité, mais une chose infiniment importante à l'un et à l'autre, serait de renvoyer, s'il était possible, à Londres lord Stormond, qui par la facilité de ses liaisons en France est porté à s'instruire journellement de tout ce qui se dit et s'agite au Conseil de Votre Majesté... L'occasion du rappel de M. de Guines est on ne peut plus favorable... Et la crise une fois passée, le plus futile et le plus fastueux de nos seigneurs pourrait être envoyé sans risque en Ambassade à Londres ; la besogne étant faite ou manquée, tout le reste serait alors sans importance.

Il ne doute de rien, décidément, pour écrire ainsi à son Roi ; mais il manœuvre joliment bien.

Il termine par son étalage habituel de protestations de zèle désintéressé. Le fait est que jusqu'ici il conseille à merveille son gouvernement et que, pour difficile que soit la réalisation de son plan, c'est encore le plus avantageux pour la France.

Vergennes croit que la paix peut se maintenir encore sans cette manœuvre. Louis XVI se fait tirer l'oreille. Mais les exigences, le sans-gêne, et le mépris du droit des gens dont l'Angleterre fait preuve, soit sur mer en visitant nos navires, coulant ceux qui fuient la visite ou prenant d'assaut ceux qui s'y refusent, soit auprès du Ministère français en réclamant des mesures contre les négociants qui ravitaillent les insurgés, finissent par vaincre à peu près les hésitations de Vergennes et de Louis XVI.

*
* *

Louis XVI reste invisible à Beaumarchais, qui croit pourtant le moment venu de se faire rendre à son état de 1773, et présente à cet effet une requête au Grand Conseil ; si cette requête est admise, il pourra obtenir du Roi des lettres de « relief de temps », lui permettant d'appeler du jugement dans l'affaire Goëzman, bien que les délais légaux d'appel — six mois — soient épuisés depuis plus d'un an et demi. Il sait que le Roi lui donnera satisfaction, et le Conseil alors jugera l'appel qui confirmera ou infirmera le jugement du Parlement Maupeou.

Beaumarchais repart pour l'Angleterre dans le courant de mars. Il reprend ses travaux avec le bilieux Arthur Lee : teint jaune, œil vert, dents jaunes, cheveux en désordre, Arthur Lee ne manque pas d'intelligence, mais il aime trop se mettre en avant, il joue des coudes, et jalouse tous ceux qui, par leur valeur personnelle, peuvent l'empêcher de garder la première place. Aussi est-il fort inquiet de la prochaine arrivée en France d'un agent secret de l'Amérique, Silas Deane, avec qui évidemment Braumarchais sera plus en rapports qu'avec lui, et qui le fera passer, lui Arthur, au second plan.

*
* *

Bientôt, Beaumarchais rentre à Paris à titre présumé définitif, le 24 mai 1776. Il a reçu en principe — enfin ! — une réponse affirmative de Versailles. Vergennes et Maurepas le reçoivent d'ailleurs avec force compliments, et l'on essaie de s'accorder quant à la réalisation pratique de l'affaire. « Vous comprenez bien, mon cher, lui dit Maurepas, que nous ne voulons pas, ni Sa Majesté, nous compromettre en quoi que ce soit : éviter la guerre, agir en secret, oui, parfaitement ; mais si nous aidons les Américains, nous ne pouvons le faire qu'indirectement : sinon notre intervention, à nous gouvernement, est immédiatement démasquée aux Anglais, et c'est la guerre, que précisément nous cherchons à éviter. Ce que nous pouvons faire, c'est subventionner secrètement une grosse entreprise commerciale, essayer d'amener la Cour d'Espagne, avec qui nous sommes encore en pourparlers, au sujet de cette affaire, quoiqu'en dise Monsieur Arthur Lee, à ajouter sa subvention à la nôtre.

« Il faut que ni les Anglais, ni même les Américains, ne soupçonnent quoi que ce soit en dehors d'une affaire strictement commerciale, traitée avec des amis, des partisans, à qui, en échange de leurs envois et de leurs prêts, ils expédieront comme frêt de retour des produits de leur pays : tabac et coton en particulier, que nous achetions aux Anglais jusqu'ici : la gratuité des fournitures trahirait notre participation.

« L'affaire traitée ainsi ne nous compromet point, et elle assure, si elle est bien menée de part et d'autre, toute satisfaction aux Américains et à nos négociants : seulement, pour travailler utilement, il faut que les envois soient conjugués, les fonds réunis par une seule et même maison, et à la tête de cette maison, vous êtes le seul homme qu'on puisse placer : vos lumières, vos connaissances techniques, vos relations avec le Congrès et ses représentants, votre haute compétence en matière de négoce, comme disciple de Duverney, votre activité, tout cela est nécessaire et suffisant pour diriger l'ensemble et les détails de toutes les opérations, tant en envois qu'en retours, soit de munitions de guerre — nos arsenaux vous les fourniront au prix coûtant ; vous les remplacerez ou les paierez, — soit de marchandises ordinaires de la France nécessaires aux colonies unies ou des colonies à la France ; vous prendrez la tête de toutes les affaires, règlerez les prix, conclurez les marchés, les engagements, les recouvrements.

« Le Roi vous offre un million pour partir ; nous essaierons d'en avoir autant par l'Espagne ; c'est une mise de fonds honorable pour vous lancer, après quoi l'affaire doit marcher toute seule d'elle-même.

« Bien entendu, vous nous devez compte de vos opérations, de l'emploi des fonds, et s'il y a lieu, selon les bénéfices réalisés et la volonté de Sa Majesté, du remboursement de tout ou partie de cette avance que nous consentons, en somme, à la raison sociale Beaumarchais et Cie.

« Vous ferez mieux d'ailleurs de ne pas conserver votre nom dans l'affaire ; même si l'on sait que vous y êtes intéressé, on ne croira pas à votre direction qui, aux yeux des Anglais, serait bien près d'impliquer notre participation. Voilà donc ce qui vous est proposé.

« Pour les Américains, tout reviendra au même ; pour vous, c'est une vaste entreprise, mais vous avez l'envergure souhaitable pour la mener, vous aurez très vite des fonds considérables de vos amis et des gros négociants, et vous pourrez vous constituer une jolie fortune. Cela vous convient-il ? »

Beaumarchais accepta d'enthousiasme, transporté à l'idée d'allier le patriotisme, l'intrigue, la charité, et l'argent — deux millions et plus ! — en un formidable amalgame dont il serait le tout-puissant brasseur.

XI

« **Mes amis les hommes libres** ».
Beaumarchais, sur les Américains.

A la suite de ce nouvel avatar, le 5 juin 1776, Vergennes donne à Beaumarchais ses ordres relatifs à la remise des fonds et des munitions. Le 10 juin, Beaumarchais touche du Trésor le fameux million, et le 16 il part pour Bordeaux.

Un mois après arrive le million espagnol : entre temps il a récolté des fonds importants. Beaucoup de grands seigneurs veulent participer à l'affaire. Beaumarchais a installé son entreprise dans un vaste bâtiment de la Vieille Rue du Temple, l'Hôtel de Hollande ; bref son affaire est montée sur un pied considérable ; il achète des navires, trois pour commencer, *le Pérou, la Belle-Hélène*, et un troisième, ancien transport militaire de la Marine d'Etat que lui vend le Gouvernement. C'est l'*Hippopotame.*

Beaumarchais, qui a camouflé sa maison sous le nom de *Roderigue Hortalès et Cie*, baptise son vaisseau le « Fier Roderigue », le fait bien réparer, le dote d'un bon capitaine et de cinquante-deux canons : ce sera le croiseur d'escorte qui protègera les caravanes maritimes de la maison Hortalès et Cie ; puis il rentre à Paris le 3 juillet.

*
* *

Les colonies unies, sûres maintenant d'avoir des secours — peu importe d'où ils viennent et comment on les remboursera, — lancent à la face du monde, le 4 juillet 1776, la proclamation de leur Indépendance. Les Américains ont envoyé en France, peu de temps avant, leur fondé de pouvoir Silas Deane, en attendant Franklin.

Silas Deane est accueilli et présenté à Monsieur de Vergennes par le docteur Barbeu-Dubourg ; vieux maniaque de la botanique, le docteur a voyagé beaucoup et il a très bien connu Franklin en Angleterre. Aussi, dès le début de l'affaire américaine, il s'est offert au ministère pour aider les Américains. C'est donc à lui que Franklin confie Silas Deane, et le Docteur a tout lieu d'espérer qu'il dirigera avec le délégué américain tous les échanges et envois. Mais Vergennes, quand le Docteur lui présente Silas Deane, leur explique que c'est à Beaumarchais qu'il confie la tête des affaires, et que c'est avec lui que doit traiter Deane.

Le vieux botaniste est très mécontent. Il écrit à Vergennes, après avoir conféré avec Beaumarchais, une lettre trop maladroite pour être méchante, où il explique qu'il tient Beaumarchais pour « un des hommes du monde les plus propres aux négociations politiques, mais peut-être en même temps un des moins propres aux négoces mercantiles » (tandis que lui, le botaniste il s'y connaît, morbleu !). « Il aime le faste ; on assure qu'il entretient des demoiselles ; il passe enfin pour un bourreau d'argent » ; en même temps il dissuade Silas Deane d'entrer dans les vues de Vergennes, et de se mettre en relations avec Beaumarchais qui ayant lu la lettre, dont Vergennes et lui s'amusent, répond au brave docteur et lui donne des explications complémentaires :

Eh ! que fait à nos affaires que je sois un homme répandu, fastueux, et qui entretient des filles ? Les filles que j'entretiens depuis vingt ans, Monsieur, sont vos très humbles servantes. Elles étaient cinq, dont quatre sœurs et une nièce. Depuis trois ans, deux de ces filles entretenues sont mortes à mon grand regret. Je n'en entretiens plus que trois, deux sœurs et ma nièce... Mais qu'auriez-vous donc pensé si, me connaissant mieux, vous aviez su que je poussais le scandale jusqu'à entretenir aussi des hommes, deux neveux fort jeunes, assez jolis, et même le trop malheureux père qui a mis au monde un aussi scandaleux entreteneur ?... »

Pauvre docteur ! Le voilà bien humilié, bien chagrin.

Enfin il trouvera certainement des capitaux, lui : non, il n'en trouve pas ; alors bravement, avec les siens il équipa un petit navire, le chargea de toutes sortes de bonnes choses pour les Américains, et le confia au destin. Le petit navire n'est ja, ja, jamais arrivé, et le pauvre docteur se trouva ruiné, parce que les Anglais rencontrèrent le petit navire du pauvre docteur et n'en firent qu'une bouchée. Le docteur se vengea en écartant de Beaumarchais Franklin quand celui-ci arriva en décembre 1776. Il mourut deux ans après.

De son côté Arthur Lee, l'homme jaloux, arrive en France au même moment, et s'évertue à jeter des bâtons dans les roues ; il essaye d'abord de brouiller Silas Deane et Beaumarchais, mais Beaumarchais avait toute confiance en Deane, un grand gaillard blond, à l'œil franc ; ils se mirent facilement d'accord sur la nature des envois et des retours, et Beaumarchais prêta pendant plus de six mois de l'argent à ce « bon républicain », que sa bonne république négligeait totalement d'entretenir. Lee alors, toujours aiguillonné par sa basse jalousie, écrit au Congrès que Deane et Beaumarchais font du commerce, qu'ils s'entendent pour transformer en spéculations ce qui dans l'intention du gouvernement français n'était qu'un don.

*
* *

L'affaire ne va pas toute seule, et Beaumarchais en a tant d'autres sur les bras : c'est à en perdre la tête ! Tout d'abord il a son procès La Blache qui se réinstruit à Aix ; on est d'ailleurs encore loin du jugement, mais il ne doit pas le perdre de vue ; ensuite il a une requête pendante devant le Grand Conseil ; la nécessité de sa réhabilitation s'impose maintenant.

C'est à ce moment que Beaumarchais est obligé de partir pour Bordeaux, pour ses affaires, et justement le Grand Conseil va rendre sa décision. Il est bien inquiet et songe à ajourner son départ. Maurepas, à qui il confie ses craintes, le rassure : « Allez donc, mon cher, le Conseil jugera bien sans vous : n'ayez crainte, d'ailleurs, on vous appuiera ». Beaumarchais part donc pour Bordeaux ; Gudin l'accompagne. Le surlendemain de son arrivée, il trouva en rentrant à l'hôtel. plusieurs lettres de Paris ; il les lit, très tranquillement ; Gudin, attentionné, lui demande : « Tout va bien, oui ? — Oui, merci, parfaitement ».

Gudin s'endort du sommeil du juste. Beaumarchais le réveille à quatre heures du matin. Un bâillement : « Ah ! qu'y a-t-il, vous êtes souffrant ? — Non, seulement nous partons dans une demi-heure pour Paris. — Sérieusement ? Que se passe-t-il donc ? — Le Grand Conseil a rejeté ma requête. — Pas possible, s'écrie Gudin sautant du lit. Et vous ne m'avez rien dit hier soir ! — Je voulais que vous dormiez en paix » réplique Beaumarchais avec son air le plus bonhomme.

On repart donc, on galope, sous le soleil d'été, et Beaumarchais se souvient d'une autre galopade, deux ans avant, sous le soleil d'août, d'Amsterdam à Vienne, et il fait la grimace.

En soixante heures — record ! — Beaumarchais était à Fontainebleau, où la Cour passait l'été. Maurepas sursauta en le voyant devant lui dans son bureau et se précipita à sa rencontre : « Mon pauvre enfant, je suis aussi désolé que vous. — Alors vous perdez mes affaires pendant que je travaille à celles du Roi ; ce n'est pas sérieux, voyons ! Il *faut* que ma requête soit admise. — C'est Miromesnil (le Garde des Sceaux) qui a commis une sottise, il a très mal manœuvré. Allez le chercher, il est à son bureau, et revenez me trouver, nous arrangerons cela. » Aussitôt dit que fait. Piteux, Miromesnil arrive, on décide de reprendre la question sous une autre forme, on fait bien la leçon au pauvre Garde des Sceaux ; moins d'une semaine après, la requête était admise par le Conseil.

Peu après agonisait le Prince de Conti, ami fidèle deBeaumarchais depuis douze ans ; d'une impiété notoire, il refusait à son chevet tout prêtre et tous sacrements. Ce fut Beaumarchais que la famille de Conti pria d'obtenir du Prince qu'il mourût muni des sacrements de l'Eglise. Et le bon Beaumarchais qui, sans jamais pratiquer, restait fidèle à la religion et croyant au fond, Beaumarchais qui avait fait sa communion et s'était marié à l'Eglise, mais ne devait pas recevoir l'extrême-onction, obtint de son vieil ami qu'il se confessât à l'archevêque de Paris et en reçût l'ultime viatique. Le Prince de Conti mourut en chrétien, le 2 août 1776. Beaumarchais perdait en lui un ami tout dévoué et un puissant soutien.

Le 12 août, il recevait de Louis XVI ses lettres de relief de temps, conçues en termes très élogieux :

« Attendu que notre amé Pierre Augustin Caron de Beaumarchais est sorti du royaume par nos ordres et pour notre service, voulons qu'il soit remis et rétabli en tel et semblable état que si ledit laps de temps n'était pas écoulé, et qu'il puisse, nonobstant icelui, se pourvoir contre ledit jugement par requête civile ou telle autre voie de droit qu'il avisera bon être. »

Car tel est notre bon plaisir : la royauté certes avait du bon.

Beaumarchais est pressé maintenant ; or les vacances du Parlement approchent, et le jugement ne sera pas rendu avant la rentrée, en novembre. Alors Beaumarchais, que Maurepas s'applique à choyer et qui s'efforce d'amuser toujours Maurepas, présente imperturbablement au vieux Ministre quelques brouillons de lettres, et lui dit : « Faites recopier, signez, cachetez et expédiez ; il y en a une pour le premier Président, une pour l'Avocat Général, et quelques autres. » Et Beaumarchais remercie par anticipation le comte de Maurepas...

Il est obligé, au même moment, d'expédier à d'Eon qui essaie avec lui du chantage, une immense lettre, qu'il recommence trois fois, par galanterie, « n'ayant pas jugé à propos, réflexion faite, de lui envoyer les deux premières, et réprimant autant qu'il a été possible toute sensibilité aux outrages reçus, parce qu'elle était *Elle* et non pas *Lui* ». Brave cœur !

*
* *

Le 6 septembre, avant de se séparer, les membres du Parlement, Grand'Chambre, et Tournelle assemblées, examinent la requête civile que Beaumarchais a présentée — faveur royale, car l'affaire devait légalement être portée en revision devant le même tribunal qui avait condamné, c'est-à-dire le seul Grand Conseil, où étaient rentrés, après la dissolution du Parlement Maupeou, presque tous les juges de Beaumarchais en 1774.

Affluence considérable. Beaumarchais, sûr cette fois du succès, n'a pu s'empêcher, sinon d'inviter, du moins de prévenir tous ses amis, et chacun a voulu assister à cette extraordinaire séance. Beaumarchais a chargé de sa défense un avocat nommé Target, très populaire et célèbre à cette époque pour s'être refusé, de tout temps, à siéger et plaider au Parlement Maupeou.

Target prononça un discours fort éloquent, où, après avoir résumé l'historique de l'affaire, il démontra l'iniquité du jugement, rappela que ni Louis XV ni Louis XVI n'avait hésité à charger de missions de confiance ce blâmé, rappela aussi toute l'amitié intime et profonde qui unissait feu le Prince de Conti à Beaumarchais, et, flétrissant quelque peu des personnalités comme celle de Nicolaï ou consorts, conclut à la réhabilitation. L'avocat général Séguier termina en apportant à ce discours son approbation, quasi-officielle, et la Cour rendit un arrêt conforme. Beaumarchais, debout aux côtés de son avocat, a les larmes aux yeux, mais lève fièrement la tête. On applaudit à tout rompre. Il est enlevé, hissé à bout de bras et porté en triomphe jusqu'à sa voiture. Sur un papier il griffonne et envoie tout de suite un petit mot à M. de Vergennes, en le priant de prévenir Sartines et Maurepas :

« Paris, 6. 9. 76. Monsieur le comte. Je viens d'être jugé, déblâmé avec un concours universel d'applaudissements. Jamais citoyen infortuné n'a reçu plus d'honneurs. Je me hâte de vous en informer en vous suppliant de bien en mettre ma vive reconnaissance aux pieds du Roi. J'ai plus de 400 personnes autour de moi, et je suis si tremblant de joie que ma main peut à peine écrire tous les sentiments respectueux avec lesquels, etc... »

*
* *

Pauvre réhabilité ! Il lui est bien impossible de se reposer sur ses lauriers, de vivre tranquille : il déclare pourtant que c'est son rêve ; il est encore loin de le réaliser. Le réalisera-t-il jamais ? sortira-t-il un jour de ce tourbillon qui l'emporte, rompra-t-il cette chaîne d'affaires de tous genres qui l'assaillent, cet homme « universel », comme l'appelle le fameux Cailhava dont il a fait connaissance à Fontainebleau, où la Cour a assisté à sa pièce *l'Égoïste*. Car Beaumarchais est est obligé de se trouver partout à la fois, de garder le contact avec tous : Maurepas, Sartines, l'Ambassadeur d'Espagne, les associés de Nantes, de Bordeaux, du Havre, de Lorient, le Congrès et ses représentants américains à Paris, ses agents ; en Angleterre, c'est Théveneau de Morande, qui lui est tout dévoué ; en Amérique, c'est Théveneau de Francy, frère du premier, jeune homme intelligent et que Beaumarchais a pris pour Trésorier général et majordome au service de Roderigue-Hortalès et Cie ; il lui faut correspondre aussi avec ses officiers de marine, avec ceux qu'il enrôle lui-même et envoie avant La Fayette aux États-Unis ; il faut mener tout ce monde-là. ménager les susceptibilités des uns vis-à-vis des autres, réparer les sottises ou les indiscrétions de celui-ci, obliger celui-là à recouvrer les créances, donner à tous des instructions précises, recevoir les doléances des uns, envoyer les siennes aux autres. Il ne se passe pas de semaine qu'il n'écrive longuement à Vergennes et n'en reçoive maintes indications. Il écrit pour le commerce un travail sur la monnaie des États-Unis, un mémoire sur Madagascar, un autre sur les Indes pour le trafic par l'Océan Indien. Vie de forçat qu'il mène avec l'énergie et le sourire coutumiers.

Comme caissier de sa maison, rue du Temple, il a engagé le frère de Gudin. Il a envoyé son neveu, le fils de Lépine, en Amérique comme officier ; il a envoyé aussi un nommé Ducoudray (frère de l'avocat) artilleur et mauvaise tête, le marquis de La Rouerie, grand ami de Washington, le général Pulawski, polonais, le comte de Conway, irlandais, le baron Steuben, allemand, ex-chef d'Etat-Major de Frédéric. Et tout cela doit être mené dans le secret, car lord Stormond s'agite, dénonce, crie à la trahison ; les navires anglais croisent au long même de nos côtes, et il faut que ceux de Beaumarchais, auxquels s'ajoutent de nouvelles unités, *le Ferragus*, *l'Amphitrite*, *le Flamand*, *le Mercure*, *la Thérèse*, *la Marie-Catherine* sortent des rades sans éprouver les malheureuses rencontres du navire Barbeu-Dubourg... Il faut jouer au plus malin avec les Anglais ; ne risque-t-il pas des millions s'ils s'emparent des 25.000 fusils, des équipements complets pour 25.000 hommes, des boulets, des canons, de la quincaillerie *anglaise*, des draps, gaze, rubans, étoffes de soie, clous, toiles, agrès, papiers, livres, brosses ?

Entreprise considérable, frais proportionnés : le premier envoi de Beaumarchais aux Américains dépasse trois millions ; en un an il a expédié pour six millions de marchandises, et il n'a reçu du Congrès ni argent, ni retours en nature, pas plus en coton qu'en indigo, en riz qu'en tabac, ni même une seule lettre ! Il court à la faillite, une faillite terrible, parce qu'il sera le seul à en pâtir.

Il a bien obtenu à nouveau de Vergennes, pendant l'année 1777, en trois fois, une avance globale de un million cent mille francs, mais ce sont toujours des avances, qu'il faudra sans doute rembourser tôt ou tard ; c'est comme les fournitures de guerre des arsenaux, qu'il faut payer *comptant*, à raison de vingt-cinq francs le fusil, les mortiers au poids, à quarante sous la livre de fonte : dans le cas où Beaumarchais demanderait des délais, il devrait déposer une caution importante ; il doit remplacer la poudre sous trois mois. Et toujours rien du Congrès ! malhonnêteté, exploitation de la générosité connue de Beaumarchais ? Non pas, mais malentendu, cruel pour Beaumarchais, et créé par Lee qui n'hésite pas à écrire au Congrès, après l'avoir déclaré à Franklin, que « M. de Vergennes le ministre, et son secrétaire lui ont assuré à maintes reprises qu'aucun retour n'était attendu pour les cargaisons envoyées par Beaumarchais. Ce gentleman n'est pas un négociant, mais un agent politique de la Cour de France ».

Quelques jours après, avec moins d'assurance, il se répète en ces termes : « Le Ministère nous a souvent donné à entendre que nous n'avions rien à payer pour les cargaisons fournies par Beaumarchais ». Cependant son petit trésorier se démène auprès du Comité secret du Congrès, Silas Deane rentré en Amérique peu de temps après l'arrivée de Franklin, s'évertue à montrer le manège d'Arthur Lee. Enfin, en décembre 1777, Beaumarchais reçoit une cargaison bien maigre de riz et d'indigo : il y en a pour 150.000 francs, et il a envoyé pour plus de quatre millions déjà ! Et là ne se bornent pas les ennuis de Beaumarchais : on le trouve un peu téméraire à la Cour, et on expédie parfois un contre-ordre aux capitaines de ses navires chargés de fusils et de balles, de canons et d'officiers, ou bien on lui refuse les matelots dont il a besoin. Beaumarchais est obligé d'aller implorer Vergennes, et les retards peuvent avoir de graves conséquences. Il n'hésite pas à lui écrire : « Quel pays ! où le plus léger intérêt particulier suffit pour arrêter les vues les plus importantes ! », et quand Vergennes lui donne trop de mal, il va trouver l'illustre Sartines, devenu Ministre de la Marine — il n'y connaît goutte — et tout finit par s'arranger.

Pourtant il a le droit d'écrire à Francy qui est là-bas :

« Je lutte contre des obstacles de toute nature, mais je lutte de toutes mes forces, et j'espère vaincre avec de la patience, du courage et de l'argent. Les pertes énormes que tout cela me cause ne paraissent toucher personne. »

Il ne perd pas espoir d'ailleurs, jamais, et continue :

« Quant à vous, mon cher, je vous crois arrivé. Je crois que vous avez obtenu du Congrès un à-compte raisonnable, et tel que la situation des affaires d'Amérique a permis qu'on vous le donnât. Je crois, suivant mes instructions, que vous avez acquis et acquérez encore tous les jours des tabacs, je crois que mon ou mes vaisseaux trouveront leurs retours prêts à embarquer aussitôt qu'ils arriveront où vous êtes. J'espère encore que si les événements les retardaient ici plus que je ne le crois, vous m'enverrez au moins par le *Flamand* une cargaison qui me tire un peu de la presse horrible où je suis. »

Autre part : « Chacun me regarde comme perdu et tout le monde me demande son argent. »

Et il prête pourtant de l'argent à qui lui en demande ; dans la même lettre il écrit :

« Je n'ai reçu aucun autre argent pour M. le comte de Pulawski que celui qu'il m'a remis lui-même.

« Je viens de payer 100 louis à son acquit... J'approuve ce que vous avez fait pour M. de Lafayette. Brave jeune homme qu'il est ! c'est me servir à ma guise que d'obliger des hommes de ce caractère ! »

Francy, le voyant aux prises avec les usuriers américains, lui avait prêté sans hésiter de l'argent appartenant à Beaumarchais.

« Rappelez-moi au bon souvenir et à l'amitié de M. le baron de Steuben. Je me félicite bien, d'après ce que j'apprends de lui, d'avoir donné un aussi grand officier à mes amis les *hommes libres*... Je ne suis nullement inquiet de l'argent que je lui ai prêté pour partir. Jamais je n'ai fait un emploi de fonds dont le placement me soit aussi agréable, puisque j'ai mis un homme d'honneur à sa vraie place. Dites-lui que sa gloire est l'intérêt de mon argent et que je ne doute pas qu'à ce titre il ne me paie avec usure. »

En attendant, Beaumarchais avait un déficit de trois millions, et le pouvoir hésitait à continuer son aide. A Vergennes cependant il écrit : « Mais si tout n'est pas bien, tout n'est pas mal non plus... Une lettre... m'apprend que l'*Amphitrite* est arrivée sans accidents à Charlestown (Caroline méridionale). Je me hâte de vous faire passer cette nouvelle, en vous priant de vous en réjouir pour l'amour de moi, si la cause de l'Amérique est devenue si étrangère à la France que vous ne vouliez plus vous en réjouir pour l'amour d'Elle ».

Il continue à mener une vie des plus usantes infatigable, il a passé par monts et par vaux une bonne partie de l'année 1777 ; doublé de Gudin, il court la France pour des affaires, du Havre, où entre deux visites de navires il fait répéter les acteurs qui vont jouer le *Barbier*, à l'arsenal de Rochefort ; de La Rochelle à Bordeaux, où on joue aussi le *Barbier* et où il est reconnu et acclamé ; de Cette à Marseille, où il expédie un de ses navires, l'*Heureux*, que Lord Stormond, toujours piaillant, retenait en rade depuis six mois. Il s'arrête à Aix, donne un coup d'œil à son affaire, qui n'est pas encore prête à être appelée ; à Lyon, il récolte des fonds et termine des négociations ; il remonte dans l'Est et rentre à Paris. D'une puissance de production invraisemblable, Beaumarchais a lancé aux Ministres quatre ou cinq mémoires, soit sur la question américaine, soit sur la Caisse d'Escompte, nouvelle création qu'on n'ose pas encore appeler Banque près de soixante ans, après les exploits de Law, et pour laquelle les Ministres ont consulté Beaumarchais. Il a répandu pour son affaire La Blache une « Suite à la justification du procès de Beaumarchais » et y a inséré, décidément incorrigible, un discours qu'il avait préparé pour sa réhabilitation au Parlement, en 1776, et qu'on l'avait empêché d'y prononcer. Bien entendu, dans ces conditions, la brochure est supprimée ; peu après, il entre en contestations avec les comédiens, à propos d'honoraires qu'on lui devait pour le *Barbier de Séville.*

XII

« Ah ! les étranges animaux à conduire que des comédiens ! »

Molière, *Impromptu de Versailles.*

Depuis toujours, les comédiens procédaient en ces matières vis-à-vis des auteurs à l'aide de cotes mal taillées ; les droits d'auteur se touchaient très irrégulièrement, aucun règlement ne définissant les prérogatives des uns et des autres ; depuis longtemps les auteurs tentaient en vain de réglementer ; les intéressés restaient intraitables : en 1776, le Duc de Richelieu, « Supérieur des comédiens », à l'occasion d'un procès entre un auteur et eux, pria Beaumarchais , habile parmi les plus habiles, d'étudier la question, les livres de comptes du Théâtre Français, les précédents, et de chercher si pouvait intervenir une solution générale et qui prendrait force de loi.

Les comédiens et Beaumarchais étaient en bons rapports, puisque l'auteur d'*Eugénie*, des *Deux Amis* et du *Barbier*, assez fortuné, ne leur avait rien demandé. Pourtant ils refusèrent absolument de lui communiquer leurs livres de comptes, même sur l'ordre du Maréchal. Beaumarchais n'insista pas et écrivit à Monsieur de Richelieu en lui promettant « de saisir la première occasion que ses ouvrages lui donneraient de compter avec les comédiens, pour examiner sérieusement qui avait tort ou raison. »

Effectivement, il leur demanda sur-le-champ de lui préparer un compte *bien taillé* sur les trente-deux représentations qu'avait déjà obtenues *le Barbier* ; pour toute réponse, la pièce disparut de l'affiche et on n'en parla plus. Beaumarchais ne l'entendait pas ainsi ; il se rendit à une réunion des comédiens où on lui demanda ce qu'il comptait faire désormais de sa pièce : « Donnez-la nous, c'est l'usage. — L'usage? Tiens, et pourquoi ? — Si vous ne voulez pas nous la donner... — Je ne dis pas cela. — ... Dites-nous combien de fois vous désirez qu'on la joue encore à votre profit, après quoi elle nous appartiendra. — Et pourquoi vous appartiendrait-elle ? — C'est l'usage. Voulez-vous qu'on la joue pour vous encore huit, dix, douze fois ? Allons, parlez ! — Eh bien ! puisque vous le permettez, je demande qu'on la joue à mon profit encore mille et une fois. — Monsieur, vous êtes bien modeste. — Modeste, messieurs, comme vous êtes justes. »

Quelque trois mois après, on lui envoie par Des Essarts, ex-procureur passé au théâtre, un relevé de comptes, avec son dû, « selon l'usage observé par la Comédie avec Messieurs les auteurs » : 4.500 francs pour 32 représentations à succès ; aucune signature au bordereau naturellement. Beaumarchais en réclame une ; il sait, et c'est là le point essentiel du différend — d'autres auteurs que lui sont en procès avec les comédiens — qu'en principe, les auteurs touchaient un douzième des recettes, tant que ces recettes ne tombaient pas en dessous d'un certain minimum ; si une seule fois la pièce y descend, elle devient la propriété des comédiens ; en outre, les acteurs ne comptent dans les recettes que le produit de la « porte », c'est-à-dire des places prises à l'entrée ; les places louées, en particulier les loges qu'ils louent à l'année, ne figurent pas aux recettes : Beaumarchais prend donc l'affaire en mains et sous l'égide de Monsieur le Duc de Duras, autre supérieur des comédiens, le seul qui s'en occupe de près, (c'est d'ailleurs leur ami, et plus encore celui des actrices) cherche à résoudre la question à l'amiable. Il lance un appel aux plus éminents auteurs dramatiques, les réunit chez lui, leur offre à déjeuner ; moyennant quoi ils arrivent à s'entendre entre eux, ce qui est déjà considérable.

Il les met bien au courant de toute la question, leur expose sur quoi porte exactement le différend, et leur propose de nommer un *comité d'auteurs dramatiques*; la proposition est acceptée, le comité prend le nom de *Bureau de Législation Dramatique* ; il comprendra quatre membres : Messieurs Saurin et Marmontel, académiciens, Sedaine et Beaumarchais, sont élus et rendront compte aux autres de leurs travaux quand ils auront cru mettre sur pied un accord satisfaisant. Parmi les autres auteurs, on voit Cailhava, J.-B. Rousseau, Gudin, Laplace, Chamfort, La Harpe, et d'autres dont le nom est oublié maintenant.

*
* *

Là ne se bornent pas les occupations de Beaumarchais.

Ne voilà-t-il pas qu'un beau jour d'août 1777, sans tambour ni trompette, le fameux d'Eon débarque à Versailles, et en tenue de dragon, encore ! Vergennes est affolé, il fait venir d'Eon et *la* sermonne d'importance : « Voyons, Mademoiselle !... »

Sagement alors, après avoir obtenu son petit effet,

d'Éon consent à prendre *les habits de son sexe ;* on lui commande deux robes chez la marchande de modes de la Reine ; parfaitement grotesque en vêtements féminins, d'Eon n'en défraie pas moins la chronique ; les paris sur son sexe continuent et s'amplifient, et les gens au courant déclarent que « tout concourt à confirmer que son vrai sexe est le féminin ». On le croira en France jusqu'en 1810, époque où d'Eon retourné en 1783 à Londres y mourut et fut examiné par des médecins et des gens dignes de foi.

En 1777, d'Eon est au plus mal avec Beaumarchais, qui a vu assez clair dans son jeu l'année passée ; *elle* a déjà écrit d'Angleterre à Vergennes que Beaumarchais avait « l'insolence d'un garçon horloger qui par hasard aurait trouvé le mouvement perpétuel ». En France, elle répand que Beaumarchais a gardé pour lui une partie de l'argent qui lui était dû, à elle ; c'est une pure calomnie, mais c'est le moyen mis à la mode par La Blache et qu'emploient contre Beaumarchais tous ceux qui n'en sont pas contents ; il y restera en butte jusqu'à la fin de sa vie.

Vergennes lui écrit pour le décharger publiquement de tout soupçon de ce genre.

Beaumarchais mène une vie d'intérieur (quand il y est) heureuse. Ce bourreau des cœurs a eu de Mlle de Villermawlaz, le 5 janvier 1777, une fille qu'il a appelée Eugénie. Mlle de Viller habite désormais chez lui à titre définitif, et il est entendu qu'on se mariera un jour ou l'autre officiellement. Pour compléter cette année féconde, sa voiture versa le 4 décembre rue des Petits-Champs, en revenant de Passy où Beaumarchais avait été voir Franklin : le mal fut léger, heureusement. C'est à ce moment qu'il reçoit la première cargaison américaine. Et la nouvelle année commence.

*
* *

Elle commence par une ultime réunion des auteurs chez Beaumarchais ; le travail est terminé, on le ratifie, et on s'apprête à le présenter au Parlement pour le faire approuver et lui donner force légale. Mais les uns cabalent contre les autres, d'aucuns fomentent des complots contre Beaumarchais ; finalement tout est abandonné, et chacun s'en va de son côté.

Beaumarchais d'ailleurs ne manque pas d'occupations : l'illustre d'Eon se décarcasse pour continuer à le calomnier, et Beaumarchais qui n'a lutté contre aucun ennemi depuis bientôt dix-huit mois, reprend la plume et répand dans les gazettes sa justification. Il écrit à Vergennes : « Il est prouvé qu'on n'a jamais pu faire un peu de bien à cette femme sans qu'il en soit toujours résulté beaucoup de mal pour ceux qui s'y sont intéressés. » Ailleurs il la qualifie de *misérable Marionnette.*

Au même moment Voltaire arrive à Paris ; il est heureux de serrer la main de l'auteur des Mémoires, qui assiste à la première d'*Irène.*

Puis Beaumarchais court à Aix. Il a trouvé le temps, — on se demande quand et comment — de rédiger un vaste mémoire sur son affaire ; le plus difficile, ce fut de trouver au Parlement d'Aix des avocats disposés à le contresigner : pendant que Beaumarchais élaborait un beau règlement dramatique, et expédiait toutes sortes de joujoux aux « hommes libres » d'Amérique, M. de La Blache, en effet, suivant son habitude, parcourait toutes les maisons de la bonne ville d'Aix, accaparait l'opinion à son profit, et les signatures de tous les avocats du Parlement au profit de ses élucubrations judiciaires, qu'il répandait à tous vents ; il resta tout de même, heureusement, deux ou trois avocats pour signer la prose de Beaumarchais ; La Blache en était fort marri : c'eût été un si bon tour à jouer à Caron que de lui souffler tous les suffrages !

Enfin La Blache avait toute la ville pour lui, et tout le Parlement, sauf quelques avocats : ville entichée d'aristocratie, et dont le corps de magistrature était tout entier noble. Beaumarchais risquait d'y perdre définitivement sa cause, lui qui arrivait au dernier moment, laissant à Paris, sans réponse, le brillant opuscule tout récemment paru de la spirituelle *Chevalière* d'Eon : « Très humble réponse à très haut et très puissant Seigneur, Monseigneur Pierre-Augustin Caron ou Carillon, dit Beaumarchais, baron de Ronac en Franconie, adjudicateur général des bois de Pecquigny, Tonnerre et autres lieux ; premier lieutenant des chasses de la Garenne du For-l'Évêque et du Palais, Seigneur utile des forêts d'Agiot, d'Escompte, de Change, Rechange et autres rotures, par *Charlotte-Geneviève-Louise*, etc., d'Eon. » : dragonnade sans valeur.

C'est en mai 1778 que Beaumarchais, escorté de l'inséparable Gudin, part de Paris pour Marseille, pour en expédier deux navires : avant de partir, il a terminé, tout invraisemblable que cela paraisse au milieu de sa vie si prodigieusement remplie, son *Mariage de Figaro*. Comment en a-t-il eu le temps ? Énigme. Mais le *Mariage* est prêt, et même les rôles sont attribués : il réserve à sa petite Doligny, qu'il n'a pas abandonnée, le rôle de la comtesse Almaviva. Mais il faut que les comédiens soient mieux disposés à son égard pour jouer cette pièce. Aussi attend-il.

En outre il a laissé, encore en jachères il est vrai,

le projet d'un opéra, non point comique comme le premier *Barbier*, mais dramatico-philosophique : *Tarare* ; de cet opéra, mis sur le métier en même temps qu'il composait sa préface du *Barbier*, c'est-à-dire en 1775, le plan et quelques tirades se trouvent mêlés au brouillon de ladite préface. C'est après avoir lié connaissance, en 1774, avec Gluck dont les théories musicales et les opéras agitaient fort le Tout-Paris, que Beaumarchais projeta avec le grand musicien la composition de *Tarare* ; n'étant que versificateur à la rigueur, et point poète, Beaumarchais a d'abord écrit en prose son opéra : quand il en trouvera le temps, il le mettra en vers.

*
* *

Pour lors, il s'agit du dernier acte de cette tragicomédie qui dure depuis huit ans : la succession de Pâris-Duverney, ou le procès La Blache. Et Figaro-Maître Jacques prend ses dernières dispositions pour que tout finisse bien. Ainsi passe le mois de juin.

Le matin même où l'Angleterre, qui cherchait la guerre depuis que la France lui avait signifié, le 13 mars 1778, la reconnaissance de l'indépendance américaine, tirait son premier coup de canon contre une frégate française devant Morlaix, Beaumarchais lançait à Aix sa *Réponse ingénue du sieur P.-A.-C. de Beaumarchais à la Consultation très injurieuse répandue à Aix par le sieur Falcoz de La Blache*. La première partie contient « les moyens du sieur de Beaumarchais »; la seconde est intitulée « les ruses du comte de La Blache ». Et c'est toute la vieille histoire que Beaumarchais remet au point, pour la plus grande édification des bonnes gens d'Aix.

Le soleil aidant, la ville est en révolution à midi ; à deux heures, Beaumarchais a déjà nombre de partisans, et le soir, té ! l'opinion est complètement retournée ! Et voilà !

Beaumarchais n'a pas bougé de la maison de son procureur, M. Mathieu, qui le loge ainsi que Gudin. La Blache, flanqué de son fameux lieutenant Châtillon, suivi comme à Paris de son armée d'avocats, de procureurs, de solliciteurs, d'huissiers, de recors plus ou moins véreux et vendus, court en vain Aix. Mais l'opinion est passée en un tournemain à son adversaire. La Blache n'a plus que la ressource de présenter une requête de lacération et incinération contre le Mémoire de Beaumarchais. Le fait est que Beaumarchais y est plus violent et moins spirituel qu'en 1774 ; il raconte les ruses de Caillard et du comte, ne ménage ni l'un ni l'autre, bien que Caillard soit mort, assez malheureux, depuis trois ans. Il aurait pu, même en narrant les faits, laisser l'anonymat sur ce pauvre avocat.

Il lança encore un deuxième mémoire, et pendant un mois, du matin au soir, le Parlement siège, et examine avec une minutie et une impartialité dignes d'éloges toutes les phases, tous les tenants et aboutissants de cette affaire qu'on a voulu rendre si obscure, et qui est si lumineuse. Pour finir, Beaumarchais demanda à développer ses preuves devant tous les juges, et requit pour son adversaire le même avantage. Le Parlement l'accorda, et durant cinq heures chacun, à une journée d'intervalle, Beaumarchais puis La Blache expliquèrent et plaidèrent leur cause devant tous les magistrats. Le 21 juillet, jour de l'échéance, Beaumarchais ne sort pas de chez maître Mathieu.

Le public est massé à la porte du Palais de Justice,

ou s'égrène en groupes animés à l'ombre d'une grande allée qui y conduit. La Blache est dans son salon, qui donne sur cette avenue, et derrière ses rideaux, il voit et entend passer tous les curieux qui discutent passionnément. Il a perdu l'espoir, dès maintenant. Gudin pérore dans un groupe, à la porte même.

Marin, retiré à La Ciotat, son cher pays natal, et manquant de distractions, est venu à Aix suivre le procès de son vainqueur, et il montre sa ronde personne aux uns et aux autres.

A la clarté des premières étoiles, on proclame que Beaumarchais a gagné. Hurlements de joie, bravos, course effrénée de Gudin suivi de centaines de partisans qui arrivent en trombe chez Beaumarchais.

Il entend la rumeur, son cœur fatigué bat à grands coups ; il se lève de son fauteuil ; déjà Gudin est dans la pièce, et derrière lui s'écrase l'invasion des enthousiastes méridionaux. Beaumarchais pleure nerveusement et s'évanouit : « Oh le povre ! vite des sels, de l'eau, de l'air, du vinaigre ! » et tous se pressent à l'entour. Beaumarchais revient à lui, sourit, met un chapeau, prend sa canne, et traverse la ville pour aller remercier le premier président. En route, Gudin lui donne des détails : ses mémoires, comme ceux de La Blache, ont été lacérés par un huissier de la Cour, et Beaumarchais condamné, pour avoir répandu un libelle injurieux, à verser mille écus pour les œuvres de bienfaisance et les hospices d'Aix. Mais les écrits de son adversaire ont été déclarés *calomnieux* ; Beaumarchais a gagné à l'unanimité. La Blache est condamné aux dépens, à douze mille livres de dommages-intérêts, et à l'exécution intégrale des clauses de l'acte signé par Duverney.

Après s'être fait sérieusement sermonner par le

premier président, pour la violence de ses mémoires, Beaumarchais rentra chez son procureur. Un grand souper fut servi, tous les violoneux, flûtistes, joueurs de castagnettes et de tambourin du pays jouèrent sous sa fenêtre jusqu'à minuit ; ses partisans dressèrent des tas de fagots, et à la bienveillante pénombre ınaire, allumèrent un feu de joie et dansèrent autour.

Les jours suivants, Beaumarchais est invité partout ; au lieu de mille écus, il en verse deux mille, autant par forfanterie que par générosité, et pour féliciter Aix, dit-il, « d'avoir de si bons et si vertueux magistrats ».

Le 31 juillet 1778, La Blache s'empresse de lui verser son dû, 70.625 livres, savoir : 15.000 livres dues par l'acte ; 5.625 livres d'intérêts ; 12.000 livres de dommages-intérêts ; 8.000 pour les dépenses payées par Beaumarchais en 1773, à l'appel, et 30.000 livres d'intérêts d'une somme de 75.000 francs que Duverney s'engageait, en lâchant l'affaire des bois de Touraine, à prêter à son associé pendant huit ans, sans intérêts. En août, sous prétexte de mettre au point certaines informations des gazettes à ce relatives, Beaumarchais écrit aux feuilles de Paris, en leur donnant force détails sur l'épilogue de son procès ; il veut surtout attirer un peu plus sur lui l'attention de Paris, qui l'oublie presque depuis son départ.

*
* *

Mais Beaumarchais n'a jamais le temps de beaucoup se reposer. Il repart pour Paris à la fin août, et reprend bien en mains sa maison de commerce, qui paraît prospérer.

C'est maintenant la guerre. Pourtant Beaumarchais, en grand secret, va passer douze jours à Londres pour se documenter sur la tournure des évènements. *Le Fier-Rodrigue* rentre d'Amérique sans encombres le 1er octobre. *Le Ferragus*, chargé et armé, est parti en septembre de Rochefort. Tout va bien, sauf que Beaumarchais engage sa fortune personnelle, et dépasse ses possibilités, attendant toujours du Congrés des retours qui n'arrivent point. En outre il risque une faillite redoutable, si les États, continuant à ne rien payer ni envoyer, ses navires viennent jamais à être attaqués et pris par les flottes anglaises.

Le *Fier-Rodrigue* repart avec une importante flottille chargée à en crever et qu'il escorte. Beaumarchais à la Rochelle préside au départ. Puis il rentre à Paris et apprend que Gudin est décrété de prise de corps, et que prévenu à temps, il a pu se sauver dans l'enclos du Temple, où le droit d'asile médiéval est encore en vigueur. Tout cela pour avoir publié quelques vers trop flatteurs pour Beaumarchais et trop méchants pour le Parlement de Maupeou, dans une nouvelle gazette française imprimée à Londres, *Le Courrier de l'Europe*, — dont à vrai dire, le directeur était Théveneau de Morande et l'administrateur, qui donne le ton, Beaumarchais lui-même. Les vers de Gudin étaient un éloge dithyrambique à la gloire de Beaumarchais et de son dernier succès judiciaire. Un vers modifié fut cause de l'affaire, où les membres du Grand Conseil, ex-Parlement Maupeou, entendaient frapper indirectement Beaumarchais ; Gudin avait écrit à propos de Goëzman :

Ainsi du Parlement la sévère Justice
A de tes ennemis confondu la malice.
Ils se flattaient pourtant que leur art ténébreux

Qui d'un *vil sénateur* en des temps malheureux,
Avait fait incliner la vénale balance
De nos vrais magistrats suspendrait la prudence.

Le vil sénateur, c'était Goëzman. Mais le typographe, qui sans doute ne portait pas dans son cœur le Parlement Maupeou, remplaça « vil sénateur » par « Sénat profane », et ces messieurs protestèrent.

Beaumarchais alla chercher Gudin, le ramena chez lui, sûr qu'on n'oserait pas l'y prendre, et écrivit à M. de Maurepas. Gudin est bientôt libéré, sur requête l'affaire est jugée, mais son avocat, trop hardi dans ses appréciations sur le Grand Conseil, est suspendu pour trois mois. Le Pouvoir multiplie les cahots, les décisions *ab irato*, les inconséquences, les erreurs qu'on répare tant bien que mal. L'opinion commence à suivre le mouvement, et à chaque nouvelle décision du Gouvernement, à prendre le contre-pied.

Beaumarchais est toujours plongé dans les affaires. Il a quarante-sept ans, il est au sommet de sa gloire, au point culminant de sa carrière. Il aura encore de beaux moments, des périodes brillantes, mais de moins en moins, et de plus en plus espacées par des difficultés que l'âge et les nouvelles circonstances de sa vie et de la vie sociale l'empêcheront de surmonter et de vaincre avec l'élégante insouciance, l'énergie opiniâtre, l'heureuse souplesse qu'il a montrées jusqu'ici. Il a dépensé tant d'esprit, tant d'activité, il a lutté et bataillé tellement, tout en se jouant, depuis huit ans et surtout depuis 1773 !

XIII

> « J'ai besoin de me reposer, non dans l'inaction, je ne le puis, mais dans le changement d'occupation, c'est ma vie. »
>
> *Beaumarchais, Mémoire contre Kornmann.*

Pour l'heure, c'est encore et plus que jamais l'homme célèbre, l'homme universel, reçu partout, c'est encore l'activité inouïe, c'est encore la bonne humeur intarissable, l'ardeur et la bonhomie généreuses, c'est encore son allégresse de vie, de bonheur et d'action.

C'est ainsi qu'à ce moment où il est débordé par ses affaires, où il travaille frénétiquement à toutes sortes d'entreprises plus considérables l'une que l'autre, avec le regret que les jours n'aient que vingt-quatre heures, il reçoit d'Aix une lettre aussi longue que confidentielle d'une jeune personne qu'il ne connaît pas, et qui, après lui avoir exposé ses malheurs, lui demande conseil.

Telle est sa renommée, et la bonne impression qu'il a laissée dans cette ville de soleil, après un séjour de six semaines : une nouvelle Marie-Madeleine, qui l'y a aperçu une fois, le choisit pour confesseur et directeur de conscience :

D'Aix 1er *décembre* 1778.

« Monsieur,

« Une jeune personne accablée sous le poids de ses douleurs vient chercher près de vous des consolations... Ne dois-je pas espérer que vous daignerez prendre ma cause et diriger la conduite d'une fille jeune et sans expérience ? Laissez-vous toucher par le récit de mes maux...

« Je suis délaissée par un homme à qui je me suis sacrifiée ; je me trouve victime de la séduction sans m'y être abandonnée (?) J'avoue en pleurant et non en rougissant, que j'ai cédé à l'amour, au sentiment, mais non pas au vice et au libertinage qui est si commun dans ce siècle dépravé (!) J'ai déploré même dans les bras de mon amant, la perte que je faisais. Plus je versais de larmes sur ce douloureux sacrifice, plus je croyais avoir de mérite à le consommer. Oui, j'ose le dire, dans le sein même de l'amour, j'ai conservé la pureté de mon cœur... J'ai longtemps combattu, je n'ai pu me vaincre...

« Je jouissais de quelque considération, il me l'a enlevée. Je n'ai que 17 ans, je suis déjà perdue de réputation... Hélas ! je sens qu'il m'est toujours plus cher. Je ne puis vivre sans lui. Il doit être mon époux, il le sera... Ah ! monsieur, prêtez-moi votre secours, tendez-moi votre généreuse main... C'est au pied du trône que je désirerais porter ma plainte... Vous connaissez le ministre, il vous considère... Dites-lui qu'une jeune personne qui implore votre secours implore sa protection... ; elle ne demande que la justice. Ne m'abandonnez pas, Monsieur, je remets ma destinée entre vos mains ! Daignez me rendre la vie. Vous seul pouvez me faire chérir une existence que mes douleurs me font détester. Si vous me faites la grâce de me répondre vous aurez la bonté d'adresser votre lettre à Monsieur Vitalis, rue du Grand Horloge, à Aix, et sur mon adresse, simplement : à Mlle Ninon... »

Et malgré ses multiples occupations, sans cesse croissantes, Beaumarchais répond longuement et sagement, avec douceur aussi, à ce « petit philosophe en jupon »[1] trop farci de *Nouvelle Héloïse* : Il lui écrit en bon père de famille. (Pourtant si Eugénie a plus de deux ans, sa mère est toujours *Mademoiselle de Viller)* :

Paris ce 19 *décembre* 1778.

« Si vous êtes, jeune inconnue, l'auteur de la lettre que je reçois de vous, il faut en conclure que vous avez autant d'esprit que de sensibilité.

« Votre cœur vous trompe, lorsqu'il vous conseille un éclat comme celui que vous voulez entreprendre, et quoique votre malheur puisse intéresser secrètement tous les gens sensibles, son espèce n'est pas de celles dont on peut venir solliciter le remède au pied du trône.

« Ainsi, douce et spirituelle Ninon, si vous me croyez bien sincèrement le galant homme que vous invoquez, vous ne devez pas hésiter à me confier votre nom, celui de votre amant, son état, le vôtre, son caractère, son genre d'ambition, quelle différence dans vos fortunes semble l'éloigner de celle qu'il abusa... En me choisissant pour votre avocat, il faut me croire digne aussi d'être votre confesseur. Sur quel espoir, sur quelles promesses vous a-t-on amenée aux dernières bontés ?... Ce jeune homme me paraît aussi indigne de vos regrets que de nos efforts communs...

La vertu n'est pas de prodiguer l'amour à un objet indigne, mais de vaincre l'amour qu'on sent pour un indigne objet... Oubliez-le, ma belle cliente, et que cette malheureuse expérience de vous-même vous trouve en garde contre toute autre séduction du même genre. Ou si votre petit cœur, entraîné par l'attrait du passé, ne peut goûter l'austérité d'un pareil conseil, ouvrez-moi donc ce cœur tout entier et que je voie, en étudiant tous les rapports, si j'en puis tirer quelque consolation à vous donner, quelque vue qui vous soit utile et agréable. Je vous promets

1. Loménie.

la plus entière discrétion et je finis avec vous sans compliments parce que la manière la plus franche est celle qui doit vous inspirer le plus de confiance. Mais ne me cachez rien. »

La correspondance continua quelque temps ; Mlle Ninon donne tous les détails que l'on veut, tout au long de longues lettres, et raconte son petit roman avec la candeur la plus effrontée. Mais Beaumarchais dans son tourbillon d'affaires, Beaumarchais qui va partir en guerre contre l'Angleterre, et dont les navires combattent aux côtés des bâtiments royaux, Beaumarchais dut abandonner la correspondance avec son ouaille, après l'avoir consolée et ramenée à des vues plus raisonnables : un bon point de plus à son actif ; beaucoup d'autres bienfaits aussi, du même genre, ou du domaine purement pécuniaire. Mais, de plus en plus. le temps lui manque.

*
* *

Tout en veillant à se réapprovisionner pour renvoyer ses navires en Amérique sitôt rentrés et sitôt déchargés de ces hypothétiques retours en nature, il met la main à beaucoup d'autres entreprises : un Mémoire au Ministre pour permettre aux négociants calvinistes de Bordeaux et de La Rochelle d'entrer dans la Chambre de Commerce, un Mémoire pour donner aux négociants un privilège que les fermiers généraux leur refusent : il continue à prodiguer ses soins à la création de la Caisse d'Escompte, il prête plusieurs centaines de mille francs à ses amis Périer qui veulent établir la fameuse pompe à feu de Chaillot, il reçoit des dizaines de pièces de théâtre de jeunes auteurs encore obscurs et qui souvent le resteront, à corriger au besoin, à approuver ; il reçoit un nombre invraisemblable de lettres sollicitant un prêt d'argent ou une place, des requêtes de comédiennes qui lui demandent de leur fournir un rôle, des prospectus d'inventeurs malheureux qui lui demandent des fonds pour réaliser une trouvaille qui révolutionnera le monde ; et il essaie d'aider chacun, les princes en déconfiture comme les écrivains sans éditeur, les avocats sans cause comme les artistes sans rôle. Et toujours, il lance une chanson par ici, une épigramme par là, il envoie des vers à l'eau de rose aux dames de sa connaissance ; il écrit même quelques fables, quand les événements lui en inspirent. Toujours, toujours. il est toujours le même !

Banquier et placier de tous les besogneux, il sollicite en outre de l'archevêque de Paris pour son nouvel ami le Prince de Nassau, la permission de se remarier avec une Polonaise divorcée. Enfin et surtout, l'illustre libraire Panckoucke, qui avait acheté à Mme Denis, la nièce de Voltaire, les inédits de feu son oncle, et se proposait d'entreprendre la première édition complète, se trouva à la faillite et vint trouver Beaumarchais.

Boum ! Toujours aussi pratique, aussi enthousiaste des grandes affaires, Beaumarchais va sur l'heure trouver le vieux Maurepas et lui explique que Panckoucke, obligé de renoncer à son entreprise, avait été invité par la grande Catherine de toutes les Russies à venir s'installer à Pétersbourg sous son aile. Mais Beaumarchais trouvait vexant pour la France que Voltaire s'imprimât en Russie à cause de la censure, toute de principe d'ailleurs, — car toute œuvre censurée circule mieux que les autres, — qui pesait sur le œuvres de Voltaire. Panckoucke en butte à ces difficultés, risquant beaucoup, lâchait prise. Beaumarchais venait demander l'appui du Roi pour reprendre l'opération, et éviter que les criailleries du Clergé et du Parlement empêchassent le premier écrivain du XVIIIe siècle de s'imprimer et de se lire complet ailleurs qu'en Russie.

Maurepas promit son aide et celle de Louis XVI. Alors Beaumarchais mit toute sa fiévreuse ardeur à préparer quelque chose de superbe, de monumental. Toujours jonglant avec les millions, il racheta pour 160.000 francs à Panckoucke les inédits de Voltaire, il expédia à Londres un typographe qu'il chargea de l'achat, pour 150.000 francs, de caractères d'imprimerie superbes et très renommés, ceux de l'imprimeur Baskerville, digne émule des Elzevier, prédécesseur de Didot. En Hollande, il envoya un homme pour étudier la fabrication du meilleur papier. Et, pour y installer son imprimerie, il loua le vaste fort de Kehl au Margrave de Bade, après avoir levé par des considérations économiques les scrupules et les hésitations morales de cet austère petit souverain. Enfin il réveilla les papeteries lorraines, presque abandonnées.

En outre, il songe à prendre comme directeur et typographe-chef l'illustre Restif de la Bretonne, très ferré, comme l'on sait, sur cette manière d'écrire un livre.

Entre temps ses affaires d'Amérique ont donné lieu à divers événements. Le 1er janvier 1779, après ses réclamations réitérées auprès du Congrès ainsi que celles de Silas Deane, et d'un autre Américain connu en sa faveur, Carmichael, du petit Francy aussi Beaumarchais reçoit du Président du Congrès une missive reconnaissante et pleine de promesses.

Ce n'était pas sans peine : les deux frères d'Arthur Lee siégeant au Congrès y avaient une forte influence, très néfaste. Enfin Arthur Lee fut rappelé, ayant tenté en vain d'évincer, après Deane et quelques autres, Franklin lui-même, pour rester seul représentant des États-Unis à la Cour de France.

Le *Fier-Rodrigue* partit peu après, en mai 1779, avec les quatorze navires de la maison Hortalès à convoyer.

Beaumarchais passe tout ce printemps à Rochefort et à Bordeaux ; il avait considérablement étendu son commerce, presque par nécessité d'ailleurs : ne voulant envoyer jusqu'à paiement que le minimum aux Américains, voulant aussi avoir un frêt de retour et utiliser toute sa flotte, il commerçait avec quelques États américains en particulier, Saint-Domingue encore, nos Antilles, Martinique et Guadeloupe, et toutes les petites îles ; il en rapportait des denrées coloniales, principalement du sucre : c'était là du vrai commerce, de vrai négociant, et qui lui plaisait parce que lucratif et permettant à sa maison de « tenir le coup », d'attendre de ce Congrès si mal renseigné, si défiant, et si peu empressé, d'autres reconnaissances que celle, bien rare d'ailleurs, qu'on lui témoignait épistolairement.

C'était la première fois qu'il lançait une flottille si importante.

Naturellement, la catastrophe se produisit pendant ce voyage-là. Aux premiers jours de juillet, le *Fier-Rodrigue* passait dans la mer des Antilles, dans le miroitement d'azur doré du soleil sur les flots, flatté par le vent qui caressait ses voilures bises, il avait l'air heureux et puissant, et sa proue séparait tranquillement l'eau écumante : l'amiral d'Estaing, avec son escadre en ligne, croisait dans les mêmes parages, attendant pour lui livrer combat la flotte de l'amiral Biron, embossée à la Grenade, possession anglaise. Après un échange de signaux, puis de conversations de bord à bord, le *Fier-Rodrigue* s'étant approché, l'amiral d'Estaing obligea le brave capitaine Montaud, au service de M. de Beaumarchais, à abandonner à leur sort précaire les bateaux marchands de son patron, et assigna son poste de combat au *Fier-Rodrigue*, qui était vraiment un beau et solide bâtiment.

Désemparée la flottille de Beaumarchais était sacrifiée, et même en mettant toutes voiles dehors, destinée à rencontrer des corsaires ou des canons anglais sur sa route.

Le 12 juillet, toute la journée, le *Fier-Rodrigue*, aux côtés du vaisseau-amiral *Le Languedoc*, envoya des boulets et en reçut. La victoire nous resta, mais *Le Rodrigue* avait perdu sa fière humeur : le pauvre Montaud était tué. Son frère rassembla les effectifs diminués, et inspecta les dégâts : ils étaient terribles, et l'amiral d'Estaing, en félicitant les marins du roi Figaro de leur belle tenue au feu, décida d'emmener à sa suite *Le Rodrigue* jusqu'au retour dans les eaux françaises.

Pour consoler Beaumarchais, il lui envoya un petit mot qu'il joignit au courrier de compte rendu pour Sartines, et qui lui arriva au début de septembre :

A bord du Languedoc, *en rade de St Georges*
île de la Grenade, 12 *juillet* 1779.

« Je n'ai, Monsieur, que le temps de vous écrire que le *Fier Rodrigue* a bien tenu son poste en ligne et a contribué au succès des armes du roi. Vous me pardonnerez d'autant plus de l'avoir employé aussi bien, que vos intérêts n'en souffriront pas, soyez-en certain. »

Comment donc ! Brave amiral, il s'avançait un peu, sur ce point. Mais quel honneur, pour un particulier, de voir sa marine *contribuer au succès des armes du Roi !* Beaumarchais n'en était pas peu fier.

Le frère de Montaud est proposé pour la croix au retour de la flotte en décembre, et Beaumarchais fait passer dans la marine royale un de ses officiers qui le désirait vivement, et qui y deviendra l'amiral Ganteaume.

Mais lui ? Lui a perdu sa marine de guerre, il ne doit plus compter sur le *Fier-Rodrigue*, pour un certain temps du moins, il est en outre obligé de le faire réparer à ses frais ; il ignore encore le sort de sa marine marchande. Il se venge en chansonnant Biron, l'amiral anglais.

Il écrit au Roi, et lui demande à titre de grâce momentanée 40.000 livres, se réservant de demander plus tard le remboursement de ses frais, en toute connaissance de cause. Louis XVI était trop heureux de la victoire pour les lui refuser. Et les affaires continuèrent ; en décembre, la flotte royale rentra triomphalement avec le *Fier Rodrigue* ; en même temps Beaumarchais recevait d'Amérique, outre l'assurance qu'une dizaine de ses vaisseaux avaient été capturés par les Anglais, 2.544.000 francs en valeurs de change, à valoir sur le compte final, à tirer à trois ans sur Franklin. L'armateur fit la grimace : « Ainsi au bout de six ans, leur ayant expédié dès maintenant plus de six millions de marchandises et reçu deux cargaisons de 150.000 francs chacune, je recevrai, si Dieu le permet, deux millions et demi, coût : deux millions deux cent mille francs et j'attendrai encore du Roi le remboursement de ma désastreuse campagne de cette année ; tout cela si d'ici-là aucune nouvelle catastrophe ne survient ! Quant à mes affaires avec la Virginie et la Caroline du Sud, c'est encore pis : le papier monnaie dont on m'a payé ne vaut plus rien, coût : trois millions. Résultat : tous mes bénéfices purement commerciaux y passent, et mon capital aussi : c'est la ruine ! Heureusement, j'ai mon Voltaire ! »

*
* *

Ah, le Voltaire ! La vision énivrante de quinze mille exemplaires, magnifiquement reliés, superbement imprimés, sur du papier admirable, en soixante-douze volumes in-octavo ! Et l'autre édition qu'on vendrait un peu moins cher, en quatre-vingt-dix volumes in-12 ! Là était la fortune, d'ici quelque temps, sans nul doute.

Mais on n'y est pas encore : voilà les Anglais qui croient bon de dénoncer officiellement au monde, par la plume de l'historien de la Cour, Gibbon, les perfidies du Gouvernement français et sa fausseté pendant la paix, jusqu'au 18 juin 1778. Beaumarchais ni Hortalès ne sont ménagés, certes, dans ce *Mémoire justificatif de la Cour de Londres*. L'armateur, laissant là pour un instant ses cargaisons, broche une réponse ; il a d'abord pensé à déposer une plainte contre le roi d'Angleterre, et à l'assigner. Mais c'était trop. Il donne seulement ses « Observations sur le Mémoire Justificatif de la Cour de Londres, par P. A. C. de Beaumarchais, armateur et *citoyen* français, dédiées à la *Patrie* » : voilà bien des termes qui ont fait leur chemin dans le monde durant les précédentes années et qui n'ont pas fini.

Tout cela est fort bien, et intéresse beaucoup de patriotes ; ce sont des discussions diplomatiques et politiques, et Beaumarchais défend courageusement son pays et sa propre personne. Malheureusement, il commet chemin faisant une erreur grave, en faisant allusion à un prétendu article secret du Traité de Paris de 1763, et d'après lequel l'Angleterre aurait imposé à la France une limitation d'armements maritimes, en fixant le nombre de nos navires à un maximum déterminé.

Comme on connaît ses saints, on les honore ; Choiseul, le duc de Praslin, et le duc de Nivernois, tous trois amis de Beaumarchais à ses débuts, et qui ont été les artisans de cette paix de 1763, croient à un coup monté, s'irritent de se voir imputer une clause maladroite et absurde, qui d'ailleurs n'existe pas. Ils écrivent à M. de Vergennes et font sommer Beaumarchais de supprimer ces inexactitudes. Par le *Courrier de l'Europe*, il fait rectifier son erreur, en l'attribuant à une faute d'impression, et en la remplaçant par une autre inexactitude, sans conséquence celle-là. Mais de trois amis il s'est fait trois ennemis ; ce n'est pas la première fois. Vergennes donne acte de leurs plaintes au Conseil des Ministres, et un arrêt intervient qui supprime la brochure de Beaumarchais, si utile par ailleurs, le 19 décembre 1779. Il a encore de la chance de s'en tirer sans qu'on ait sévi contre lui : lancer dans le public des révélations erronées sur des faits politiques récents encore est un cas passif de poursuites.

*
* *

Toujours papillonnant, il reprend ses travaux de législation dramatique. Là, il est animé d'un louable esprit de concorde, et après avoir laissé reposer les esprits, il espère arriver à un résultat. Un dîner monstre réunit chez lui auteurs, acteurs, actrices, et maître

Gerbier, grand avocat qui a pris en main la cause des comédiens et la plaidera. Le 1er mars, premier arrêt du Conseil d'État ; le 2 mai, second, réformant le premier ; enfin le 9 décembre 1780, la cause est réglée. Là comme partout où il a passé, il a essayé de faire du bien, lié ou non à son intérêt personnel, et s'est attiré des jalousies et des haines. C'est ainsi qu'un écrivain de n^{me} ordre, nommé Dubuisson, se livre dans la préface d'une tragédie intitulée *Nadir*, à un réquisitoire haineux contre le bureau de législation dramatique et principalement contre son dirigeant, Beaumarchais, qu'il accuse d'avoir toujours cherché son seul intérêt dans les délibérations et les décisions auxquelles il présidait. Dubuisson était quarteron : Gudin le traite de *Caraïbe* ; s'il n'y avait que Dubuisson, la chose serait négligeable pour Beaumarchais, mais derrière il y a Suard, critique littéraire, venimeux, mais intelligent : Suard était censeur et il avait comme tel approuvé la polémique de Dubuisson. Beaumarchais se plaint au pouvoir qui promet le silence.

Pourtant un grand pas était fait : il y avait maintenant un règlement déterminant les droits des auteurs et des acteurs, et pour mauvais qu'il fût, c'était la voie ouverte à un meilleur que plus tard on pourrait envisager : Gerbier fut trop éloquent, au fond, et diminua de beaucoup l'intérêt et la valeur du travail des législateurs dramatiques : il fut décidé en dernier lieu que les auteurs recevraient désormais un septième de la vraie recette des comédiens au lieu d'un douzième d'une recette de fantaisie. Pour ceux-ci Gerbier obtint que la « chute dans les règles », principe absurde, fût maintenue et, ce qui est plus grave, parvint à en faire élever les conditions : toute pièce ne faisant pas à une représentation 2.300 francs en hiver et 1.800 en été, était déclarée « tombée dans les règles », et devenait définitivement la propriété des acteurs : c'était leur donner toutes facilités pour « rouler » fort agréablement les auteurs. Le résultat le plus valable, dès cette époque, des travaux que Beaumarchais avait dirigés, était la constitution de la Société des Auteurs. Non encore organisés définitivement, sans doute, les auteurs ne s'en réunirent pas moins de temps à autre, l'esprit de corps prit naissance et on régla à l'amiable bien des contestations entre les uns, les autres, et les tiers, qui eussent été auparavant matière à procès. Là était l'espoir, en tout cas, d'élaborer un jour un règlement satisfaisant, quant aux drois respectifs et réciproques des auteurs, des gens de théâtre et des libraires.

Parallèlement, il pousse l'organisation de son imprimerie du Duché de Bade. Les ouvriers et les machines arrivent peu à peu. Beaumarchais va sur place lui-même, et installe comme directeur son agent de négociations avec le Margrave, un tout jeune homme, intelligent mais trop nerveux, nommé Le Tellier : on veut aller vite, on veut finir pour 1783. Beaumarchais rentre à Paris une fois la maison organisée. Mais, à tout moment, il est obligé de remettre l'affaire au point ; les contre-maîtres et Le Tellier, qui veut tout diriger, s'entendent mal ; les ouvriers, que brusque le jeune important, menacent de s'en aller ; et le travail n'avance que très lentement et au milieu de toutes sortes de difficultés.

Ne voilà-t-il pas, en effet, que le Margrave de Bade s'avisa de demander qu'on supprimât *Candide* de l'édition complète de Voltaire, ce spirituel *Candide* où l'on raille les châteaux westphaliens, la consolante doctrine de Pangloss, le baron de Thunder-Ten-Trunk, et son aristocratique sœur, qui s'était toujours refusée à épouser le malheureux gentilhomme dont l'arbre généalogique ne présentait que soixante et onze quartiers de noblesse ! Sans compter la Catherine de toutes les Russies qui agira diplomatiquement si Beaumarchais ne consent pas à garder en cartons certaine libre correspondance avec Voltaire, déjà imprimée et qu'il faut supprimer, à grands frais bien sûr...

Enfin on apporte tous les soins possibles à cette fameuse édition. On entreprend même à côté une édition de Jean-Jacques et deux autres ouvrages.

Beaumarchais est déjà loin. Il reprend courage dans ses affaires d'Amérique qu'il mène tambour battant ; il est à La Rochelle en août 1781, s'allie avec de nouveaux associés et fait construire des navires, bien qu'il trouve « les conditions de la construction diablement dures », comme il le communique à Francy rentré d'Amérique.

Le vieux La Vallière descend à la tombe à son tour ; encore un ami de moins.

Les tentatives d'agent matrimonial pour le prince de Nassau n'ayant pas réussi auprès de l'archevêque de Paris, Beaumarchais n'en reste pas moins grand ami du prince, et de son épouse que seul le clergé ne veut point reconnaître. Amitié des plus onéreuses pour sa pauvre caisse : il est du métier de tout bon caissier de grogner un peu quand le patron ouvre trop largement les cordons de sa bourse. Philippe Gudin, le caissier de Beaumarchais, se charge de grogner comme il convient contre les Nassau. Mais Beaumarchais ne peut refuser, et le prince et la princesse, paniers percés conjugués, puisent avec aisance dans sa caisse. La Polonaise, qui n'est jamais capable de l'appeler autrement que *Bon*marchais, — gratitude bien mal placée —

sait parfaitement le chemin de son cœur et de sa caisse. « Mon cher *Bon*marchais, je suis désespérée, mais il faut absolument que j'aille demain à Versailles pour affaires et je n'ai pas un petit écu. Envoyez-moi, si vous pouvez, quelques louis. »

Une autre fois, c'est tourné différemment : « Il y a bien longtemps que je ne vous ai vu, mon cher *Bon*-marchais, et vous allez en lire la preuve : c'est que je suis encore sans le sou. Envoyez-moi quelques louis, mon ami, si vous voulez que je dîne demain ».

Quant au prince, qui aime à s'amuser quand il ne guerroie pas, il se fait équiper, habiller et nourrir par Beaumarchais : pour ce qu'il ne lui a pas demandé directement, il lui envoie ses créanciers et Beaumarchais s'arrange comme il peut, c'est-à-dire en déboursant en quelques années 125.000 francs, pour Monsieur et Madame : c'est si flatteur d'être le père nourricier d'un joli prince courageux et d'une charmante princesse !

De son côté, Mme de Beauharnais le sollicite, pour son vieil ami Dorat, qui est menacé de mourir de faim et Beaumarchais est bien obligé de s'exécuter. Ce n'est point là ce qui emplit sa caisse ou améliore sa situation.

XIV

« ... Pourvu que je ne parle en mes écrits ni de l'autorité, ni du culte, ni de la politique, ni de la morale, ni des gens en place, ni des corps en crédit... ni de personne qui tienne à quelque chose, je peux tout exprimer librement, sous l'inspection de deux ou trois censeurs. »

Mariage de Figaro, Monologue, V, 4.

Chez les Nassau, on invite souvent Beaumarchais à dîner, naturellement : c'est la moindre des choses, mais finalement, d'une manière ou d'une autre c'est toujours lui qui paie. Un soir d'octobre 1781, on parle à table d'une malheureuse histoire qui fait alors quelque bruit . un certain Guillaume Kornmann caissier-administrateur des Quinze-Vingts, vient de faire mettre sa femme qui attend son troisième enfant, dans une *maison de force*, en vertu d'une lettre de cachet, qu'il a pu obtenir en accusant d'adultère son épouse. Beaumarchais, de qui l'on demande l'aide, refuse d'abord, alléguant qu'il n'a jamais fait une action louable et généreuse qui ne lui ait attiré des chagrins.

« L'histoire, la voilà, » raconte alors en détail un membre du Parlement qui était invité. « Les documents à l'appui, je les ai, vous les verrez tout à l'heure. Cette femme, presque une enfant, orpheline à onze ans, a été mariée à quinze par sa famille à Kornmann ; elle est de Bâle, lui de Strasbourg ; venus à Paris habiter rue Carême-Prenant, ils eurent deux enfants et elle en attend un troisième. Le ménage ne marchait pas bien. Kornmann avait fait signer à sa femme un acte de donation de toute sa fortune à son bénéfice. La nuit du 3 au 4 août, il y a deux mois et demi, on l'enlève, en lui déclarant que c'est le lieutenant de police qui veut la voir au sujet du divorce qu'elle réclame, conformément aux lois de son pays. On la débarque rue de Bellefond, et là on lui signifie qu'elle ait à y rester au nom du Roi. Elle est dans cette maison ignoble plusieurs jours dans le délire. Et c'est là qu'elle attend son enfant !

« Elle a adressé une requête à la Chambre des Vacations ; elle y explique tout cela. Kornmann d'ailleurs voudrait renouer, parce que sa fortune est en péril et que l'argent de sa femme, prisonnière, ne lui appartient pas effectivement sans une signature. Quant à l'accusation d'adultère, nous allons vous montrer son véritable aspect. Kornmann avait connu à Strasbourg d'où il était, M. Daudet de Jossan, syndic royal, et lui avait demandé de lui procurer, grâce à ses bonnes relations avec M. de Montbarrey, alors ministre, une caisse, c'est-à-dire une gérance administrative. En 1779, au mieux avec Daudet, Kornmann l'invite chez lui et le présente à sa femme. N'oubliez pas que cette pauvre petite a à peine vingt-deux ans, qu'elle est mariée depuis sept ans, et n'a jamais aimé son mari. Lui s'aperçoit très vite que Daudet, trop séduisant, s'efforce pourtant de renfermer un grand amour pour cette charmante jeune femme, si malheureuse chez elle. Alors l'odieux personnage voit tout le parti commercial à tirer de cet état de chose. Daudet est un honnête homme, mais léger, et son amour est grand. Mme Kornmann est une honnête femme, mais malheureuse, jeune, inexpérimentée. Et Kornmann est déjà âgé, rusé, fourbe, menteur et hypocrite. Le Tartuffe livre, vend sa femme à Daudet. Sous tous les prétextes, il laisse Daudet et sa femme à Paris, leur ménage des voyages avec lui mais s'éclipse en les laissant l'un à l'autre, il confie même sa femme par lettre à *son cher ami* ; il est sûr d'avoir sa caisse, parce que Daudet fera maintenant tout son possible pour cela. Il jette dans les bras l'un de l'autre sa femme encore innocente et Daudet chancelant, à qui, de loin. il écrit de mener à bien son affaire, et de laisser comprendre à sa femme qui résiste et lutte contre l'amour, qu'il est au courant et autorise tout. On en est à ce point atroce, l'adultère va se consommer quand brusquement, il n'y a pas encore trois mois, le ministère saute. Daudet ne peut plus rien, Kornmann devient aigre-doux, cherche la dispute, réclame grossièrement 3.600 francs qu'il a prêtés, c'est la rupture. Mais alors la pauvre jeune femme comprend ; elle redemande le divorce. Daudet, désespéré d'avoir failli se prêter à tant d'horreurs, se retire au loin et se tait. Kornmann ne veut pas le divorce qui rendra la liberté, l'argent et la libre parole à sa femme et qui éclairera son infâme conduite. C'est alors que se produit le coup que je vous ai narré plus haut et qu'on connaît. Des preuves ? Voici la réponse de cette pauvre femme, voici ses lettres à Daudet, où elle se défend de la tentation, voici les lettres de Kornmann à Daudet, où à mots couverts, l'horrible marché est dévoilé et où perce tout son manège. »

Les Nassau, émus de l'histoire, sont prêts à tous les efforts pour obtenir au moins que Mme Kornmann puisse mettre son enfant au monde ailleurs que dans une maison pour folles et prostituées.

Beaumarchais demande les lettres, se retire dans un coin, et lit.

Son sang bouillonne. Son parti est pris, cette fois, il mettra toute son ardeur à obtenir au moins que cette malheureuse mette son enfant au monde dans une maison d'accouchement. Maurepas, sur qui il comptait surtout, meurt sur ces entrefaites.

Enfin le 27 décembre, après avoir fait remettre un résumé au Roi, Beaumarchais obtint pour sa protégée l'ordre qu'il demandait et on la transporta chez un clinicien. Beaumarchais vit son héroïne, qui lui garde une reconnaissance émue. Mais il a souvent dû courir entre Versailles et Paris, ainsi que le Prince de Nassau, pour obtenir cette simple mesure d'humanité. Kornmann, naturellement, est furieux, mais n'ose affronter ce redoutable lutteur qu'est Beaumarchais. Il se taira donc pour le moment, mais à la première occasion, d'une manière ou d'une autre, il « repincera » le sauveur de sa femme.

Beaumarchais déjà a oublié cette affaire, au milieu des autres. Il est obligé de mettre à la porte de son imprimerie Le Tellier. décidément insupportable ; mais alors pour se venger, ce petit jeune homme tente de débaucher les ouvriers imprimeurs, et avec les rares qui l'ont suivi, vient un beau soir saboter les presses : cela se traduit par de nouveaux retards et un nouveau procès. Bref l'édition de Voltaire est encore loin de paraître, mais grâce à un brillant prospectus et à l'institution d'une loterie pour les quatre mille premiers souscripteurs, Beaumarchais obtient environ 1.800 commandes. Il n'y en eut jamais plus. Pour comble de bonheur, le caissier de cette entreprise passa la frontière avec une partie de l'argent des souscripteurs.

Quant à l'Amérique. elle envoie Silas Deane en

France pour régler le compte général de ses dettes à Beaumarchais. Le 9 avril 1781, ce compte est fixé à 3.600.000 livres, non comprises les lettres de change que Beaumarchais commence à toucher, tant bien que mal. Le compte est bien réglé, mais le paiement s'en fait attendre.

Et le *Mariage de Figaro* ! On en est toujours curieux. Le Théâtre Français l'a reçu en septembre 1781, d'enthousiasme. Beaumarchais alors est allé trouver le successeur à la police de Sartines (qui, lui, a dû abandonner pour incompétence le ministère de la Marine), le lieutenant de police Lenoir, à qui il recommande : « Surtout que personne, en dehors de vous et du censeur que vous voudrez bien me nommer, ne voie la pièce, ni commis, ni secrétaires. L'incompréhension des gens, leur sottise ou leur complaisance sont pires que tout, et cette pièce excitant la curiosité des gens au plus haut point, je ne veux pas qu'une indiscrétion puisse donner lieu à des bruits et à des médisances avant la représentation. » Lenoir promit que la pièce ne sortirait pas de son bureau. A quelques corrections près, l'avocat censeur Coquely donna son approbation. Mais le Roi avait voulu entendre la pièce, et n'importe qui avait été chargé de la lire à Versailles au grand plaisir de la Reine. Après souper, le premier venu avait pris le manuscrit et l'avait débité. La reine rit beaucoup, ses amies aussi : le roi va et vient, les mains au dos, ses gros yeux à fleur de tête roulant en tous sens ; parfois ses mains s'agitent. On voit qu'il n'est pas content. La lecture est finie, toutes ces dames caquettent et se répètent les bons mots qui leur ont plû. Louis XVI frappe de sa bague sur le marbre de la cheminée. On se tait. Alors, lentement, il déclare : « C'est détestable, injouable, et ce ne sera point joué ! — C'est pourtant bien spirituel, dit la reine. — Je vous dis, Madame, que je ne veux pas qu'on joue cela ; mieux vaudrait raser la Bastille maintenant ! » L'on en parlait déjà, mais le mot est prophétique : *Le Mariage* est le premier boulet qui ébranle la vieille forteresse. Beaumarchais l'a fondu à la chaleur de ses procès, de son expérience de la Cour et du monde, et, beaucoup plus qu'au *Barbier*, il y a mêlé des considérations politiques et sociales d'ordre général, il y a cinglé la noblesse, fustigé les pouvoirs, par la bouche de Figaro.

Figaro ! nom éclatant, frondeur, sonore comme un coup de clairon, léger comme une plume, brillant comme l'éclair, rapide comme un tourbillon de vent ! « Toujours, toujours, il est toujours le même ! » Et alors, devant cette interdiction c'est la lutte contre le pouvoir, contre le seul Louis XVI, à vrai dire, qui s'est buté sur cette pièce et qui lui fait sa meilleure réclame, et qui aiguise par son refus les curiosités, et qui, du fruit savoureux et piquant qu'il a défendu, donne envie à des centaines d'Adam et à des milliers d'Eve.

C'est l'offensive continue et tenace, pendant trois ans : l'habituelle, la seule, la meilleure : l'appel à l'opinion. Beaumarchais lit sa pièce chez des amis, il la lit chez le pauvre vieux Maurepas déjà bien malade, mais à qui un mieux permet d'entendre cette *Folle Journée* : Maurepas s'amuse beaucoup et n'arrive pas à comprendre comment Beaumarchais, qui a tant d'affaires de tous genres, a pris le temps d'écrire sa nouvelle pièce. Catherine lui fait écrire qu'on a joué *Le Barbier* plus de cinquante fois à Pétersbourg, et qu'elle désirerait bien avoir la primeur du *Mariage*. C'est un des cabotins de la troupe française à la Cour russe, qui, au nom de M. de Bibikoff, grand chambellan, écrit à Beaumarchais pour le prier de « vouloir bien lui envoyer les *Noces de*

Figaro, pièce qui sert de suite, dit-on, au *Barbier de Séville*, dans le même genre, et de vous Monsieur, ce qui en fait d'avance l'éloge ! »

*
* *

Beaumarchais ménage très habilement ses lectures, que les grands parmi les grands n'hésitent pas à solliciter chapeau bas. Aux uns il refuse, par d'autres il es fait prier à deux ou troisreprises ; à ses amis intimes, il offre. En attendant le *Mariage*, d'ailleurs, les Français reprennent le *Barbier*. La princesse de Lamballe le fait supplier, la maréchale de Richelieu le cajole, les grands ducs de Russie (le futur Paul Ier et sa femme), qui arrivaient à Paris, chargent M. le baron de Grimm de solliciter les faveurs de Beaumarchais. Une société triée et choisie avec grand soin assiste à ces récitations. Des gens qui habitent la province, et même des prélats y viennent, et Beaumarchais arbore pour ces lectures, qu'il fait admirablement, un superbe manuscrit orné de faveurs roses, sur un beau papier qui vient de ses manufactures lorraines. Durant tout cet hiver-là, il court les salons avec sous le bras son beau manuscrit à faveurs roses, et dont lui-même, appliqué et tirant la langue, a écrit en belles rondes le titre aimable.

Il arrive souriant, pimpant, jeune sous la cinquantaine ; la maîtresse de maison, l'éventail au doigt, froufroutante, s'empresse, et par la main entraîne l'auteur dans les salons déjà éclairés et d'où, chuchotante et parfumée, tant de musc que de tabac, arrive la rumeur des conversations soudain assourdies. Les joueurs lâchent, presque à regret, leur tapis vert, les galants cessent leur cour aux jeunes dames et avancent chaises et fauteuils, tandis que Beaumarchais échange des saluts, des poignées de main, des embrassades avec les uns et les autres. On s'installe, le silence se fait peu à peu, la maîtresse de maison parle à l'oreille du cher maître et rentre souriante dans la foule de ses invités ; Beaumarchais, lui, a lentement gagné, son manuscrit en main, la petite estrade pour violoncelliste, tendue de velours ; il donne une chiquenaude négligente à ses manchettes de dentelle, s'éclaircit la voix, remet bien en vue le diamant aux mille feux que l'Impératrice lui a donné, ouvre d'un large geste son « opuscule » et dit son petit boniment d'introduction. Puis le voilà parti, ponctuant de l'œil, de la main, gesticulant sans excès ni ridicule, aidant de tout le corps sa diction soigneuse.

Il lit à merveille, et sous sa séduction les faiblesses de la pièce s'évanouissent, les qualités s'exaltent, et chaque fois il conquiert son auditoire.

Alors, se croyant assez fort, il va frapper à la porte du garde des Sceaux. Mais on ne le reçoit point. Il se rabat sur celle du lieutenant de police, et Louis XVI, l'apprenant, déclare : « Vous verrez que Beaumarchais aura plus d'influence que notre garde des Sceaux ! »

Pendant qu'il se démène là, Maurepas est mort ; c'était son meilleur soutien.

*
* *

Il a toujours une masse d'affaires en train dont il tient les rênes, et qu'il ne doit perdre de vue à aucun instant. Il entreprend, aidé des ministres, de réorganiser la ferme générale.

Mais Maurepas était mort. Et un ennemi de Beaumarchais, anonyme bien entendu (on a cru sans preuve que c'était M. d'Espremesnil, puis un de ses anciens amis, le comte de Lauraguais,) lance au Parlement une dénonciation de la souscription pour les œuvres de Voltaire. Necker, qui n'aime pas Beaumarchais, cherche à lui nuire. L'affaire des Eaux de Paris est en proie à de terribles difficultés ; les syndics, les riverains, jusqu'aux porteurs d'eau, combattent férocement les projets des Pèrier, et c'est encore pour Beaumarchais une matière à ennuis, financiers et autres.

Quelque temps avant, on avait appris que le comte de Grasse, commandant notre flotte, aux Saintes, l'avait perdue entièrement le 12 avril et était prisonnier. Consternation. Louis XVI était navré. Beaumarchais, lui, soulevé d'un élan de patriotisme, institua à grands cris, à grands frais aussi, une souscription à Paris, puis envoya à chacun des sept grands ports de commerce une lettre accompagnée de cent louis, et invitant la ville à offrir au Roi un navire, en remplacement de ceux que l'amiral avait perdus. C'est comme suit qu'il en demande l'autorisation à Vergennes : « Si par hasard vous désapprouviez une idée qui m'est venue, il serait trop tard pour en arrêter l'effet : car j'ai déjà le plaisir de la voir en pleine réussite. »

Vergennes lui envoie, « comme citoyen », tous ses applaudissements.

Il voyage toujours pour surveiller ses armements. Toujours galopant, il est le 10 août 1782 à Rochefort : « Après un temps abominable, écrit-il à Francy rentré à Paris, je suis arrivé hier à La Rochelle et cette nuit à Rochefort. Je me hâte d'y faire les choses les plus indispensables, pour me rendre au plut tôt à Bordeaux, où de nouvelles notions reçues en route m'ont déterminé à me rendre sur-le-champ, sauf à revenir à Nantes, si j'y suis indispensable. » Par le même courrier, il écrit à Mlle de Viller : « Ainsi, ma chère amie, bien crotté, percé jusqu'aux os, nous voilà dans Rochefort, d'où je partirai après-demain ou mardi matin au plus tard. Écrivez-moi tous à Bordeaux. Je vous embrasse, la mère, la fille et les amis. »

Il passe plusieurs mois à Bordeaux, où il est arrivé le 14 août, et restera jusqu'à la Noël. Il apprend à Francy que *La Ménagère* sera parfaitement gréée ; que l'*Aimable-Eugénie*, au lieu d'être de six cents tonneaux, est à peine de cinq cents ; et que l'*Alexandre* marche comme un panier percé. Le 27 août, il l'informe encore qu'il met dans l'*Alexandre* « 75 tonneaux de bon vin, et 300 barriques de la plus superbe farine de Moissac ».

Juste avant de rentrer à Paris, il veut empêcher de partir cinq de ses navires, qui pourtant attendent depuis longtemps le bon moment : il a été avisé qu'un corsaire anglais les guette à l'arrivée en haute mer. Et il court à Pauhliac, le port d'embarquement, pour arrêter sa flottille.

Peine perdue : « Tous mes efforts les plus prompts pour arrêter mes navires, écrit-il à Francy, n'ont servi qu'à les manquer de quatre heures, après les avoir en vain poussés par le cul pendant quatre mois ; laissons-les donc courir ». Évidemment. Mais à peine sortis de la rade, ses cinq vaisseaux sont capturés : deux millions perdus.

*
* *

Beaumarchais rentre à Paris le 1er janvier 1783 pour y recevoir les premiers volumes du Voltaire qui paraissent enfin. Dès maintenant, Beaumarchais entrevoit une faillite qui atteindra au moins un million, et il reçoit des quantités de réclamations, qui des ouvriers de Kehl, qui des souscripteurs, qui des libraires.

A la même époque, il fait un saut à Londres, pour affaires, puis revient travailler au classement des œuvres dernières de Voltaire, et à leur dénombrement ; triage terrible de paperasses où s'étaient insinués des opuscules qui n'étaient pas du vieillard de Ferney ; rangement de sa correspondance, revision des manuscrits, des épreuves, des commentaires et des notes dont s'était chargé Condorcet ; Beaumarchais lui-même en ajoute quelques-unes aux passages qui le concernent dans la correspondance de Voltaire.

Ce dernier avait ainsi écrit à M. d'Argental, en 1774, pendant l'affaire Goëzman. « Un homme vif, passionné, impétueux comme Beaumarchais, peut donner un soufflet à sa femme et même deux soufflets à ses deux femmes, mais il ne les empoisonne pas. » Le *correspondant général de la Société Littéraire typographique de Kehl*, « qui est moi », dit Beaumarchais, ajoute en note : « Je certifie que ce Beaumarchais-là, battu quelquefois par les femmes comme la plupart de ceux qui les ont bien aimées, n'a jamais eu le tort honteux de lever la main sur aucune. »

Mais il n'a encore aucun résultat financier tangible, ni là ni en Amérique.

Dans une lettre adressée le 15 mars 1783 au ministre, il le supplie d'activer le paiement de son indemnité de guerre maritime, sa situation est désespérée, il est acculé à la faillite. 40.000 francs de paquets transportés par son navire *l'Aigle* ont été saisis par les Anglais, 100.000 francs de thé, entreposés à Morlaix, ont été submergés par un orage et une marée de tempête qui a noyé les docks. De plus depuis deux ans, sur la prière de Maurepas, Beaumarchais a récupéré au compte de l'État et secrètement des parchemins et des titres anciens de la Cour des Comptes, qui disparaissaient et se vendaient aux brocanteurs ; à droite, à gauche, Beaumarchais a racheté pour 200.000 francs de ces archives, qu'on ne lui a jamais payées et qui forment aujourd'hui un fond important à la Bibliothèque Nationale.

Si seulement il obtenait, pour sa plus grande joie, le succès littéraire que son *Mariage* doit lui procurer ! Il réclame à cor et à cri, ô paradoxe, des censures sévères mais justes. Le lieutenant de police s'évertue à lui en trouver ; quatre ou cinq des plus austères personnages qualifiés passent au crible le sel de la *Folle Journée*, et déclarent avec gravité les uns après les autres qu'ils n'y trouvent à reprendre qu'un ou deux mots, insignifiants, mais qu'on peut sans danger la jouer.

Dans l'attente d'une levée de la défense royale, on répète la pièce partout. Le vent à Versailles semble meilleur. A Maisons-Laffite chez le comte d'Artois, à Trianon pour la reine, à Brunois pour le duc de Chartres, et même aux Français, bien sûr, on répète. C'est le comte d'Artois qui a pris la tête du mouvement. En mai 1783, les comédiens-français reçoivent, stupéfaits, l'ordre de préparer la pièce « pour le service de la Cour », c'est-à-dire pour une des scènes de la Maison Royale ; c'est l'acheminement certain, à bref délai, vers la Comédie, vers le grand public.

Ce sont tous ces grands seigneurs, ceux-là même qui n'ont eu *que la peine de naître*, qui soutiennent cette pièce ; n'avoir eu que la peine de naître ! Ils ne voient pas que, dix ans plus tard, cette pensée sera le grand grief du peuple devenu souverain et qui les mènera à l'échafaud. Allez, jolis petits maîtres, amusez-vous, profitez de votre reste pour vous divertir des boutades de Figaro ! Et c'est dans la salle même d'où six ans plus tard les États Généraux s'en iront au Jeu de Paume, conduits par Bailly et Mirabeau, aux Menus-Plaisirs, que le pouvoir va leur offrir la primeur du *Mariage*.

Une quinzaine de répétitions qui coûtent à Beaumarchais autant de milliers de francs, et enfin arrive le 13 juin. Dès midi, les équipages encombrent les rues avoisinantes. La journée est jolie, et les voitures déversent d'instant en instant leurs flots bigarrés d'invitées aux toilettes claires et parfumées, et d'invités en grande tenue, chacun arborant dans sa main élégamment gantée le billet à l'effigie de Figaro.

Beaumarchais est au septième ciel, il reçoit avec grâce tous ces grands seigneurs et ces jolies dames, s'empresse, dit à chacun une drôlerie, à chacune une galanterie, et s'esquive, parfois, mystérieux, vers les coulisses, d'où il revient avec un sourire satisfait ; en passant il embrasse Eugénie — six ans — qui, très sage, se tient dans une avant-scène, à côté de sa maman, auprès de qui Gudin s'essaie à faire de l'esprit.

Hélas, Louis XVI ne s'avise-t-il point, à peine une demi-heure avant la représentation, d'envoyer M. le duc de Villequier signifier aux acteurs la défense formelle de jouer, sous peine d'encourir l'*indignation* de Sa Majesté !

Beaumarchais est suffoqué ; on baisse la tête, mais on murmure dans la salle qui se vide : coup de boutoir à la Louis XVI ; manière des faibles, maladroite s'il en fut, de manifester leur autorité. Et quand la salle est vide, Beaumarchais, les bras ballants, pleure de rage et invective contre le ciel et son Roi. Après quoi il rentre fort tranquillement chez lui. C'est l'histoire de *Tartuffe* qui se répète, à cent vingt ans de distance.

Beaumarchais a quatre personnes contre lui : le Roi, Monsieur, son frère (le futur Louis XVIII), Monsieur de Miromesnil, garde des Sceaux, qui ne pardonne pas à Beaumarchais d'avoir été admonesté à son sujet par feu M. de Maurepas, sept ans avant, et enfin le fameux Suard, petit gringalet fort désagréable et très jaloux de tout ce qui le dépasse, c'est-à-dire de la grande majorité des littérateurs.

Pour lui, Beaumarchais a presque tout le reste de la Cour, le comte d'Artois en tête, qui deviendra Charles X, et les neuf dixièmes du public. Les répétitions continuent, reprennent plutôt. Le comte de Lauraguais, auquel Beaumarchais vient de refuser un prêt et qui s'est cru visé en la personne du comte Almaviva, surtout dans le fameux monologue du cinquième acte, répand un prospectus d'une *Vie de Beaumarchais*, qui paraîtra en quatre volumes, dit-il. Naturellement, le prospectus est anonyme. C'est la collection très complète de toutes les calomnies et de toutes les médisances plus ou moins atroces qui courent depuis trente ans sur Beaumarchais. Il n'y eut jamais d'ailleurs que le prospectus.

Lui ne répond pas ; mépris ou lassitude, c'est bien la première fois. Peut-être renonce-t-il à guerroyer, peut-être est-il trop occupé de la représentation qu'on va enfin donner chez monsieur le comte de Vaudreuil, à Gennevilliers, pour attacher quelque importance à ces méchancetés. Le 26 septembre, la pièce est jouée ; seuls les privilégiés ont eu leur entrée ; la Reine devait venir, mais a dû y renoncer, subitement indisposée. Le comte d'Artois, la duchesse de Polignac, Mme de Lamballe, qui l'a déjà eu pour elle toute seule, sont venus voir *le Mariage*. Mais c'est là une scène privée, et le roi s'obstine à refuser son autorisation pour une scène publique. Beaumarchais demande de nouveaux censeurs.

Au septième censeur, les murailles tombèrent.

Déjà en février 1784, Beaumarchais, qui a quelques ministres pour lui, et qui plus encore garde confiance, reprend les répétitions au Français. C'est pourtant encore un faux espoir ; tout de même Louis XVI qui a traîné l'affaire en longueur, depuis trois ans, lâche prise, lassé, sous la poussée de son jeune frère et de Marie-Antoinette : la pièce est annoncée au Français, une semaine à l'avance, pour le mardi 27 avril 1784, sous le double titre du *Mariage de Figaro, comédie en cinq actes et en prose, ou la Folle Journée.*

Et ce fut certes une folle journée, folle jusqu'au scandale. C'était la revanche de Beaumarchais. Il reçoit pendant les jours précédents et le matin même des centaines de lettres sollicitant une place de faveur : amateurs, curieux ordinaires, gens de lois, courtisans, princes du sang, princes et princesses de la famille royale.

Les grandes dames sont arrivées dès le matin. On doit jouer la pièce de cinq à neuf heures du soir, et ces dames pour être sûres d'avoir une place, se sont installées pour la journée dans les loges des actrices, et y ont fait la dînette. Dès onze heures, au guichet qui doit n'ouvrir qu'à quatre, se pressent les valets de pied des grandes maisons. Tout autour du théâtre, jusqu'à l'heure du spectacle, c'est un fourmillement bigarré où les maréchaux de camp, les cuisiniers, les dames de haut lignage coudoient les mendiants, les colporteurs et les petits savoyards. Les piquets de garde ne peuvent contenir la poussée de la foule, des grilles sont arrachées, on crie, on se pousse, on se bat, des vitres se brisent.

A l'intérieur, brouhaha parfumé dans lequel on épie les entrées : M. de Suffren qui arrive est chaleureusement applaudi. Beaumarchais, lui, est dans une loge grillée, entre deux de ses amis ecclésiastiques — quel patronage ! — l'abbé de Calonne, frère du contrôleur des Finances, et l'abbé Sabatier de Cabres, un bel esprit fort à la mode.

Enfin le rideau se lève, et la pièce court jusqu'au quatrième acte avec succès. Le quatrième est languissant, le cinquième repart de plus belle, mais le monologue de Figaro donne lieu à des manifestations violentes pour et contre :

« Parce que vous êtes un grand seigneur, vous vous croyez un grand génie !... Noblesse, fortune, un rang, des places, tout cela rend si fier ! Qu'avez-vous fait pourtant de bien ? Vous vous êtes donné la peine de naître, et rien de plus... Tandis que moi, morbleu !... »

La pièce ? Elle vaut surtout par son pétillement d'esprit ; le sujet n'est guère neuf, à quelques circonstances près. C'est la façon de le traiter qui est intéressante. Beaumarchais a écrit son plan dix ans avant ; il est presque banal. C'est la manière dont sont campés et saisis les personnages, le premier, Figaro, comme le plus effacé, Double-Main, le plus charmant Chérubin, comme le plus repoussant, Basile. Et d'aucuns crièrent au scandale : à la cinquième représentation, où l'on avait annoncé la reine, qui d'ailleurs ne vint pas, comme les trois coups retentissent, des milliers de papillons lancés par poignées du paradis (qu'on appelle aujourd'hui moins joliment le poulailler) voltigèrent dans la salle du Théâtre Français. Grand bruit, bousculade, les mains se tendent, on commence à les lire et l'on s'amuse beaucoup, tellement que la représentation est reculée d'une demi-heure, après plusieurs vains levers de rideau. Sur ces petits papiers chacun peut lire :

Je vis hier du fond d'une coulisse
L'extravagante nouveauté
Qui triomphant de la police
Profane des *Français* le spectacle enchanté.
Dans ce drame honteux, chaque acteur est un vice
Bien personnifié dans toute son horreur :
Bartholo nous peint l'avarice,
Almaviva, le suborneur,
Sa tendre moitié, l'adultère,
Le *Double Main*, un plat voleur,
Marceline est une mégère ;
Basile un calomniateur ;
Fanchette... l'innocente est trop apprivoisée !
Et tout brûlant d'amour, tel qu'un vrai Chérubin
Le page est, pour bien dire, un fieffé libertin,
Protégé par Suzon, fille plus que rusée,
Prenant aussi sa part du gentil favori,
Greluchon de la femme et mignon du mari.
Quel bon ton ! Quelles mœurs cette intrigue rassemble !
Pour l'esprit de l'ouvrage... il est chez Bridoison,
Et quant à Figaro... le drôle à son patron
Si scandaleusement ressemble,
Il est si frappant qu'il fait peur.
Mais, pour voir à la fin tous les vices ensemble,
Le parterre en chorus a demandé l'auteur.

« Charmant, n'est-ce pas ? » disait Beaumarchais à ses amis en riant avec eux. Sophie Arnould, elle, déclare à ceux qui se demandent comment la pièce se soutient : « Oui... c'est une pièce qui tombera... quarante fois de suite ! »

*
* *

En fait, le *Mariage* fut le plus grand succès du siècle. C'est naturellement un prétexte à épigrammes pour tous les envieux et les ennemis de Beaumarchais. Mais l'effet n'en reste pas moins considérable. Sur les airs des chansons du *Barbier* et du *Mariage*, on broche de petits poèmes, et même d'autres chansons. La pièce ne tombe pas, même à la quarantième. En octobre, pour la cinquantième, Beaumarchais prépare un petit prologue, et donne un nouvel essor aux représentations en ouvrant une «souscription pour les pauvres mères qui nourrissent» et à laquelle sera donné, pour la création d'une œuvre de bienfaisance, tout le produit du *Mariage* ; à Paris, cet essai n'a qu'un médiocre succès. Mais à Lyon, l'archevêque aide Beaumarchais et à eux deux ils fondent l'*Institut de bienfaisance maternelle.* Entre temps, la guerre d'Amérique s'est terminée et Beaumarchais attend toujours ses trois millions et demi. L'affaire des Eaux de Paris progresse et émet des actions. Beaumarchais réunit la Société des auteurs, toujours chez lui : son nouveau projet, qu'il leur soumet, est de demander au Parlement un règlement concernant les théâtres de province et les droits des auteurs, dont ces théâtres jouent les pièces quand il leur plaît sans en rendre compte à personne. Beaumarchais propose pour les scènes de province le même règlement que pour celles de Paris ; comme par le passé, chacun le remercie et l'invite à entreprendre toutes les démarches nécessaires.

Figaro, lui, continue sa belle carrière. Un jour, un marchand d'ariettes monte à la portière d'une voiture arrêtée et offre aux belles dames qui s'y trouvent, avec deux brillants officiers, des chansons tirées du *Mariage de Figaro.* Les officiers envoient promener le colporteur ; alors un passant les apostrophe, stigmatise leur mauvais goût : attroupement ; les officiers descendent et bâtonnent le plaideur indésirable qu'on mène finalement au commissaire ; là il s'explique : c'est le portier de Beaumarchais qui, admirateur zélé de son patron, a éprouvé le besoin de le défendre trop véhémentement. On renvoie à Beaumarchais son valet, avec prière de calmer son enthousiasme intempestif.

L'illustre M. Suard, lui, profite d'une réception à l'Académie, dont il est directeur, pour tonner *ex cathedra* contre la pièce « perverse » qui n'a pas l'heur de lui plaire. Pendant ce temps, les directeurs de province résistent, et Beaumarchais remet un Mémoire, — un de plus, — au ministre compétent. Le duc de Villequier, celui-là même qu'avait envoyé Louis XVI pour arrêter la représentation des Menus-Plaisirs, demande à Beaumarchais une « petite loge », une loge grillée, une de celles du rez-de-chaussée, où l'on n'est pas vu, au lieu d'une loge ouverte, pour des dames qui doivent l'accompagner. Beaumarchais taille sa plume des grands jours, et répond :

« Je n'ai nulle considération, Monsieur le Duc, pour des femmes qui se permettent de voir un spectacle qu'elles jugent malhonnête, pourvu qu'elles le voient en secret. Je ne me prête point à de pareilles fantaisies. J'ai donné ma pièce au public pour l'amuser et pour l'instruire, non pour offrir à des bégueules mitigées le plaisir d'aller en penser du bien en petite loge à condition d'en dire du mal en société. Les plaisirs du vice et les honneurs de la vertu, telle est la pruderie du siècle. Ma pièce n'est point un ouvrage équivoque, il faut l'avouer ou la fuir.

Je vous salue et je garde ma loge. »

Il répand même cette missive et la lit à qui veut l'entendre.

TROISIÈME PARTIE

CRÉPUSCULE

I

« Un homme ? Il descend comme il est monté, se traînant où il a couru... »

Mariage de Figaro, Monologue, V, 4

On continue à jouer le *Mariage* qui a dépassé 70 représentations, et obtient un succès croissant ; on reprend aussi le *Barbier* ; comme d'ordinaire, c'est pour Beaumarchais le moment des sottises ; il les entasse. C'est ainsi que sa préface attaquait violemment Suard et que le censeur avait refusé son approbation. Beaumarchais avait insisté selon son habitude, auprès du lieutenant de Police et s'était montré assez insolent, demandant des explications aux raisons du roi. L'archevêque de Paris défend à ses ouailles, bien entendu, d'aller voir cette pièce de perdition et de lire le Voltaire qui se prépare.

Beaumarchais le chansonne.

Louis XVI, qui déjà n'a donné que de fort mauvaise grâce l'autorisation de jouer le *Mariage*, est furieux de tout le bruit et des scandales auxquels cette comédie diabolique donne lieu. Suard, champion du *bon ton* et de la *décence*. continue à défendre la morale et les bonnes mœurs en dénigrant le *Mariage de Figaro*, mais il a changé de tribune et c'est de celle du *Journal de Paris*, une feuille pédantesque et somnifère, qu'il lance ses méchancetés contre Beaumarchais. Celui-ci commence par répondre, par défendre sa pièce, ses intentions, puis Suard, toujours anonyme, continuant à l'agacer de ses mauvaises piqûres, il répond publiquement par un article de gazette : le 6 mars 1785, il écrit au *Journal de Paris*, non sans quelque étourderie dans son antithèse métaphorique : « Quand j'ai dû vaincre *lions* et *tigres* pour faire jouer ma comédie, pensez-vous après son succès me réduire, ainsi qu'une servante hollandaise, à battre l'osier tous les matins sur l'insecte vil de la nuit ! »

La phrase est entortillée, à peine compréhensible, mal bâtie, peu importe : le fait est que Suard est le vil insecte nocturne et que Beaumarchais l'oppose à des lions et à des tigres. Le comte de Provence, qui soutenait Suard et rédigeait même les articles avec lui, attribue respectueusement à son frère Louis XVI le titre de Roi des animaux, et garde pour lui celui de tigre. « A moins, insinue-t-il en donnant à Louis XVI son interprétation, à moins, mon frère, que le tigre ne désigne la Reine ! » C'était fort improbable, mais le paisible Louis XVI, outré de se voir comparé au lion et de voir traiter son frère ou sa femme de tigre, Louis XVI, qui était en train de jouer au whist quand son gros cadet est arrivé, prend sur la table de jeux le crayon pour la marque, saisit un sept de pique, griffonne au dos quelques mots, abandonne la partie, donne la carte à un officier et lui dit : « Tout de suite ! »

L'officier sort, lit le sept de pique : *A monsieur le lieutenant de Police : Aussitôt cette lettre reçue, vous donnerez l'ordre de conduire le sieur de Beaumarchais à Saint-Lazare. Cet homme devient par trop insolent ; c'est un garçon mal élevé dont il faut corriger l'éducation.* »

L'officier s'esclaffe : « Aah ! A Saint-Lazare... tout de même, c'est rosse ! »

Ce n'était plus une pirouette, c'était une culbute ! Saint-Lazare, maison de correction, avait alors une section pour hommes qui était réservée aux jeunes dépravés, viveurs, prêtres à fredaines et autres. Beaumarchais, lui, avait cinquante-trois ans bien sonnés. Louis XVI lui faisait là un affront déshonorant : c'était une méchante insulte, un abus de pouvoir révoltant.

*
* *

Beaumarchais, ce lundi soir 7 mars, soupait gaîment avec quelques amis dont le fameux prince de Nassau et l'abbé de Calonne. Vers 10 heures, un vieux commissaire, de sa connaissance d'ailleurs, vint le demander. Beaumarchais revint dire au revoir à ses amis et à sa femme, inquiets, quoiqu'il déclarât être appelé à Versailles pour une affaire urgente. Le représentant de l'autorité, resté seul avec lui, voulut poser les scellés ; Beaumarchais le supplia, pour la marche de sa maison, de n'en rien faire, puis il descendit et prit place dans un fiacre avec le commissaire et sous bonne escorte. Il croyait qu'on l'emmenait à la Bastille, et l'on en tirait presque vanité sous Louis XV et Louis XVI. Mais le commissaire le détrompa.

Alors Beaumarchais désespéré pleura et s'arracha les cheveux. Paternel, le vieux commissaire le consola et l'assura que, s'il était bien sage à Saint-Lazare, il n'aurait même pas la fessée qui y était de règle et en serait quitte pour cinq ou six jours de retraite.

En effet, quand la nouvelle se répandit dans Paris, ce fut d'abord un vaste éclat de rire, puis des chansons où on le nommait « chevalier de Saint-Lazare », puis des caricatures où on le représentait fustigé par un lazariste. Mais très vite l'opinion s'émut de cet acte de despotisme, quelles qu'en aient pu être au juste les raisons. Et Louis XVI, satisfait d'avoir prouvé son autorité encore une fois, et inquiet de la réaction des Parisiens, fit libérer son prisonnier dans la nuit du 13 mars. A Saint-Lazare, Beaumarchais a réfléchi aux causes de sa punition. De plus en plus, il se persuade qu'il a été la victime d'une injustice, qu'il est innocent, qu'on a trompé le roi qui ne peut avoir aucune raison pour le fourrer à Saint-Lazare, ni même pour l'emprisonner. Il boude quand on vient le chercher, demande des raisons, pour un peu les exigerait et se laisse enfin emmener chez lui par son ami le commissaire et par Gudin. Mlle de Viller, Eugénie, et tous ses domestiques lui font un accueil ému. Pendant ce temps, Mozart avait composé les *Noces de Figaro*.

*
* *

Beaumarchais s'enferme, ne sort plus et continue *La Mère coupable*, suite du *Barbier* et du *Mariage*. En même temps, il envoie au roi un mémoire demandant réparation — c'était bien hardi — et songe à s'exiler en Angleterre. Il vend même ses chevaux. Il reçoit à la rigueur quelques visites, après que l'on ait fait la queue chez son portier pour le féliciter de son retour. Aux Français, on reprend le *Mariage* qu'on avait fait disparaître de l'affiche depuis le 7 mars, en attendant sa soixante-quatorzième représentation et la libération de l'auteur prisonnier. La pièce paraît en librairie avec sa préface, raisonnable en somme, et qui s'applique surtout — tâche malaisée — à démontrer que le *Mariage* est une école de vertu.

Beaumarchais annonce *La Mère coupable*, où il se déclare prêt à « tonner fortement sur les vices qu'il a trop ménagés » ; le Voltaire avance à grands frais, et s'introduit en France malgré la censure du Clergé et du Parlement, et avec l'aide tacite du Directeur des Postes et des Ministres qui le recherchent. Les journaux n'ont pas le droit d'en parler, et c'est aux magasins de Beaumarchais, rue des Noyers. qu'on vient s'approvisionner.

Mais le malaise continue dans ses affaires : le Voltaire ne donne pas ; un quart seulement a paru et le Conseil d'État fait afficher son arrêt de suppression. l'Amérique ne rend rien ! Le roi indemnise mal ; le *Mariage* finit sa carrière. Beaumarchais reste toujours chez lui. La guerre d'Amérique est finie depuis deux ans, son compte a été revisé par un expert américain. mais Beaumarchais, malgré ses réclamations, ne reçoit toujours rien.

Du roi, c'est vrai, il a reçu déjà, en deux fois, comme indemnité pour le *Fier-Rodrigue* et sa flottille, près d'un million et demi. Mais vraiment la situation est mauvaise, rien ne va, son moral change et vieillit très vite, surtout après le coup que Louis XVI lui a porté : toujours, toujours ?... Non, il n'est plus le même : les vents deviennent contraires, et soufflent et éteignent peu à peu le feu. Quelques étincelles par-ci par-là, mais c'est tout. Pendant que le roi essaie de réparer son injustice en ordonnant la suppression des gravures qui ridiculisent le malheureux Beaumarchais, puis en faisant jouer. le 19 août, le *Barbier* à Trianon, et y invitant Beaumarchais, ce qui était une insigne faveur, — Marie-Antoinette fait une charmante Rosine, et les autres acteurs sont tous de hauts personnages de Cour — les autorités de Bordeaux interdisent à leurs histrions de jouer le *Mariage*. Il reste à Beaumarchais une phalange d'amis, fidèles certes, mais impuissants à le défendre dans le public contre ses détracteurs comme à le soutenir auprès du pouvoir. Les journaux continuent à se moquer de lui ou à le dénigrer. Un de ses meilleurs soutiens, le cardinal duc de Rohan, est arrêté, à la suite de la mystérieuse affaire du collier de Marie-Antoinette.

*
* *

C'est à ce moment que survient la première des tempêtes qui, l'une après l'autre, vont s'acharner sur la vieillesse de Beaumarchais.

L'illustre Mirabeau, déjà fameux par le scandale de son procès avec sa femme, déjà perdu de dettes et de débauche, sort de prison. Plumitif à toute solde, il commence à écrire pour le compte des uns et des autres une masse de réquisitions, de réflexions, d'observations, de mémoires concernant l'Amérique, la Caisse d'Escompte ou la Banque de Saint-Charles ; il en écrira d'autres, pour son compte propre, contre des particuliers. Il met tout à feu et à sang. Son langage énergique, chaud, sa silhouette puissante, ont un certain succès.

Un beau jour, comme Beaumarchais lui avait refusé un prêt d'argent peu avant, il tombe à bras raccourcis sur l'affaire des Eaux, dont les actions en vogue gênaient celles d'un certain duo de banquiers, Clavière et Panchaud ; en passant, Mirabeau accablait Beaumarchais de sarcasmes. Beaumarchais, au nom de la Société, essaya de répondre comme il l'eût fait autrefois, en se jouant ; effectivement, après quelque deux cents pages de discussion financière serrée, Beaumarchais s'amuse des *Philippiques* de Mirabeau, qu'il qualifie de *mirabelles.* L'auteur des *mirabelles* lance une réponse foudroyante, terriblement dure pour Beaumarchais, et lui rappelant cruellement, — quoique fort peu qualifié, vu sa vie, pour moraliser qui que ce soit, — qu'il n'a maintenant rien de mieux à faire qu'à mériter l'oubli. En épigraphe, Mirabeau a cité et traduit un passage de Tacite ainsi conçu :

« Né dans l'obscurité, sans ressources que l'intrigue, le voilà, cet homme que ses libelles avaient rendu si redoutable, chargé aujourd'hui de la haine publique. Qu'il serve à jamais d'exemple à ceux qui, de pauvres devenus riches, qui, du sein de la médiocrité parvenus à se faire craindre, veulent perdre les autres et finissent par se perdre eux-mêmes. »

A la surprise générale, Beaumarchais s'incline et ne répond pas. L'aventure de Saint-Lazare lui reste sur le cœur. En outre, Mirabeau est soutenu par M. de Calonne, qui est bien disposé à son égard aussi ; et Beaumarchais ne veut pas s'aliéner un appui précieux, somme toute, le seul qui lui reste en Cour avec Vergennes. De plus, sa famille et ses amis disparaissent ; ses sœurs d'Espagne sont mortes, ses neveux et ses nièces aussi. Il aspire au calme, maintenant, il a atteint l'âge où l'on se repose, et il s'est tant dépensé, depuis quinze ans surtout, qu'il borne ses ambitions à terminer au mieux, sans en entreprendre d'autres, toutes les affaires qu'il a encore en train : c'est déjà un fameux travail.

Le commerce d'abord : il se rend compte que, plus le temps avance, plus il aura de mal à recouvrer les trois millions et demi prêtés à l'Amérique. Très sérieusement il songe à partir là-bas un jour ou l'autre pour y négocier lui-même sa créance. En attendant il reçoit pour « solde de tout compte » huit cent mille livres du

Trésor royal : c'est la fin de son indemnité de guerre.

A Kehl, il verse plutôt qu'il ne reçoit. Il est déjà allé sur place en 1783 et s'apprête à y retourner. Les livres parus s'accumulent dans ses magasins mais ne se vendent que difficilement et sans aucun bénéfice ; l'affaire des Eaux marchait bien, mais Mirabeau a tout gâté et les actions baissent de moitié. Bref les affaires ne vont pas fort.

Et les procès ? Pour l'instant, il n'y en a point.

Et le théâtre ? On a repris *les Deux Amis* en 1783 ; deux représentations qui ont fait plaisir à Beaumarchais : c'est la plus mauvaise de ses pièces, mais, à son avis, « la plus fortement construite ». On reprend aussi *Eugénie*, et Beaumarchais qui assiste à la reprise, le 27 novembre 1785, — c'est la première fois qu'il se montre en public depuis Saint-Lazare — ne peut s'empêcher d'être ému devant cette pièce de jeunesse qui lui rappelle un si bon temps, où il n'y avait encore eu ni procès, ni prison, ni calomnie, ni scandale. Il a terminé *Tarare*, son opéra, mais Gluck se juge trop vieux pour entreprendre d'en écrire la musique, et Beaumarchais confie à Salieri, le meilleur disciple du maître, la composition de la partition.

La Mère coupable est sur le métier aussi. Comme Figaro a changé ! C'est maintenant un vieux bonhomme vertueux et moralisateur... A la même époque, Beaumarchais vend sa maison de la rue de Condé, qu'il n'occupait plus depuis longtemps ; il habitait alors Vieille-Rue-du-Temple, là où étaient les bureaux de feu Rodrigue Hortalès, devenu Société Littéraire et Typographique de Khel, et il a acheté de la Ville de Paris, à côté de la Bastille, dans un quartier abandonné depuis longtemps, un assez vaste terrain, à la porte Saint-Antoine ; il y fait édifier une très belle maison, très grande, trop même ; des statues aux portes, des reproductions d'œuvres d'art dans l'entrée, en particulier le *Gladiateur combattant*, dont Beaumarchais avait fait son homme ; mais la maison est encore loin d'être terminée ; le jardin est fort compliqué ; il y a de petites éminences, des boqueteaux, des kiosques, un ruisseau, un pont chinois, des statues allégoriques au piédestal desquelles Beaumarchais gravera plus tard quelques vers de son crû, à moins qu'ils ne soient d'Horace ou de Racine. Ce domaine est une curiosité, que chacun veut voir : son besoin de faire parler de lui n'est pas entièrement passé.

Du répit, très relatif comme on voit, que lui laissent ses affaires. il profite pour régulariser officiellement sa situation avec Mlle de Villermawlaz, en qui l'église Saint-Paul sanctifie la troisième et dernière épouse légitime de Beaumarchais, le 8 mars 1786. Quelques jours après, on donne la quatre-vingt-et-unième de *Figaro* : toujours autant de monde, et la centième — fait inouï alors — est bientôt atteinte.

Puis Beaumarchais va faire un petit tour à Khel. A peine est-il rentré à Paris, en train de mettre la dernière main aux dernières répétitions de *Tarare* déjà approuvé, qu'un nouvel orage fond sur lui. Tiré à des milliers d'exemplaires vient de se répandre un réquisitoire violent signé Kornmann, et intitulé : *Mémoire sur une question d'adultère, de séduction et de diffamation pour le sieur Kornmann*, 1787. Ce mémoire représente un tour de force : six ans après l'affaire, il attaque violemment Mme Kornmann, Daudet de Jossan, le lieutenant de Police d'alors, M. Le Noir, qui avait autorisé et facilité la libération de la jeune femme, le Prince et la princesse de Nassau qui y avaient grandement aidé par leurs démarches, et naturellement et surtout, malgré son rôle très épisodique et en marge du fond de l'affaire, Beaumarchais, l'infortuné Beaumarchais : n'y a-t-il pas de quoi devenir fou, d'une aventure pareille ?

Ce qui s'était passé ? Mme Kornmann et son joli mari avaient essayé de se réconcilier, elle pour les enfants, lui pour l'argent. Mais un ménage aussi démoli et qui a été aussi violemment cassé ne se raccommode pas ainsi. Bientôt Mme Kornmann redemanda le divorce autorisé par les lois de Bâle ; procédure interminable naturellement, encore retardée par la banqueroute de Kornmann, qui a mis au pillage les affaires des Quinze-Vingts, dont il était administrateur. C'est alors qu'il est aidé par un jeune avocat sans cause, qui ne manque pas de talent, mais violent et faux ; c'est Bergasse, un des fougueux disciples du fameux Mesmer.

Il avait de l'éloquence, mais ni bon sens ni logique démonstrative. Il persuada à Kornmann que l'occasion était superbe de faire un beau scandale, de montrer les dessous et les à-côtés de l'affaire, d'y incorporer, même s'ils n'y trouvaient pas place, l'ancien lieutenant de police que Kornmann accusait, on ne sait pourquoi, d'avoir aussi séduit sa femme ; le Prince de Nassau, homme célèbre par sa bizarrerie, sa vie de pique-assiette, et son courage de paladin, et surtout Beaumarchais, personnage si malheureusement célèbre et frappé sans retour depuis Saint-Lazare et ses « mirabelles » : un mémoire fabriqué avec ces éléments, même en passant bien à côté de l'affaire principale, était sûrement appelé à faire grand bruit. Bergasse, pour son compte, ne lui demandait pas plus. Il tritura donc sa bouillabaisse empoisonnée pendant longtemps, et l'offrit sous le nom de Kornmann aux amateurs.

Bergasse, qui avait su mêler à cet amalgame toutes les

questions sociales ou politiques à l'ordre du jour, Bergasse, qui criait très fort, se montrait éloquent, tumultueux, prophétique, étincelant parfois, qui insultait sans vergogne et presque avec rage ministres, juges, personnages en place, Daudet, Nassau, Lenoir et surtout Beaumarchais, Bergasse eut un succès considérable, et s'acquit presque tous les suffrages, et une popularité immense ; il se moquait pas mal du reste, maintenant, des moyens employés comme du but poursuivi.

Pour Beaumarchais, c'était apparemment le naufrage final, celui après lequel il n'aurait plus qu'à aller mourir de honte et de chagrin, oublié, pauvre, et seul, dans un coin retiré.

Il ne l'entendait pas ainsi. Il était souillé atrocement dans ce libelle ; il avait cinquante-cinq ans, il aurait voulu voir jouer son *Tarare* et finir sa vie en repos ; s'il ne pouvait pas, tant pis, il mourrait sur la brèche s'il le fallait, mais il se défendrait. « Malheureux, tu sues le crime ! » lui lançait Bergasse.

II

> La calomnie, monsieur ? Vous ne savez guère ce que vous dédaignez... D'abord un bruit léger, rasant le sol...
>
> *Le Barbier* BASILE.

En quatre nuits, Beaumarchais a composé sa réponse : elle est éloquente et suffisamment probante. Il se borne à plonger Kornmann dans sa fange, à le montrer, six et sept ans auparavant, les mains dans son sale commerce ; tout cela, il le prouve en étalant les propres lettres du vilain bonhomme, qui le montrent à l'ouvrage. Celle-ci, au *cher ami* Daudet de Jossan, à qui il confie sa femme pendant le petit séjour qu'il fait à Spa. Celle-là... cette autre... C'est assez clair. et ces preuves se suffisent à elles-mêmes.

Bergasse et Kornmann devraient être démontés, honnis par l'opinion, devant cette réponse, qui elle, se tenant strictement dans l'affaire, apportant des faits et des preuves, et non des affirmations gratuites et des injures, constitue une réfutation éclatante et irréprochable aux déclamations si calomnieuses de cet avocat démagogue. Pourtant il n'en est rien ; Beaumarchais a vaincu légalement, mais le public s'est laissé enlever par le frénétique amphigouri de Bergasse ; le peuple en fermentation applaudit aux invectives de ce fielleux méridional contre toutes les institutions sociales et les représentants du pouvoir ; aveuglé par ses passions, le public voit mal l'affaire elle-même, son fond, et c'est là ce qu'escomptait Bergasse, qui déclare lui-même : « tout ce qui ressemble à un raisonnement, à une démonstration, m'arrête ». Aussi bien, au travers de ses libelles, la cause apparaît à peine, ou très mal, étant noyée dans une sauce tellement épicée, qu'elle emporte le goût du mets substantiel. A côté de cela, Kornmann et Bergasse font répandre, en six mois, plus de deux cents petites brochures, de deux ou trois pages, toujours anonymes bien sûr, ou signées du « Public Parisien », et qui vomissent sur Beaumarchais des jets d'ordures et de saletés ; anecdotes déformées, histoire de sa vie faussée d'un bout à l'autre. Oh ! La calomnie, atroce, insinuante, et qui comme une vrille fait son chemin dans l'esprit le moins hostile ; la calomnie affreuse, contre laquelle Beaumarchais lutte en vain ! Bergasse et Kornmann, ont été à bonne école, ils n'ont pas oublié le *Barbier de Séville*, ni la leçon de Basile :

« La calomnie, monsieur ! Vous ne savez guère ce que vous dédaignez ; j'ai vu les plus honnêtes gens près d'en être accablés. Croyez qu'il n'y a pas de plate méchanceté, pas d'horreurs, pas de conte absurde, qu'on ne fasse adopter aux oisifs d'une grande ville, en s'y prenant bien : et nous avons ici des gens d'une adresse !... D'abord un bruit léger, rasant le sol, comme hirondelle avant l'orage, *pianissimo*, murmure et file, et sème en courant le trait empoisonné. Telle bouche le recueille, et *piano, piano* vous le glisse en l'oreille adroitement. Le mal est fait ; il germe, il rampe, il chemine, et *rinforzando* de bouche en bouche il va le diable ; puis tout-à-coup, ne sais comment, vous voyez Calomnie se dresser, siffler, s'enfler, grandir à vue d'œil. Elle s'élance, étend son vol, tourbillonne, enveloppe, arrache, entraîne, éclate et tonne, et devient, grâce au ciel, un cri général, un *crescendo* public, un chorus universel de haine et de proscription. Qui diable y résisterait ? »

Et Kornmann et Bergasse ne sont pas les seuls ; les méchants savent que le lutteur a perdu sa belle forme, qu'il est presque vieux ; s'il se défend, il ne ripostera pas, il se bornera à parer les coups ; on ne le craint plus, et l'on s'acharne sur lui.

Il préparait avec un soin d'amoureux la présentation de *Tarare*, ne laissait même pas voix au chapitre au modeste Saliéri, donnant le pas au poème sur la musique : le Gouvernement l'aide, l'Académie Royale de musique aussi : la Direction de l'Opéra ne lésine point sur les frais de la décoration et des habillements, qui étaient considérables pour cette œuvre en cinq actes, avec un prologue et un épilogue féeriques où s'agitent le génie du Feu, celui de la Nature, et des ombres, avec aussi un palais asiatique, une place publique, un temple brahmanique, les jardins d'un sérail, un parterre illuminé, « un salon superbe garni de sophas et autres meubles orientaux », et des prêtres de la vie, en blanc, et des prêtres de la mort, en noir, et des chœurs ! On compte plus de cinquante mille francs de décors et costumes.

C'était donc une pièce à grand spectacle, genre très en vogue à l'époque, qui devait avoir grand succès et courir une longue carrière pour peu que le poème et la musique soient à la hauteur de la décoration.

Or il y avait de fort beaux morceaux, un rôle magnifique, celui du héros, Tarare, et Saliéri avait donné une partition qu'on jugeait supérieure à celles de ses *Danaïdes* ou des *Horaces*. Beaumarchais entendait qu'on jouât Tarare à la mi-juin.

Le 12 mai paraît cet affreux Mémoire, et tout le monde veut le lire : ces grandes affaires à scandale, assez nombreuses avant la Révolution, passionnaient toujours l'opinion, surtout quand s'y trouvaient mêlés des personnages célèbres en bonne ou en mauvaise part ; c'est ainsi que certains offraient jusqu'à deux louis — près de trois cents francs aujourd'hui — pour en avoir un exemplaire : Kornmann leur donne satisfaction en rééditant le libelle que Bergasse avait écrit pour lui.

Le 17 mai, circule une lettre de Beaumarchais aux magistrats, déclarant qu'il dépose une plainte en diffamation, et qu'il prépare une réponse justificative, exigeant la suspension des répétitions et la remise de la première de *Tarare* jusqu'à ce que l'auteur ait défendu victorieusement son honneur : « on s'amuse peu d'un ouvrage dont on mésestime l'auteur », écrit-il. Il réunit ses documents et prépare son Mémoire.

Le 24 mai se répandent quatre lettres de Kornmann, une aux notables, une au Garde des Sceaux. une à l'Archevêque de Toulouse, et une au baron de Breteuil, à propos de son Mémoire qu'il avoue sans l'avouer et dont il désavoue l'impression, faite dit-il, à son insu : c'est un tour pour éviter les poursuites. Puis vient une « Déclaration de G. Kornmann » datée du 20 mai, et affirmant que tout ce que contient son Mémoire est véritable, puis une contre-note le 25 mai, où Bergasse lève son masque, et où Kornmann déclare que toutes les lettres dont Beaumarchais a annoncé qu'il se servirait pour sa justification, sont « supposées ou contrefaites ». Le 27, on débite chez Kornmann un écrit sans titre : c'est une nouvelle vilenie de ces Messieurs : Beaumarchais ayant chassé un de ses valets, celui-ci, par vengeance, et moyennant finances, a été trouver Kornmann et lui a déclaré qu'il savait beaucoup de choses sur les relations plus ou moins coupables dont il aurait été témoin six ans avant, entre Beaumarchais, Lenoir, Daudet, et Madame Kornmann, qu'à l'en croire ces trois compères se passaient à tour de rôle. En post-scriptum, Kornmann somme Beaumarchais de déposer au greffe les lettres dont il veut faire usage contre lui.

Le 30 mai paraît une « Addition importante à mon Mémoire » signée G. Kornmann. La tactique donc, c'est de démonter Beaumarchais par un bombardement ininterrompu de flèches empoisonnées, méchancetés et saletés grandes ou petites, anonymes presque toujours, qu'on paie à la ligne, et qu'on lui décoche sans interruption.

On attendait avec impatience la réponse de Beaumarchais. Enfin le premier juin, à l'Opéra, il en parla et le 2, il la distribua à ses amis, et la fit vendre aux autres ; le même jour, répétition générale de *Tarare*, réservée aux amis et connaissances. L'affluence fut énorme. Le 6 juin, Kornmann annonce une réfutation du Mémoire de Beaumarchais, pendant qu'au Caveau, le café à la mode, une bande d'écervelés donne une séance grotesque, avec juges, avocats et plaignants, qui finalement se mettent d'accord pour condamner le Mémoire de Beaumarchais à être lacéré et brûlé par un des garçons de café.

Le lundi 4 avait eu lieu une répétition générale de *Tarare*, payante celle-là, et quasi-publique. On hua le cinquième acte, Beaumarchais alors ayant obtenu le silence, déclara aux auditeurs qu'il le changerait.

Au lieu de cela, craignant la cabale et l'influence de ses ennemis pour faire tomber la pièce à sa première représentation, qui devait avoir lieu le 8 juin, il courut chez le Baron de Breteuil et le supplia de remettre sa pièce à plus tard, bien qu'elle fût annoncée. Le Ministre essaya de lui faire comprendre le tort considérable qu'il ferait aux acteurs et aux auditeurs, même s'il indemnisait les premiers et remboursait les autres comme il l'offrait. Beaumarchais ne voyait que le tort qui pouvait en résulter pour lui, et se déclarait prêt à tout pour arrêter la représentation du *Tarare*.

Pourtant il ne put rien : lui qui avait dû lutter et batailler trois ans durant pour qu'on laissât jouer le *Mariage de Figaro*, vit jouer, malgré lui, par force, le 8 juin 1787, son fameux opéra.

Il y eut grand monde, Monsieur et le Comte d'Artois en étaient ; le prologue fut manqué, néanmoins le succès fut considérable, au point que le parterre réclama l'auteur, ce qui ne s'était jamais vu. Beaumarchais refusa de paraître, ce qui ne s'était jamais vu non plus : le tapage ne le tente plus. S'assagirait-il ?

Bien entendu, dès le lendemain, les pamphlets et les épigrammes sur la pièce et son auteur commencent à courir : d'abord *Tarare* et *Saint-Lazare* donnent une rime si brillante ! L'un fait remarquer dans ses méchants petits vers que *Tarare* a pour anagrame *ratera* : un autre, sous prétexte de justifier la pièce, déclare, s'autorisant des dires de Beaumarchais dans son dernier Mémoire :

« Ne dit-il pas que jusqu'à ce moment
Il nous à fait admirer ses bêtises ? »

Le *public parisien* (et qui pourrait bien être Mirabeau, dit-on, mais qui, plus vraisemblablement, est Suard, « l'insecte vil de la nuit ») continue à insulter et vilipender Beaumarchais, à raison de quatre ou cinq feuilles imprimées par semaine : *le public à P. A. C. de Beaumarchais* ; lettre *du public Parisien, au même* ; *Post-scriptum du même au même* ; *Mémoire en réfutation contre P. A. C. de Beaumarchais pour servir de suite au cri populaire*, etc... On répand aussi un *Testament du père de Figaro*, assez dans le goût de ceux de Villon, à cela près que les legs que ses ennemis attribuent à Beaumarchais sont souvent imputables à la pure calomnie ; on le chansonne, on fait courir une offre d'un écrivain du Palais qui lui propose du « style de cuisinière » pour écrire ses Mémoires, à raison de quatre sols la page : on imprime aussi une prétendue *Requête des scélérats de Bicêtre*, qui réclament en la compagnie de Beaumarchais celle d'un frère. Et cela n'arrête pas.

Tarare n'en continue pas moins à obtenir un succès croissant, et Beaumarchais trouve le moment choisi pour mettre en circulation une nouvelle livraison de Voltaire, vingt et un volumes. Il en est déjà sorti une quarantaine, et le pauvre éditeur se demande avec inquiétude s'il arrivera jamais au bout : il y va de sa poche, naturellement, et d'au moins un million et demi.

*
* *

La même année, coup sur coup, Vergennes meurt, Calonne est exilé en Lorraine. Quant à l'Amérique, depuis quatre ans que la paix est signée avec l'Angleterre, qui reconnaît l'indépendance américaine, nous rend nos cinq comptoirs de l'Inde et nous laisse la propriété du Sénégal, elle n'a pas envoyé un sou des trois millions six cent mille livres qui sont dues à Beaumarchais. On règle les comptes, on promet, et on n'envoie rien. Beaumarchais n'a pas cessé de réclamer depuis six ans ; déjà de fort mauvaise humeur à cause du procès Kornmann, très mécontent aussi qu'on ait joué malgré lui, quatre jours avant, son fameux *Tarare*, qui a d'ailleurs eu grand succès, il écrit dans des dispositions d'esprit assez légitimement impatientes, le 12 juin 1788, au Président du Congrès et lui explique tout ce que la conduite des États-Unis, maintenant riches et prospères, peut avoir de révoltant à son égard ; il dit notamment :

« Que voulez-vous, Monsieur, qu'on pense ici du cercle vicieux dans lequel il paraît qu'on s'enveloppe avec moi ? Nous ne ferons aucun remboursement à M. de Beaumarchais avant que ses comptes ne soient réglés par nous, et nous ne règlerons pas ses comptes pour n'avoir point de remboursement à lui faire ! »

Il a déjà offert dans de précédentes missives, de soumettre la question à un arbitrage · il a proposé Monsieur de Vergennes comme arbitre, et pour les Américains, n'importe qui, sauf Arthur Lee, son ennemi personnel. Vergennes est mort maintenant, hélas.

Le Congrés, sans doute vexé qu'après sept ans d'attente ce créancier tenace l'invite à payer ses dettes, répond, pour la plus grande fureur de Beaumarchais, qu'il va s'empresser de régler définitivement les comptes, et qu'il charge... Arthur Lee de cette opération.

Oh ! c'est vite fait... Arthur Lee prétend que le

Gouvernement français *a donné* à Beaumarchais un million pour les États-Unis, le 10 juin 1776, et que, d'autre part, Beaumarchais s'est approprié, à titre de remboursement, deux cargaisons destinées à Franklin quand il était en France, en 1782 ; et Lee déclare que loin de rien réclamer à l'Amérique, Beaumarchais lui doit 1.800.000 francs !

Quand l'intéressé apprend le brillant résultat auquel l'ingénieux Arthur est arrivé, il proteste comme un beau diable, et demande, toujours, un arbitre impartial et le paiement intégral et immédiat, sitôt après l'expertise s'il l'accepte.

Les Américains continuent à faire la sourde oreille, et Beaumarchais, qui songe toujours à traverser l'Atlantique pour leur apporter la note à domicile, a encore trop d'affaires de tous genres en marche pour entreprendre son expédition.

Tarare continue à « donner » : trente-trois représentations de suite. Le procès Kornmann continue à s'instruire, et Beaumarchais continue à bâtir. Et cela ne lui suffit point. Il caresse le projet de jeter un pont sur la Seine, près de chez lui, un pont que l'on réclame depuis longtemps, entre le jardin du Roi et le jardin de l'Arsenal ; Beaumarchais prépare ses devis : coût : 883.499 francs, et des centimes ; prix du péage inférieur de plus de moitié à celui du bac des Invalides : carrosse à deux chevaux, 5 francs ; à 4, 7 francs ; à 6, 9 francs ; un homme à cheval, 1 franc ; à pied, 3 sous ; un bœuf, 1 franc 6 deniers ; un mouton, 6 sous, etc...

Le Pont Sully ne vint que beaucoup plus tard, mais sans péage...

Le *Mariage* a déjà donné à Beaumarchais plus de 250.000 francs, ce qui est un beau denier pour l'époque ; la somme d'ailleurs a été presque entièrement consacrée à ses œuvres de bienfaisance.

Comme en 1788 personne n'était très gai, au moment de l'assemblée des notables, du ministère de Brienne et de ses ingénieuses inventions pour remplir une caisse absolument vide, les Comédiens Français dont les recettes baissaient, voulurent reprendre le *Mariage.* Beaumarchais, pour des raisons de convenance publique, s'y refusa absolument, à cette époque de malaise et d'appréhension générale. Il termine la *Mère Coupable*, pièce étrange, de sa part au moins ; c'est un mélodrame à tendances morales, où se retrouvent, bien changés, la famille Almaviva, Suzon et Figaro : Beaumarchais déclare, et c'est bizarre, qu'il n'a écrit *le Barbier* et *le Mariage* que pour arriver à cette pièce de vieillesse, bâtarde d'*Eugénie* plus que de toute autre, et « faire étouffer de sanglots avec les mêmes personnages qui avaient fait rire aux éclats ». Il médite même une pièce complémentaire, du même genre, et qui s'appellerait *Le Mariage de Léon.*

Pendant cet hiver 1788, sa principale occupation, et des plus instructives, consiste à « voir venir » la Révolution. Il hume avec délices dans l'air un parfum de liberté, il sent qu'il y a de nombreux Figaros, et de plus en plus, dans ce bon peuple de Paris, et qui partagent les opinions dudit Figaro sur les grands seigneurs...

Enfin son Voltaire se termine : il est heureux, il a tenu ses engagements, malgré la perte considérable que l'entreprise a entraînée. Les souscripteurs se sont parfois montrés bien impatients, jusqu'à l'incivilité, et Beaumarchais, qui leur répond, les arrange à sa manière. A un M. H... dont un libraire lui transmet la réclamation plus que cavalière quoiqu'injustifiée, il fait répondre vertement et termine en déclarant : « Je ne connais pas H... mais à son style, je juge que H... est l'initiale de *Huron* ».

A un autre gaillard, qui signe « Président des traites foraines à Rethel-Mazarin en Champagne », et qui se montre assez mal léché lui aussi, Beaumarchais écrit plus tard :

« Il n'y a peut-être que vous, Monsieur le Président, qui ignoriez ce que nous avons appris à toute l'Europe, il y a près d'un an par la voie des gazettes étrangères, les françaises nous étant alors fermées : savoir que toutes les éditions de Voltaire sont achevées et en pleine livraison... Il n'y a peut-être que vous, Monsieur, qui ignoriez aussi que les deux loteries gratuites, composant ensemble un présent de 200.000 francs fait par nous à nos souscripteurs, ont été tirées publiquement il y a plus de trois ans... Il n'y a peut-être que vous enfin qui ne sachiez pas qu'il reste à livrer aux souscripteurs de l'in-12 24 volumes et non 13. On peut très bien ignorer ces choses à Rethel-Mazarin en Champagne... mais ce qu'on doit savoir en tout pays, Monsieur, c'est qu'avant de donner des leçons d'équité aux autres, on ferait bien d'examiner si l'on n'a pas besoin soi-même de quelques leçons de discrétion et de politesse, car ce n'est pas assez que d'être président des traites foraines à Rethel-Mazarin en Champagne, il faut être honnête avant tout.

« Mais puisque, malgré vos *judicieux* mécontentements, vous voulez bien me faire la grâce de vous dire mon serviteur *avec les sentiments les plus parfaits*, permettez-moi pour n'être point en demeure avec vous, de vous assurer que je suis, avec la reconnaissance la plus exquise de vos leçons,

« Monsieur le président des traites foraines de
Rethel-Mazarin en Champagne
votre... etc...
Caron de Beaumarchais
Soldat citoyen de la Garde bourgeoise de Paris. »

C'est la dernière fois qu'il signe avec particule : la lettre est du 4 août 1789.

En mars, le 14, avaient eu lieu les interrogatoires dans l'affaire Kornmann dont l'épilogue approchait, dans cette grand' salle du Parlement bien connue de Beaumarchais. Au dehors, les attaques de toutes sortes continuaient à le désoler : la nuit, on colle sur ses portes des affiches calomnieuses, dénonçant de faux méfaits, pour exciter le peuple contre lui ; la nuit aussi, on casse les deux statues de Germain Pilon qui ornent son porche ; aux abords du Palais, il est hué par les jeunes gens, et même un soir où il rentrait seul chez lui, assez tard, on essaie de lui « régler son compte ». Heureusement il était armé, et le coup fut manqué.

Dès l'interrogatoire, on put considérer qu'il avait gagné, et que Kornmann serait tout au moins débouté de sa plainte. Mais le public voit l'affaire tout autrement que les magistrats. Devenu passablement raisonneur et frondeur, il fait résider son intérêt dans l'assaut entre Beaumarchais, ancien champion, et Bergasse, nouveau favori. Par principe, la foule est ingrate à l'ancien, surtout si déjà une fois — Mirabeau — il s'est fait battre. En outre, si dénués de fondement que soient les bruits répandus contre Beaumarchais et d'après lesquels il serait accapareur de farine, ils ne laissent pas de produire une mauvaise impression ; la construction, qui se poursuit, de sa trop belle maison, la somptuosité de ses jardins, le faste de ses décorations, le luxe des meubles qu'on y apporte, tout cela aussi indispose l'opinion, aigrie par les complications du moment, outre la jalousie habituelle que porte le public à ceux, si méritoires soient-ils, dont la puissance monétaire s'affirme trop récente et paraît trop rapide.

Aussi, lorsqu'après les plaidoiries des meilleurs avocats de Paris et les délibérations presque aussi longues et passionnées qu'en 1774, au procès Goëzman, on apprit, le 2 avril 1789, assez tard, que Kornmann et Bergasse étaient condamnés et que Beaumarchais recevait des dommages-intérêts, la nouvelle fut-elle assez mal reçue. On murmura au passage de Beaumarchais, tandis qu'à Bergasse on manifesta une bruyante sympathie.

III

« Liberté, liberté chérie !... »
La Marseillaise, Leconte de Lisle.

La Révolution arrivait à grand train : en avril 1789 les ouvriers et les petits artisans commencent par incendier quelques belles maisons, et massacrer quelques personnes. Beaumarchais n'est pas tranquille pour son immeuble, et il n'est pas pressé d'aller l'habiter, en tous cas. Pour le préserver, il commence par verser 12.000 francs pour les pauvres de sa paroisse, entendez de la paroisse Sainte-Marguerite, celle de sa belle maison, car il demeure encore Vieille Rue du Temple. Le quartier Saint-Antoine est le foyer de l'agitation ouvrière : c'est celui de tous les travailleurs du meuble et du bâtiment et quand le bâtiment *marche*, tout marche.

C'est bien ce qui se passa le 13 et le 14 juillet : les 60 districts électoraux de Paris, constitués pour l'élection des députés, firent toute confiance à leurs délégués, et à l'Hôtel de Ville une municipalité de fait s'organise. Le peuple, pour sa « garde bourgeoise » récolte et fabrique des armes, dévaste les Invalides où il prend 30.000 fusils et des sabres ; le 14, on s'attelle aux canons ; les Parisiens étaient maîtres de leur ville, et ils commencèrent par courir à la Bastille, la sombre et symbolique forteresse de l'arbitraire maudit. On sait la suite.

Toute la canonnade, les massacres se passent devant la belle maison de Beaumarchais : impassible, avec ses deux cents fenêtres, insolente sous ses plâtres neufs, elle regarde.

Beaumarchais, sa femme et Julie sont venus de la rue du Temple, entrés par une petite porte du jardin, et assistent derrière un rideau à l'extraordinaire assaut. Le lendemain, Beaumarchais, dénoncé comme accapareur d'armes, est obligé de s'enfuir à la campagne et il ne rentre que huit jours après, en demandant à l'Hôtel de Ville des commissaires et une protection efficace. Ce pourquoi, sans doute, il est incarcéré le 24 juillet sous prévention d'accaparer des grains : la chose d'ailleurs n'est pas certaine.

Enthousiaste pourtant, Beaumarchais vit Bailly et La Fayette, « ce bon jeune homme » son ami, mis à l'honneur. L'abolition des privilèges le remplit d'aise ; et la déclaration des Droits de l'Homme, donc ! De ces deux belles mesures n'a-t-il pas donné, quatre ans avant, la première rédaction, par la bouche de Figaro ?

L'hiver fut moins gai, dans la famine, après les journées d'octobre. Beaumarchais, qui était membre de la représentation de la Commune, mais désirait en rester là — Bergasse, lui, d'enthousiasme avait été envoyé à la Constituante, — n'était pas bien vu par tous ses collègues. Certains même lui contestaient le droit de siéger : c'est un noble, c'est peut-être un accapareur, c'est un homme qui a deux maisons dont une qu'il n'habite pas encore, et c'est par le district de celle-ci qu'il a été nommé. Après un examen justificatif de sa situation, il est autorisé à siéger parmi les « honorables » du district des Blancs-Manteaux, c'est-à-dire du quartier du Temple. En outre, il demanda aux représentants du « faubourg Antoine » la faveur, qu'il obtint, de surveiller les travaux de démolition de la Bastille, qui risquaient, si l'on n'y prenait garde, d'obstruer les égoûts et d'abîmer les maisons voisines... dont la sienne...

Cependant Kornmann et sa bande continuent leurs basses attaques ; on le menace de mort, par lettres anonymes, et on lui spécifie qu'il « n'aura même pas les honneurs du reverbère » ; on répand chaque jour de nouveaux tracts et de nouvelles affiches dénonciatrices de noirceurs imaginaires ; et Beaumarchais est obligé de s'adresser à la Commune, de solliciter des visites domiciliaires, puisqu'on dit partout qu'il cache des armes ou de la farine ; pour montrer la fausseté de tout ce qui se répand contre lui, il écrit dans sa requête publique à MM. les représentants de la Commune :

» Je déclare que je paierai mille écus à tel qui prouvera que j'ai été chassé du district des Blancs-Manteaux ; je déclare que je paierai mille écus à celui qui prouvera que j'ai usé d'aucune intrigue pour me faire nommer député du district de Sainte-Marguerite à l'Assemblée de la Commune ; mille écus à qui prouvera que j'ai jamais eu chez moi d'autres fusils que ceux qui m'étaient utiles à la chasse ;.. mille encore à qui prouvera que j'ai des souterrains chez moi qui communiquent à la Bastille ; deux mille à celui qui prouvera que j'ai eu la moindre liaison avec aucun de ceux qu'on désigne aujourd'hui sous le nom d'*aristocrates* ; et je déclare pour finir que je donnerai dix mille écus à celui qui prouvera que j'ai avili la nation française par ma cupidité quand je secourais l'Amérique. »

Voilà où Beaumarchais en est réduit, voilà les attaques aussi absurdes que méchantes dont il a à se défendre, et voilà le moyen qu'il emploie : ces offres, certes, frappent les gens et militent en faveur de Beaumarchais, aux yeux du peuple tout au moins, qui se dit : « Il n'offrirait rien du tout s'il croyait à la possibilité d'une preuve, si petite soit-elle, dont on puisse arguer contre lui ». Et, en ce sens, la défense est salutaire. Mais le peuple, devant ce brillant étalage d'écus, pense aussi : « Tout de même, ça prouve qu'il en a, et qu'il est prêt à en sacrifier quinze mille ». Et à cette époque, ce n'était pas un titre à la bienveillance populaire, que « d'en avoir », et d'autres dangers menacent Beaumarchais, dont le premier est le chantage ; en outre, tous les mendiants, vrais ou faux, se précipiteront à l'assaut de ces écus qui sonnent si fort, et si des émeutes se produisent, sa maison ne sera pas épargnée. Situation bien difficile.

Tout semble s'arranger, pourtant, et 1790 s'annonce sous un meilleur aspect. La Constituante travaille, la situation économique s'est améliorée, et l'on prépare la grande fête de la Fédération. Beaumarchais la prépare à sa manière : l'Opéra va reprendre *Tarare*, ce sera même sans doute pour le 14 Juillet : quel honneur ! Mais aussi les temps ont changé, depuis 1787, et dans cette œuvre d'un socialisme oriental, qui mettait aux prises un peuple, une armée, un général et un souverain, il y avait des morceaux à enlever, et d'autres à ajouter. Et Beaumarchais révolutionna son Tarare ; Saliéri, rentré en Autriche, arrangea un peu sa musique pour suivre les variations du poème, et Beaumarchais, qui vient de recevoir la partition revue et corrigée, lui écrit, le 8 juillet 1790 :

« Ni vous ni personne, mon ami, ne pouvez vous imaginer l'enthousiasme qu'excite ici la grande fête du 14 ; quinze mille ouvriers employés à élever la terre en talus autour du Champ de Mars, où se fera la cérémonie, ayant laissé craindre, par leur négligence, que leur travail ne fût point achevé, tous les citoyens de Paris se sont portés au lieu où l'on travaille et depuis les Montmorency jusqu'aux charbonniers de nos ports, hommes, femmes, prêtres, militaires, tout le monde pioche la terre et tire la brouette. On me dit que le Roi y va ce soir avec l'Assemblée Nationale pour encourager les travaux : ce sont des joies, des chants, des danses ! On n'a vu dans aucun pays une ivresse pareille ; 400.000 personnes verront à leur aise, le 14, le plus magnifique spectacle que jamais la terre ait offert au ciel. »

Et pour l'embellir encore et en perpétuer le souvenir, Beaumarchais a en tête un projet grandiose, et commercial, tout à la fois, comme toujours : au président de la Constituante, il adresse son plan : c'est celui d'un monument de la Liberté, au Champ de Mars :

» Au milieu de ce cirque immense, sur une estrade carrée de 210 pieds de face (70 mètres), j'élève une colonne triomphale de la hauteur de 148 pieds (50 mètres environ) à la base de laquelle on arrive par quarante marches de 120 pieds de long (40 mètres) sur tous les côtés du carré ; aux quatre angles de l'estrade se trouvent quatre corps de garde qui reliés entre eux par des galeries souterraines, peuvent servir, dans les fêtes, de réserves aux gardes nationales et contenir sept ou huit mille hommes...

« Aperçu de la dépense pour la construction de l'autel de la Patrie, savoir : la construction en pierre de l'édifice, compris charpente, serrurerie, menuiserie et terrasse, la somme de : 2.550.000 francs.

« Pour exécuter en marbre et en bronze toutes les parties désignées dans le modèle, la somme de 1.500.000 francs.

« Total : 4.050.000 francs.

« Si la Municipalité de Paris donnait 1 million et que les 82 autres départements se cotisent pour payer les 3 millions restants, il dépenserait *(sic)* à peu près chacun 36.600 francs. »

Sans doute offrait-il les quelque 49.000 francs restants. A la bonne heure ! C'était certes un projet digne de lui et de Paris. Pourtant on ne le goûta point : peut-être, si l'année suivante s'était passée dans le même calme, eût-on envisagé cette construction, mais Mirabeau était mort, Louis XVI rentrait de Varennes, et l'on se battait au Champ de Mars, en juillet 1791 !

Très enthousiaste malgré la faillite de son projet, Beaumarchais assista à la fête de la Fédération, et, le 3 août — on avait craint que les réjouissances nocturnes prévues ne réduisent par trop le public à l'Opéra le 14 juillet — à la reprise de son *Tarare* révolutionnaire.

La représentation fut loin de ressembler à celles de 1787 où l'on écoutait avec un recueillement étonné, sinon avec admiration, cette pièce puissante et si étrange.

Ce jour-là, ce fut le tohu-bohu ! Beaumarchais se montrait constitutionnel, mais royaliste, et déjà cette doctrine, — celle que Mirabeau jusqu'à sa mort s'efforça de mettre en action — avait de féroces ennemis. En outre Beaumarchais faisait rentrer dans ce nouveau *Tarare* toutes les questions du moment : le mariage des prêtres, le divorce, la liberté des nègres, le droit d'émeute.

Aussi la pièce se joua-t-elle dans « un train abominable, des hurlements, des sifflements que se permirent un tas de bandits échappés des prisons du Châtelet »... ou bien « un reste empesté d'aristocrates déchaînés contre tout ce qui peut contribuer au bien de l'Etat et à celui du peuple » : ceci est l'opinion d'un brave républicain modéré qui la communique à Beaumarchais.

C'est à cette époque que se place une curieuse correspondance entre Mirabeau usé et n'aspirant plus « qu'à penser à ses livres et à son jardin » et Beaumarchais vieilli, mais de nouveau jovial, qui se plaît à signer « le cultivateur de la porte Saint-Antoine ».

Voici l'affaire : parmi les biens nationaux, on avait ordonné la vente des biens des Minimes de Vincennes, « pauvres tondus ». Beaumarchais l'ayant appris, et gardant un souvenir ému des bons goûters du vieux moine, du magnifique *Jugement Dernier* de Jean Cousin, et du grand parc aux arbres vénérables, avait chargé son homme d'affaires de couvrir les enchères et d'acquérir cette propriété. Or le seul autre acquéreur éventuel était Mirabeau, qui espérait bien en faire son ermitage définitif. Aussi ces messieurs, adversaires d'hier, échangent-ils des lettres courtoises à ce sujet, Mirabeau se refusant à ennuyer Beaumarchais en faisant monter l'enchère, et Beaumarchais qui, « cherchant depuis longtemps une occasion de se venger », est « trop heureux de mettre son ennemi entre quatre murailles », et cède son clos à Mirabeau, lui offrant même son concours pour la facilité de son acquisition. Il demande seulement que Mirabeau lui réserve le *Jugement Dernier*.

Malheureusement ces beaux projets n'eurent pas de suite. Mirabeau mourut six mois après, épuisé par ses excès et par le travail que lui donnaient la direction de Louis XVI et celle de la Constituante.

*
* *

A cette époque aussi se place une visite assez inopinée que Beaumarchais reçut, et appelée à des conséquences qu'il ne soupçonnait certes pas, quand son valet de chambre lui remit le petit carton annonçant le personnage :

Amélie Houret
Comtesse de la Marinière

et au-dessous, au crayon, d'une fine écriture que Beaumarchais reconnut bientôt : « feu *Mademoiselle Ninon*, 1779. »

« Tiens, comme c'est drôle ! Je me souviens de cette petite inconnue, qui m'écrivait des lettres si intéressantes. Dix-sept ans, elle en a vingt-huit aujourd'hui. Eh, eh, elle a fait son chemin ! »...

Beaumarchais pensait tout haut. Le vieux domestique attendait : « Faites entrer, mon vieux Paul ».

Et bientôt le vieux Paul s'effaça devant une exquise jeune femme.

Après les révérences, déjà d'un autre âge, et le baise-main, suranné aussi, Mme Houret de la Marinière déclara en riant : « Voilà douze ans que je ne vous ai vu, Monsieur de Beaumarchais. *Toujours le même*, depuis votre voyage à Aix ? »

— A quelque chose comme douze ans près, oui, chère Madame, chère Comtesse plutôt, » et, debout devant elle, l'admirant, Beaumarchais ajouta : « C'est bien ainsi, à peu près que je vous voyais à travers vos lettres, Mademoiselle Ninon ; tout s'est arrangé n'est-ce pas ? Et qu'y a-t-il de nouveau, quel bon vent vous porte ici ? Sans doute le direz-vous à votre ancien confesseur ? »

Toute sa mignonne figure soudain rembrunie, assise dans un vaste et moelleux canapé à côté de Beaumarchais qui l'y avait doucement menée, la Comtesse répondit : « Oui, il y a beaucoup de nouveau, et je suis venue à mon ancien confesseur comme à un conseiller, un avocat, auquel je veux tout dire. Je vais vous le raconter en gros, et je vous laisserai le mémoire qu'à votre exemple j'ai composé sur l'affaire. » Elle sortit de son réticule un rouleau de papier, cacheté et enrubanné, le posa sur les genoux de Beaumarchais, puis, lui prenant la main, commença : « Quand vous avez cessé de répondre à mes appels au secours, il y a onze ans... »

Beaumarchais se sentit étrangement ému du contact, puis de la pression de cette petite main blanche et fine sur la sienne ; en écoutant et regardant parler sa jolie cliente, il l'admirait et cherchait à la deviner toute : des cheveux légers et soyeux se montraient sortant du chapeau ; de grands yeux d'un noir étincelant, des paupières longuement ombrées et de longs cils au velours mystérieux et charmant ; un petit nez, aux ailes fines, à peine retroussé, une bouche petite et gourmande de jeune chat, des fossettes enfantines ; une voix si harmonieuse, un esprit si séduisant ; et cette main, si joliment faite, comme le pied qui dépassait de la robe, comme tout le corps souple qu'on devinait...

Elle continuait, les yeux perdus dans un vague lointain, à raconter vivement, avec une franchise et une effronterie déconcertantes, sa vie de jeune fille, puis de jeune femme, et la dernière aventure qui allait l'obliger à se séparer de son mari et à plaider.

Quand elle eut fini, elle regarda son ami Beaumarchais qui lui dit : « Si jolie, je ne m'étonne pas que vous ayez eu tant d'imprévu dans votre vie. » Un temps, et la regardant toujours, il répéta plus bas : « Si jolie ».

Les yeux dans les yeux, intensément, provocante et charmeuse, elle demanda : « Vous trouvez ? »

Pour toute réponse, serrant la petite main toujours dans la sienne, il approcha ses lèvres ; elle offrit les siennes.

Ce fut terriblement long, et dur pour Beaumarchais. Puis il s'agenouilla devant elle, et s'amusa à la déchausser ; rieuse, elle laissait faire, et caressait les cheveux rares du vieux.

A ce moment Gudin, qui venait faire à Beaumarchais sa quotidienne visite, et qui avait frappé un coup trop discret à la porte du bureau, y montra sa tête. Il s'arrêta court ; la main sur la bouche, instinctivement, pour ne pas pousser un « oh ! » trop naturel, les yeux arrondis, horrifié, il contempla un instant le tableau : Beaumarchais, lui tournant le dos, accroupi aux pieds d'une petite femme qui rajustait sa toilette, et la déchaussant. Puis il referma doucement la porte ; Beaumarchais, sourd, n'avait rien entendu ; Amélie Houret avait vu Gudin disparaître et la porte se refermer.

Affolée, elle prévint Beaumarchais qui se mordit les doigts, la rechaussa, et la reconduisit, en disant bien haut dans l'antichambre : « C'est entendu, chère Madame, je lirai votre petit mémoire, et je vous écrirai ce que j'en pense en vous le renvoyant. » Gudin, qui arpentait l'antichambre, rentra avec Beaumarchais tête basse dans le bureau, et lui dit : « Elle est très jolie, mais tout de même, mon cher vieux, il ne faut pas ; vous avez 58 ans, une femme, une fille ; il ne faut plus la revoir ».

Presque docile, Beaumarchais, le lendemain, écrivit à Amélie Houret :

« ... J'ai lu votre mémoire, aussi singulier que vous, étonnante créature ; je vous le renvoie, quoique j'eusse une envie démesurée d'en faire prendre copie. Mais vous l'avez confié à ma probité... Je vous le renvoie pur et intact, à une lecture près que je n'ai pu me refuser de faire à quatre ou cinq personnes, en taisant les noms et déguisant les lieux... Maintenant, belle impérieuse, que voulez-vous faire de moi ? D'abord je ne veux plus vous voir ; vous êtes une incendiaire ; hier en vous quittant, il me semblait sur moi qu'il eût plu de la braise. Mes pauvres lèvres, ah ! Dieux ! pour avoir seulement essayé de presser les vôtres, étaient ardentes,... comme dévorées du feu de la fièvre ; qu'avais-je besoin de voir tant de charmes,... de voir votre jambe attachée au genou le mieux fait ? et ce pied si petit, si furtif qu'on le mettrait dans sa bouche ?... Non, non, je ne veux plus vous voir, je ne veux plus que votre haleine mette le feu dans ma poitrine. Je suis heureux, froid, tranquille. Que m'offririez-vous ? des plaisirs ? Je n'en veux plus de cette espèce. J'ai renoncé à votre sexe, il ne sera plus rien pour moi..., plus de séances bec à bec, je deviendrais fou. »

Mais elle lui répondit ; très fine, très spirituelle, très vicieuse aussi (dès 1779 ses lettres le laissent facilement prévoir), elle veut le reprendre, le dorloter, s'amuser encore de ce vieux pantin qu'elle aime, au fond, et qui, lui, a attendu l'été de la Saint-Martin pour connaître le grand'amour et sa fièvre furieuse ; et le surlendemain, Beaumarchais lui écrit :

« Vous me demandez mon amitié, mais il est trop tard, chère enfant, pour que je vous accorde une chose si simple. Malheureuse femme, je vous aime, et d'une façon qui m'étonne moi-même ! Je sens ce que je n'ai jamais senti ! Etes-vous donc plus belle, plus spirituelle que tout ce que j'ai vu jusqu'à ce jour ? Vous êtes une femme étonnante, je vous adore,... Je voudrais pour beaucoup oublier notre entrevue. Mais comment tenir une jolie femme sans *rendre hommage* (!) à sa beauté ? Je ne voulais que vous prouver qu'on ne vous voit pas impunément ; mais ce doux badinage, sans conséquence avec une femme ordinaire, a laissé des traces profondes. Je voudrais dans ma déraison pétrir vos lèvres de mes lèvres pendant *au moins* une heure entière... »

Rien que cela.

Le voilà repris, et bien pris ; il la revit, naturellement...

Cinquante-huit ans, ou seize ? Chérubin, ou Bartholo ?

*
* *

Beaumarchais, enfin installé dans sa grande maison, ne demandait maintenant qu'à finir sa vie en paix, ce qui ne l'empêchait pas de mener encore de multiples entreprises ; il fait beaucoup de bien et donne beaucoup d'argent à la Patrie, pour se faire pardonner sa richesse relative ; à l'Assemblée, il présente un projet de conversion des assignats : stabilisation ; il s'occupe activement aussi d'un réglement définitif des droits d'auteurs dramatiques : avec la Harpe et le vieux Sedaine, il présente à l'Assemblée un projet équitable, qui supprime les privilèges de la Comédie-Française et le sans-gêne des scènes de province. Par le décret du 13 janvier 1791, la propriété des auteurs était enfin reconnue et réglementée de manière précise. Pratiquement, il fut très long et très difficile, et Beaumarchais s'y employa jusqu'à sa mort, de régler harmonieusement les rapports des auteurs et des directeurs de théâtre, surtout avec ceux de province, dont certains criaient à la tyrannie, et répondaient aux objurgations des auteurs qu'ils se moquaient pas mal de leurs droits et des décrets, et que leur seule préoccupation était d'avoir de bonnes recettes.

Toute l'année 1791 se passa à travailler cette question et à rédiger des rapports pour l'Assemblée ; Chénier, Palissot, outre Grétry et Daleyrac au nom des musiciens, s'étaient joints aux anciens sociétaires.

Beaumarchais, en outre, a une correspondance formidable, et il s'occupe beaucoup de son quartier, en sa qualité de municipal, et même de son ancien quartier, dont les fidèles le chargent de demander à la Commune un nombre de messes plus considérable, ce dont il s'acquitte aimablement, « quoique le moins dévôt de tous ». Il continue à recevoir des demandes d'argent en nombre astronomique ; il donne le plus qu'il peut, mais certains qui ne reçoivent rien — en un mois Beaumarchais est assailli de 422 demandes — lui envoient leurs injures ; et pourtant, il est d'une bonté profonde et souvent délicate ; c'est ainsi qu'à la Supérieure du couvent de Bon-Secours, où il fait élever sa fille, il paie double pension : celle d'Eugénie, et aussi celle d'une jeune camarade intelligente et pauvre que la Supérieure a recommandée à sa générosité ; il y ajoute la même petite somme d'argent de poche que pour sa fille. A la ville de Lyon, il a envoyé 6.000 francs encore, en 1790, pour son Institut de Bienfaisance. Pour le départ des soldats de son district, il donne 12.000 francs, et achète des lits pour les hospices. Il chansonne toujours, et compose une douzaine de charmants couplets, « Ronde pour la rentrée d'Eugénie de son couvent dans la maison paternelle, dédiée à sa mère et brochée par Pierre-Augustin, son père, le premier poète de Paris en entrant par la porte Saint-Antoine ».

Seulement, il les fait imprimer et les répand. Il reçoit aussitôt, à cause d'un couplet d'avenir pris comptant, une nuée de demandes en mariage de jeunes gens naturellement aussi méritoires les uns que les autres, et de pères de famille prévoyants pour leurs collégiens d'enfants. Et voilà Beaumarchais obligé de composer une lettre circulaire pour répondre à tous ces braves gens, qui lorgnent, outre la fille, la fortune du papa, et leur expliquer qu'Eugénie n'ayant encore que 14 ans, on a le temps de penser à son établissement.

Beaumarchais d'autre part a terminé *La Mère Coupable* et se prépare à la donner, non pas aux Français, encore en froid avec lui, mais à un nouveau petit théâtre qui essaie de se lancer, et qu'il subventionne. C'est le Théâtre du Marais, bâti à côté de chez lui, et dont il est actionnaire. C'est là qu'il dirige, aussi bien que le lui permet une surdité croissante, les répétitions de son drame.

* * *

Mars 1792... La Patrie en danger... A ce moment il reçut la visite d'un Belge, nommé Delahaye, qui lui expliqua : « Sais-tu bien, pour une fois, je suis en possession du monopole de la vente des fusils dans le Brabant, et j'en ai plus de cinquante mille à ma disposition, mais ils sont en dépôt à Terveeren, en Zélande, au compte de mon premier vendeur, de Rotterdam, que je ne peux payer. Alors, comme maintenant le

Brabant n'a plus besoin de fusils, comme je sais que la France en a besoin, je voudrais les vendre pour elle, mais sans avoir d'ennuis, et je vous propose de les payer pour moi, trente francs, prix d'achat convenu, et de les revendre à votre gouvernement, ce que vous ferez sans difficultés et avec profit, même en me donnant un tiers du bénéfice pour la bonne affaire que je vous offre ».

Beaumarchais prit des renseignements, et, enchanté d'accroître pour Eugénie une fortune qui s'élevait alors à douze millions — théoriquement, car on lui en doit, de part et d'autre, plus de sept — et de servir en même temps les intérêts de son pays, il conclut le marché avec son Belge, le 16 mars 1792.

Il se trouvait ainsi propriétaire de 52.345 fusils, avec baïonnettes, répartis dans 922 caisses et 27 tonneaux. Après de nombreuses démarches auprès des ministres et bureaux intéressés, il conclut enfin, le 3 avril, un traité de fourniture avec le ministre de la guerre, De Graves, successeur depuis quinze jours de Servan.

Beaumarchais s'engageait à livrer pour le 15 mai au plus tard ses 922 caisses et 27 tonneaux de fusils dans le port du Havre.

Au même moment la guerre est déclarée à l'Autriche et, de ce fait, la Hollande nous est aliénée.

***

Du coup, l'affaire se complique fort ; malgré les efforts de l'agent de Beaumarchais, la Hollande ne veut pas laisser sortir de chez elle pour aller en France des fusils qui se retourneront contre elle ou ses alliés. Beaumarchais commence à être inquiet, qui, ayant reçu du Gouvernement à titre d'acompte 500.000 francs, en assignats valant environ la moitié, avait déposé comme caution 750.000 francs en bonnes valeurs, et croyait bien pourtant avoir entrepris une belle affaire. En outre, De Graves quittait le ministère qu'il laissait à Lebrun, lui-même remplaçant de Dumouriez, parti aux armées, et Lebrun était le meilleur ami de Clavière, l'ancien banquier, devenu ministre aussi, qui avait jadis lâché Mirabeau aux trousses de Beaumarchais.

Il court les bureaux, se fait recevoir par les ministres, essaie de s'assurer leur aide et celle des représentants français en Hollande, pour qu'on laisse sortir de leur entrepôt ces malheureux fusils. Ses navires arrivent en Hollande, mais attendent en vain une levée de défense qui permettrait de charger la cargaison. Beaumarchais continue ses démarches, rien n'avance. Les ministres changent tous les quinze jours, ne connaissent pas bien la question. Les dossiers s'égarent dans les bureaux, dont les instructions se contredisent ; bref, c'est la pagaille révolutionnaire.

Beaumarchais n'en sort pas. Pourtant la réussite de cette affaire est d'une importance capitale, pour les intérêts de la France comme pour les siens propres. La Hollande lui fait offrir de revendre ses armes à l'étranger. Beaumarchais refuse ; on le menace alors de saisie.

Inlassablement il sollicite des fonds, un passe-port, une aide diplomatique. Mais on piétine ; commissions, comités et ministères vont à marches contrariées, et le désordre devient effrayant. Le citoyen Caron Beaumarchais attend toujours que la Patrie lui donne les moyens de la servir. Ce qui ne l'empêcha point d'offrir à l'Assemblée, le 12 mai 1792, le produit de ses droits d'auteur pendant toute la guerre.

Il profita de cette attente forcée pour donner au public *la Mère Coupable*, le 6 juin 1792, sur le petit théâtre du Marais : ce fut bien médiocre ; l'agitation des esprits était peu propice à ce genre de distractions ; en outre, on préférait, à des drames moraux et larmoyants comme celui-là, des pièces plus gaies. Enfin cette jeune troupe nouvelle n'était pas fameuse, et *La Mère Coupable* passa parfaitement inaperçue.

IV

> « Quels fruits de la liberté ! Ce sauvageon amer a grand besoin d'être greffé sur de sages lois réprimantes... »
>
> *Beaumarchais, Requête à la Commune.*

Une deuxième crise secoue la Révolution : le 10 août.

La famille royale est emmenée au Temple, après que les Tuileries aient été envahies, et les gardes suisses massacrés. L'ami d'enfance de Pierrot Caron, D'Atilly, qui en était lieutenant-colonel, y trouva la mort.

Beaumarchais avait expédié ses femmes au Havre, quelque temps avant ; dans la tourmente, il continue ses démarches. Son courage est d'autant plus méritoire qu'il se sait guetté, toujours, par la horde de ses anciens ennemis, les alliés de Kornmann et Bergasse, en particulier. Le peuple a commencé à obéir aux meneurs, aux aboyeurs, et il est le maître, le maître absolu avec la Commune. La Législative n'est plus grand'chose.

Profitant de ces troubles, où la lie de la population, mêlée aux manifestants, se livre à tous les abus, ses ennemis s'étaient abouchés avec une de ces bandes noires. Un des conspirateurs, brave homme, qui s'était trouvé malgré lui enrôlé dans la clique, résolut de prévenir Beaumarchais ; celui-ci le reçut dans son bureau, derrière le secrétaire en marqueterie qu'il a payé 30.000 francs, et l'écouta : « Monsieur, je viens vous prévenir que des malandrins ont décidé que, dans la nuit du 9 au 10 août, une bande de pillards viendrait saccager votre maison : six gaillards déguisés en gardes nationaux doivent, au nom de la municipalité, faire ouvrir les portes, les refermer vite à clef sous prétexte d'empêcher la foule d'entrer. Puis toute la bande aurait fourré vos domestiques à la cave, et on aurait agi *manu militari* sur vous, pour se faire remettre les sommes qu'on vous croit avoir touchées du Trésor.

« Naturellement, il est convenu entre les comploteurs que toute indiscrétion sera payée par l'égorgement du coupable ».

Quand il eut fini, il donna son nom, son adresse, et s'en remit à la discrétion de Beaumarchais qui demanda protection à Pétion, maire de Paris.

Pas de réponse.

Le jeudi, puis le vendredi passent, les troubles continuent, les scènes de pillage aussi, mais Beaumarchais n'est pas inquiété.

Le samedi 12, un autre ouvrier vint le prévenir que les mégères du quartier avaient alerté la populace qui arrivait pour chercher et trouver « les armes qu'il tenait cachées dans ses souterrains ». Voilà la légende, issue d'une indiscrétion, d'un faux-bruit, d'une méchanceté.

Beaumarchais alors ouvre tous ses meubles, toutes ses portes, et attend de pied ferme. Hurlante, la foule arrive, menée par les matrones échevelées et grouillantes, la pique en avant, comme autrefois le balai :

« A mort, Caron ! Les fusils, traître ! »

Féroces, violentes, butées, elles secouent les grilles et invectivent.

Beaumarchais a soixante ans, il est fatigué, sa femme et sa fille ne vivent que par lui et pour lui : les quelques voisins et domestiques qui lui restent le supplient de se sauver ; par derrière ils le mènent jusqu'à une poterne, au fond de son jardin, qui donne sur une petite rue tranquille où se trouve la maison d'amis partis récemment en lui laissant les clefs. Mais déjà la populace a forcé les grilles et l'invasion commence ; une sentinelle a vu Beaumarchais se sauver, et crie. Beaumarchais, de toutes ses vieilles jambes, court à en perdre haleine ; les hurlements s'éloignent.

Il est parvenu haletant à la porte de ses amis, l'a poussée, et, affalé dans l'herbe, derrière le mur, il écoute les patrouilles de poissardes qui le cherchent dans la rue. Pendant ce temps, devant ses valets figés, les forcenés retournent tout, arpentent la maison du haut en bas, perçent les paillasses, trouent le plâtre des murs, se promènent dans les caves à la lueur vacillante des chandelles, retournent la terre du jardin. Mais les chefs de file interdisent tout larcin, et les malandrins qui se sont glissés dans la foule renoncent à piller ; dans les caves, pas un verre de vin ne fut bu ; de loin en loin des hommes crient : « Le premier qui détournera quoi que ce soit sera pendu et haché en morceaux par nous ! » Etrange mélange de sauvagerie, de mépris des lois humaines et de justice intègre, d'illégalité et de scrupuleuse observance du droit de propriété. Mais n'en fut-il pas ainsi de toutes nos armées révolutionnaires en pays ennemis ?

Pendant sept heures, plusieurs milliers d'individus se sont successivement bousculés et ont l'un après l'autre secoué leur poussière sur les parquets de Beaumarchais. Moutonnant, ce flot populeux s'est retiré, laissant de sa marée un sillage de poussière déposée, épaisse et grasse.

Une femme, qui avait cueilli une fleur au jardin, a failli être noyée dans le bassin par la main des étranges justiciers. Les gamins se sont rassasiés de fruits verts, mais c'est tout. Ces Messieurs ont même poussé la correction jusqu'à laisser un procès-verbal en bonne et due forme, constatant qu'on n'avait rien découvert de suspect chez le citoyen Caron Beaumarchais. Ledit citoyen rentra vers quatre heures chez lui, mangea, et visita ses domaines. Le mal était relativement réduit.

Le soir il préfèra, toujours inquiet de la menace nocturne dont on l'a entretenu, aller passer la nuit rue des Trois-Pavillons, dans la maison abandonnée par ses amis, et où il s'est réfugié le matin même. Il fait mettre des draps au lit par le valet de la maison, qu'il loge chez lui, puis s'en va à la brune avec ce domestique ; on ferme soigneusement les portes. Beaumarchais se met au lit et commence à dormir d'un sommeil profond, après les émotions de la journée.

Vers minuit, le domestique, en chemise, le réveille. Beaumarchais, chaque jour plus sourd, n'entend pas grand'chose. Pourtant un vacarme effroyable emplit la rue. Des lampions hésitants se balancent au bout des piques qui dépassent le haut du mur. Le valet en chemise regarde derrière les volets ; Beaumarchais, dans la même tenue, regarde aussi. On a dû le trahir. Il s'habille à moitié, passe ses pantoufles, examine la situation avec « l'officieux » :

« C'est évidemment à moi qu'ils en ont puisqu'ils

sont venus ici ; pas de retraite possible ; il faut se livrer ou subir le siège. C'est bon, je vais y aller ; inutile qu'on massacre la maison de ton maître parce que j'y suis. Va ouvrir ! » dit Beaumarchais. Puis il descend à la cuisine.

Sa dernière heure, sans doute...

Le valet revient, cherchant des chandelles : « Je pense bien que c'est à vous qu'ils en veulent ». Par la porte entr'ouverte, Beaumarchais aperçoit les piques au couperet brillant, les « uniformes » faits de pièces et de morceaux, les baïonnettes des fusils, et, éclairant cette ronde infernale et gesticulante, la lueur blafarde des lampions : affolé de terreur physique, arc-bouté sur sa canne, Beaumarchais se glisse vers un petit réduit qui précède un escalier de cave, et derrière la porte, caché par une armoire, ramasse toute sa vieille carcasse tremblante et imprégnée de sueur froide. Il claque des dents, mais se ressaisit, retient son souffle ; il voit et entend aller et venir les ombres bizarres et difformes.

« — Le moment approche, il faudra bien qu'ils me trouvent ».

Des larmes coulent de ses vieilles paupières ; rapidement, il revoit toute sa vie, cette vie où tout a été matière à scandale, souvent malgré lui, parfois de sa faute, cette vie où tous l'ont envié, où pourtant chacun l'a repoussé. Il se confesse à lui-même, dans l'ombre.

Sa femme, sa fille, sa sœur, Gudin, visages aimés, vieux ou jeunes, laids ou beaux... En une sarabande folle repassent devant ses yeux hallucinés tous ceux qui ont eu part à sa vie, du plus lointain au dernier en date, du plus important au moindre, ceux qui sont morts depuis trente ans mêlés aux vivants : Goëzman, Maurepas, Lavallière, Louis XV, le vieux moine des Minimes, Pauline, Clavijo, l'Impératrice, la petite Marquise de la Croix, Marin, Marie la vieille cuisinière de la rue Saint-Denis, le Duc de Chaulnes, Amélie Houret, son fils, La Blache, Lepaute, Pâris-Duverney, la petite Ménard, son père et d'autres, et tant d'autres, et toujours d'autres encore qu'il ne reconnaît pas, des têtes grimaçantes qu'il n'a jamais vues se succèdent à une folle vitesse, insaisissables et saisissantes.

Beaumarchais, les yeux clos, secoué d'un tremblement convulsif, ne sait plus s'il est mort ou s'il est vivant. Temps, espace, vie, toutes notions précises ont disparu. Il sommeille, maintenant, crispé sur sa canne, dans une pose abandonnée de cadavre accoté à une mur.

*
* *

Réveil brusque ; le domestique et Gudin, son caissier en habit de garde-national, sont devant lui ! La foule est partie, une dizaine de gardes restent ; et le caissier lui explique qu'ils sont venus pour fouiller la maison, dénoncée comme suspecte, sans savoir que Beaumarchais s'y trouvait. Les révolutionnaires n'ont rien découvert ; ils sont repartis, et Beaumarchais n'a plus qu'à aller se recoucher.

Une fois de plus, la méchanceté et la bassesse avaient échoué. Beaumarchais gardait sa vie et ses biens. Il fit naturellement afficher partout, le lendemain, le résultat de la visite faite à sa maison du Boulevard, et le procès-verbal des chefs de file.

Mais dix jours plus tard, Chabot, l'ancien capucin défroqué, le dénonçait à la tribune de la Législative «comme recéleur d'armes dans un endroit très suspect». Beaumarchais répondit vertement à ce Basile de révolution... et le lendemain fut mené en prison, pour une des prochaines charretées.

Cette fois, selon toutes vraisemblances, c'était la fin.

On était venu le chercher de bon matin ; devant son ami Gudin affolé, on avait posé les scellés, puis des gardes aux allures sinistres de brigands l'avaient emmené, tandis que d'autres restaient à « garder » cette immense maison, où Gudin demeurait seul, absolument, et désespéré. On avait interrogé Beaumarchais à la Mairie ; il s'était justifié, et les magistrats municipaux allaient le relâcher quand parut Marat, qui glissa quelques mots à leur oreille. Beaumarchais, très sourd, malgré son cornet acoustique, dont s'amusaient fort ces messieurs, n'entendit point. Mais Marat se suffisait à lui-même, et Beaumarchais comprit bien que son intervention ne signifiait rien moins qu'une délivrance. L'ordre d'écrou fut signé, et l'homme conduit à l'Abbaye, derrière Saint-Germain-des-Prés ; on le mit dans une cellule où se trouvaient déjà douze malheureux, à côté de dix-sept autres geôles semblablement garnies.

Parfaitement calme, Beaumarchais, avec son air de vieux soldat et sa grande amabilité, rendit courage aux déprimés, et passa ses journées, — on ne savait point quelle serait la dernière — à discuter lettres ou philosophie avec le comte d'Affry, ex-colonel des Suisses, et Lally-Tollendal le fils.

Il passa une semaine ainsi, jusqu'au 30 août. Déjà pour le surlendemain, les massacres se préparaient.

Il était dit que Beaumarchais passerait par toutes les émotions ; le trente août au soir, vers six heures, un geôlier ivre vint lui dire : « Eh, Beaumarchais, on te demande ! » L'effroi glaçait chacun : ceux qui s'en allaient ainsi ne revenaient point, on le savait.

— « Qui ? » questionna Beaumarchais. — « Citoyen Manuel, procureur de la Commune », répondit en bredouillant le gardien ; Manuel, un homme dont Beaumarchais s'était agréablement gaussé, quelque temps avant, à propos d'impôts qu'on lui réclamait et qu'il avait plus que payés ; Beaumarchais était perdu ; il serra en souriant les mains qu'on lui tendait, et, hirsute, l'habit en lambeaux, après ses six jours de captivité, suivit le gardien, tête haute.

Il n'avait jamais vu Manuel ; aussi, quand il arriva dans la salle où plusieurs membres de la municipalité se trouvaient, il demanda où était ce citoyen. « C'est moi », lui répondit un homme jeune encore, qui s'avança, l'air jovial, en lui tendant la main. « Je viens vous chercher ; on a pu établir que vous aviez été faussement accusé, et votre dénonciateur est sous les verrous. Vous êtes libre, je vous emmène ».

Beaumarchais embrassa son fantaisiste ennemi Manuel, qu'il remercia de sa générosité ; deux ans après, Manuel était guillotiné par les Conventionnels, et ce fut beaucoup plus tard que Beaumarchais apprit que Madame Houret de la Marinière, très bien alors et mieux encore avec Manuel, avait été sa vraie libératrice. Beaumarchais, ne comprenait plus rien, mais rendu méfiant par ses aventures, le rescapé demanda qu'on l'accompagnât chez Lebrun.

Manuel y consentit, et lui expliqua en voiture, pendant la route, tout ce qui se passait : « Vous comprenez, Clavière a une vieille haine pour vous, depuis l'affaire des Eaux ; en outre c'est un financier ; Lebrun est son grand ami, et Clavière a vu tout le parti qu'ils pourraient, à eux deux, tirer de votre entreprise, en vous l'arrachant d'une manière ou d'une autre, et en spéculant tant soit peu dessus.

De sorte qu'ils font tout, sourdement, pour vous « expédier », et que vous risquez fort de n'en point être à votre dernière émotion. J'aurai l'œil, maintenant, mais je n'ai moi-même qu'un pouvoir limité, et d'un jour à l'autre je peux perdre mon poste, et ma vie avec ; il faut s'attendre à tout. Nous voilà arrivés ».

A ce maître fourbe de Lebrun, le citoyen Caron Beaumarchais déclara, devant Manuel et son collègue, devenus ses gardes du corps et ses garants : « Citoyen ministre malgré toutes les entraves mises à ma mission et à ma liberté, toutes les menaces à ma vie, me voici une fois de plus, sain et sauf, dans votre bureau.

« Ces Messieurs seront témoins des efforts que je renouvelle auprès de vous pour accomplir ma mission. Je vous demande la promesse ferme : de me délivrer au plus tôt un laissez-passer mettant ma vie et mon indépendance en sûreté, et des fonds, à prendre sur mon dépôt quand j'en demanderai ; de me fournir un aide efficace si je suis en difficultés , et de répondre nettement et rapidement à mes questions écrites ou autres. Je n'ai qu'une manière d'écarter les mortels soupçons dont on m'accable, c'est de remplir ma mission et de rapporter ces fusils à la France. Qu'on m'accorde alors ce que je demande sans lanterner ni biaiser ».

Lebrun, selon son habitude, promit sans promettre, et Beaumarchais s'en fut, aussi peu rassuré sur le lendemain que durant son séjour à l'Abbaye.

Dans les rues, où il circulait seul maintenant, toujours déguenillé et barbu, il était heureusement méconnaissable. Les voleurs dévastaient les maisons, les bourgeois montaient la garde n'importe où, pendant qu'on envoyait leur famille en prison et qu'on saccageait leurs propriétés. Partout on voyait des barricades; les portes de Paris étaient fermées et gardées, tous les hôtels particuliers marqués au charbon, les uns pour être brûlés, d'autres pour être pillés, quelques-uns pour servir de prisons.

Il était nuit.

Beaumarchais alla à la Mairie, y retrouva Manuel, passa devant trois ou quatre commissions et comités, et à l'aide du volumineux portefeuille de correspondance et d'actes officiels qui ne l'avait pas quitté, il se justifia aussi clairement qu'il le pouvait ; il obtint du comité de surveillance du Département de Paris et du comité de salut public des attestations constatant « qu'ayant examiné avec la plus scrupuleuse attention tous les papiers du Sieur Beaumarchais, il résulte de cet examen qu'il ne s'y trouve aucune pièce manuscrite ou imprimée qui puisse autoriser le plus léger soupçon contre lui ou faire suspecter son civisme. Il n'est nullement coupable des faits à lui imputés et n'est pas même suspect. Il a le droit de poursuivre ses dénonciateurs devant les tribunaux ».

A dix heures du soir, Beaumarchais épuisé sortit de la Mairie. Il erra toute la nuit, n'osant rentrer chez lui : on le saurait, on lui tendrait immédiatement de nouvelles embûches : « Mes dénonciateurs, les tribunaux ! » répétait-il en relisant ses certificats. « C'est commode, vraiment ; ils sont des nuées de misérables qu'on soudoie pour me dénoncer à tout propos. Gorsas le journaliste, Colmar le cordonnier, Michelin mon ex-portier, tout cela derrière Bergasse député, Lebrun, ministre, Clavière, ministre, trois individus contre lesquels je ne peux rien, non plus que contre leurs créatures. Et les tribunaux ! ça n'existe plus, tout se juge sans examen, au plus vite, au hasard ! Je ne suis guère plus avancé qu'hier. Ce que j'ai de mieux à faire, c'est de sortir de cette malheureuse ville au petit jour, si je le peux ! »

Vers deux heures du matin, angoissé, il entra chez lui en filou, éveilla Gudin qui se montra étonné et ému de le revoir ; il mangea, but, se rasa, prit d'autres vêtements et s'enfuit à l'aube.

Le 31 août, de bon matin, il parvint à sortir de Paris et se rendit, à pied, près de Versailles, où un de ses amis avait un pavillon. Il trouva l'ami, passa trois jours chez lui, et s'apprêtait à prolonger son séjour quand il apprit que les massacres commençaient dans les prisons, et que les égorgeurs, s'étonnant de ne pas l'y trouver, le faisaient rechercher ; sans doute viendrait-on l'arrêter bientôt. Toujours sans bagages sauf son portefeuille, avec quelques sous en poche, il quitta son ami à la tombée de la nuit, le soir même et, sans but, s'enfonça dans les champs et les vignes ; il marcha de longues heures et parvint enfin à une ferme, près de Bellevue, à l'orée des bois.

Il demanda asile aux paysans, qui l'abritèrent et lui servirent la soupe. Il coucha dans la paille. Le lendemain, il profita de ce que ses hôtes portaient des œufs et des fruits à Paris pour les charger de déposer un mot pour Lebrun à son hôtel. En même temps, il fit prévenir Gudin du lieu de sa retraite. Beaumarchais demandait au ministre un rendez-vous définitif, ou l'expédition, à son domicile, de tous les papiers nécessaires pour entreprendre sa mission sans danger : Gudin les lui aurait fait parvenir.

Les paysans apprirent à leur réfugié que les massacres dans les prisons, à l'Abbaye plus qu'ailleurs, avaient duré cinq jours, et que personne n'était plus en sécurité nulle part. Le lendemain, Gudin chargea un domestique, qui sortit à la nuit, de porter à Beaumarchais un mot de Lebrun, lui fixant rendez-vous pour le soir même. Il était trop tard ; Beaumarchais répondit par un billet qu'il irait voir Lebrun le lendemain soir. Le domestique le prévint qu'il risquait la mort en essayant de franchir les trois lieues qui le séparaient du ministre.

« Et toi, répondit Beaumarchais, qui la braves en m'apportant une lettre ! Il faut jouer tout pour tout ! »

Le 9 septembre au soir, donc, Beaumarchais, au crépuscule partit à travers bois, terres de labour, près et vignes, sans lumière, sans manteau, les mains dans les poches et son précieux portefeuille sur le cœur. Après maints détours et nombre d'alertes, il arriva dans Paris, se demandant s'il en sortirait, quand, et comment.

Il ne doutait pas que son courageux entêtement ne vînt enfin à bout de la guerre sourde des deux ministres coalisés.

Il n'était pas moins sûr qu'on lui dressait des embûches qu'on mettait sa tête à prix, et qu'on pensait bien le faire un soir égorger en silence, dans un coin isolé. Pourtant, toujours les mains aux poches, tapant la semelle, il allait par les grandes rues, sifflotant le *Ça ira* et croisant les patrouilles, dont les chefs, rassurés par son allure de prolétaire, lui lançaient un retentissant : « Bonsoir, citoyen ! » le prenant pour un municipal ou un commissaire quelconque. Et Beaumarchais, le cœur battant à tout rompre, répondait le plus fermement possible : « Bonsoir, citoyen ! »

*
* *

Il arriva avant l'heure à l'hôtel de Lebrun, remit un billet cacheté au graçon d'antichambre, et s'assit sur une banquette. Après une demi-heure d'attente, le garçon vint lui dire : « le citoyen ministre vous prie de repasser à 11 heures du soir. » Beaumarchais, découragé, désespéré, se leva lentement et sortit. Errer pendant deux heures, c'était se perdre. Il chercha une cachette, un coin obscur, dans le quartier, pour y attendre sans trop d'émotions et de dangers ; il découvrit un chantier de construction, y entra, et se tapit par terre, adossé à un tas de pierres, les pieds dans un tas de sable.

« Drôle de vie, tout de même ! » murmura-t-il.

Dans son attente, si longue apparemment, il tira plusieurs fois sa montre, la belle montre fabriquée par lui, trente-cinq ans avant, près de son père, rue Saint-Denis ; la belle montre que Pâris-Duverney avait fait sertir de diamants, qui clignotaient sous la pâle caresse du brumeux croissant de lune ; la belle montre que la belle Gabrielle Goëzman avait serrée dans son armoire... Infiniment ému et triste, sa montre à la main, à la belle étoile, accroupi parmi les moellons, le vieux Beaumarchais pleurait en silence. Bercé dans sa surdité par le tic-tac, épuisé par la fatigue, amolli par ses larmes, le vieillard s'assoupit, et bientôt il rêva.

Il rêvait d'un foyer tiède, d'un fauteuil d'une voluptueuse mollesse, devant les chenets, d'une tendre et légère mélodie de harpe, des doigts légers et doux de Madame de Beaumarchais sur son visage, du baiser velouté d'Eugénie montant se coucher, et de la familière horloge comtoise qui avait bercé sa paresse d'apprenti-horloger, et qui sonnait si gravement...

D'une église voisine, onze tintements ouatés venaient d'arriver à l'ouïe de Beaumarchais. Il s'éveilla, frotta ses yeux, vit l'heure à sa montre qu'il avait toujours en main, et, réconforté par ces quelques minutes d'illusion, il se hâta avec précautions versl'hôtel de Lebrun.

Il se sentait plus de courage, maintenant, après ce rêve évocateur de joies passées, et qui reviendraient, sans doute. Il arriva presque guilleret devant le garçon de bureau qui sommeillait sur sa chaise.

Beaumarchais lui frappa l'épaule ; l'autre ouvrit un œil, bailla et bredouilla : « toyen ministre... train de se coucher... vais en faire autant ; vous aussi ;... reviendrez demain... »

Une lourde rancœur s'empara de Beaumarchais, chancelant ; pourtant, il prit un papier, un crayon, griffonna quelques mots amers, et força le garçon à les porter sur le champ à Lebrun, fourré dans son lit. Puis il s'en fut, las et dégoûté de voir cette révolution de liberté, dont il avait le premier sonné la charge joyeuse dans *le Mariage*, sombrer dans le sang des honnêtes gens, par la cupidité de quelques indignes profiteurs.

Rageant, les poings serrés, Beaumarchais murmura entre ses dents, en descendant bruyamment l'escalier : « Ça te réveillera, mon gaillard ! Et tu n'auras ni ma peau, assassin, ni mes fusils, voleur ! »

Il trouva un fiacre, s'y jeta, et se fit conduire à cinq minutes de chez lui ; il rentra encore en tapinois, à pas de loup, dans ses domaines et Gudin, en chemise de nuit, se jeta encore une fois dans ses bras.

*
* *

Il fallait pourtant en finir avec cette histoire de fusils. Dès le lendemain, Beaumarchais s'adressa directement à la Législative et lui demanda des ordres. La Législative le renvoya, le 14 septembre, devant le comité militaire et la commission des armes.

Beaumarchais, toujours armé de son portefeuille et de son cornet acoustique, s'y rendit donc, justifia entièrement la pureté de ses intentions, et obtint enfin la permission de se rendre en Hollande. Les commissaires lui composèrent un élogieux certificat, duquel il résulte que « le Sieur Beaumarchais a montré dans les divers ministères, le plus grand zèle et le plus grand désir de procurer à la nation les armes retenues en Hollande. Sur quoi les soussignés déclarent que ledit sieur Beaumarchais doit être protégé dans son voyage, comme étant dirigé par le seul motif de servir la chose publique et méritant à ce titre la reconnaissance de la nation. »

Naturellement, cela ne faisait point le compte de Lebrun, qui voyait son « affaire » coulée ; il dut pourtant promettre à Beaumarchais d'envoyer à notre représentant en Hollande instructions et cautionnement, et donner un laisser-passer au « citoyen Pierre-Augustin Caron Beaumarchais, âgé de 60 ans, figure pleine, yeux et sourcils bruns, nez bien fait, cheveux châtain, rares, bouche grande, menton ordinaire, double, taille de 5 pieds 5 pouces ».

Moyennant quoi, le citoyen Beaumarchais, croyant finir une mission, et sans s'en douter, commençant une fantastique épopée, arriva sans peine avec Gudin à Yvetot ; de là il ne continua sa route qu'après avoir laissé au passage un cautionnement pour ledit Gudin, qui n'allait qu'au Havre, sans passeport, lui, retrouver Mme et Mlle Caron.

Beaumarchais embrassa les siens, et s'embarqua le 28 septembre pour Londres, où il allait emprunter de l'argent à un de ses amis, en attendant que le gouvernement veuille bien lui rendre le sien.

V

> O ma patrie en larmes ! ô malheureux Français ! que vous aura servi d'avoir renversé des bastilles si des brigands viennent danser dessus et vous égorgent sur leurs débris ? Vrais amis de la liberté, sachez que ses premiers bourreaux sont la licence et l'anarchie. Vos maximes... se propageront bien mieux que par la guerre, le meurtre et les dévastations, si l'on vous voit heureux par elles... »
>
> *Beaumarchais, Les Six Epoques, fin.*

Le 21 septembre, la Législative avait fait place à la Convention, et le 28, le jour même où Beaumarchais s'embarquait au Havre, ayant en poche toutes les attestations de son patriotisme dont la dernière ne datait pas de deux semaines, un député crédule, le conventionnel Lecointre de Versailles, honnête homme, mais trompé par les mensonges de Lebrun et des ennemis de Beaumarchais, dénonçait celui-ci à la tribune de l'Assemblée, comme coupable de haute trahison, et de correspondance avec Louis XVI : c'était la mort sans phrases, sitôt qu'il serait arrêté.

Pendant ce temps, confiant et ne se doutant pas de la catastrophe, il avait vu son ami le négociant, lui avait emprunté les sommes dont il avait besoin pour terminer le marché et était parti de Londres, 24 heures après y être arrivé, pour la Hollande. C'était grande marée, la traversée fut horrible. Enfin, assez malade, mais toujours plein d'espoir. il parvint à Amsterdam le 7 octobre.

Il y trouva le chargé d'affaires français sans argent pour lui, ni instructions d'aucun genre. Par contre, il rencontra plusieurs des mouchards de Lebrun : il était « filé », espionné, et on ne manquerait évidemment pas de lui tendre toutes les embûches possibles. La lutte continuait.

Beaumarchais resta à l'hôtel, écrivit à Lebrun, aux commissaires militaires, et attendit, la mort dans l'âme, une réponse et de l'argent qui, bien entendu, n'arrivèrent pas. En revanche, il reçut un mot de Manuel, qui en secret le prévenait, sans en dire plus qu'il ait à gagner Londres sans perdre un instant, pour y trouver des lettres qu'on ne voulait pas lui expédier en Hollande, de crainte qu'elles ne soient arrêtées.

Ainsi après un mois et demi de séjour en Hollande, l'affaire n'avait pas avancé d'un pouce, et Beaumarchais, espérant qu'il s'agissait d'instructions secrètes, ou de communications nouvelles, repassa en grand secret la mer du Nord. Le temps épouvantable lui fit craindre d'être jeté à la côte ; enfin il parvint à Londres et trouva chez son ami, le négociant, un vaste courrier de Manuel et de Gudin.

L'un et l'autre lui apprenaient l'accusation qui pesait sur lui ; Manuel le prévenait qu'un policier était parti après le décret final de la Convention, le 28 novembre, pour l'arrêter à Amsterdam et le ramener, bien ficelé, en France, à charge de le faire massacrer en route par la foule excitée, à Lille ou ailleurs ; on évitait, bien entendu, une procédure qui aurait pu amener de singulières révélations.

En outre, Gudin l'informe que les scellés ont été posés sur ses affaires — c'est la troisième fois. Courageux et résigné, décidé à sauver sa famille et ses biens si possible, Beaumarchais se prépare à rentrer en France, ce qui constituera une première réponse, la meilleure pour l'heure, aux accusations mensongères portées contre lui, en montrant qu'il ne craint pas d'avoir à se défendre. Et il l'expliqua à son négociant d'ami.

« — J'ai raison, n'est-ce pas ? » lui demanda-t-il.

L'autre grogna, soudain changé : « — Faites comme vous voulez, mais rendez-moi mes 30.000 francs ! — Vous plaisantez, mon cher ; je ne les ai pas, naturellement, puisque j'ai vécu grâce à eux depuis plus de six semaines, et qu'ils ont payé les courriers et mes deux grands voyages. Il me reste de quoi rentrer en France, d'où je vous enverrai mon dû dès que je pourrai. — Nenni; en France, je ne sais trop ce qui se passe, ni où en sont les choses qui vous concernent. Vous ne partirez pas avant de m'avoir rendu mes 30.000 francs ; écrivez à vos amis, à votre banquier, ou à votre gouvernement de vous les envoyer, arrangez-vous. Vous resterez ici jusqu'au jour où je serai remboursé. — Morbleu !... — Non, vous dis-je ; je vais vous faire conduire en lieu sûr ; vous y serez très bien traité, avec tous les égards qu'on doit à un personnage tel que vous, mais c'est tout.

« Surtout ne m'en veuillez pas, je vous sauve de la mort, vous donne le temps de vous justifier et en vous mettant en rapports avec votre jolie Convention ; enfin, il faut que chacun vive ; je vous donne la vie, rendez-moi mon argent ; je ne vous demande pas seulement d'intérêts, et je vous tiens même quitte de toute reconnaissance ».

Le malheureux Beaumarchais s'arrache le peu de cheveux qui lui restent et s'agite dans le bureau de son « ami ». Celui-ci sonne un domestique : « Allez me chercher le juge et deux gardes, au *Ban du Roi* ! » C'est la prison pour dettes.

Un quart d'heure après, Beaumarchais partait entre deux soldats, dans un cab. Il put comparer la prison anglaise à For l'Evêque — oh, le bon temps, qui est si loin, où l'on se dépêchait de rire de tout de peur d'être obligé d'en pleurer ! — et même à Saint-Lazare. Très confortable, la prison anglaise, même pour un pauvre vieux de 61 ans, qui mène depuis six mois une vie atroce, loin des siens, inquiet sur leur sort et eux sur le sien, poursuivi jour et nuit par des assassins, en butte à toutes les imputations les plus criminelles, et mis en prison par des amis trop intéressés.

Beaumarchais est très abattu, les premiers jours.

Pourtant il se met à son affaire, et commence à écrire ; pendant des journées entières, sa plume court ; il ne quitte pas sa petite table et griffonne, griffonne encore, à toute vitesse, d'une écriture fatiguée et pressée, comme haletante. C'est la bataille décisive qu'il livre là, il le sait bien ; avec les documents de son précieux portefeuille qui ne l'a pas quitté, Beaumarchais s'applique à retracer jour par jour l'histoire déjà longue et aventureuse de ses fusils.

Il n'en a pas encore vu un ; les verra-t-il jamais, ces mystérieux fusils ; contre qui partiront leurs 52.345 premières balles ; la Convention veut donc qu'elles trouent des poitrines françaises ? Sait-elle seulement où elle va, où elle mène la patrie, cette Convention qui, en ce moment même, *juge* Louis XVI, et envoie à la guillotine tant d'hommes illustres ? La guillotine fonctionne en permanence ; il y a trois échafauds à

Paris, dont l'un à la Porte Saint-Antoine, devant la maison où Beaumarchais craint tant de ne jamais rentrer. C'est à celui-là, sans doute, qu'ils l'enverront, n'est-ce pas ?

La détresse étreint son pauvre cœur, les larmes le gagnent. Epuisé d'angoisse, il repousse le papier, et, les doigts crispés, l'œil humide, il tourne dans sa chambre de prisonnier où, par la fenêtre grillée, étroite et élevée, entre, narquois, un rais du soleil sans chaleur de décembre finissant.

Oui, c'est Noël demain, et dans dix jours l'anniversaire des seize ans de sa petite Eugénie.

« Ma pauvre enfant ! »

Comme la vieillesse est dure, pour cet être courageux, qui a travaillé sans arrêt depuis quarante ans, qui a fait autour de lui tout le bien qu'il pouvait, et qui mérite véritablement l'épithète de *bon*, si tant est qu'elle ait une valeur précise. Combien de malheureux n'a-t-il pas tirés de la misère, combien de femmes n'a-t-il pas aidées dans des situations pénibles et auxquelles il n'a demandé le plus souvent, quoi qu'on en ait dit, que leur amitié ; combien d'êtres souffrants qui sont venus à lui ou vers qui il est allé, porteur béni de secours moraux ou matériels, financiers ou juridiques, sans compter les Américains... ceux-là, Beaumarchais préfère n'y point penser ; il serait loin de cette prison, et n'en serait pas réduit, tandis qu'ils lui doivent quatre millions, à se demander comment il paiera les 30.000 francs de son « ami », et si sa fille aura seulement du pain quand, bientôt, il ne sera plus.

Il regagne sa table et, machinalement, continue par écrit les réflexions semi-philosophiques que lui inspire son sort bizarre ·

« Avec de la gaîté et même de la bonhomie, j'ai eu des ennemis sans nombre et n'ai pourtant jamais croisé, jamais couru la route de personne. A force de m'*arraisonner*, j'ai trouvé la cause de tant d'inimitiés : en effet cela devait être.

« Dès ma folle jeunesse, j'ai joué de tous les instruments ; mais je n'appartenais à aucun corps de musiciens, les gens de l'art me détestaient.

« J'ai inventé quelques bonnes machines : mais je n'étais pas du corps des mécaniciens, l'on y disait du mal de moi.

« Je faisais des vers, des chansons : mais qui m'eût reconnu pour poète ? J'étais le fils d'un horloger.

« N'aimant pas le jeu de loto, j'ai fait des pièces de théâtre, mais on disait : De quoi se mêle-t-il ? ce n'est pas un auteur, car il fait d'immenses affaires et des entreprises sans nombre.

« Faute de rencontrer qui voulût me défendre, j'ai imprimé de grands mémoires pour gagner des procès qu'on m'avait intentés, et que l'on peut qualifier atroces ; mais on disait : vous voyez bien que ce ne sont point là des factums comme les font nos avocats. : il n'est pas ennuyeux à périr ; souffrira-t-on qu'un pareil homme prouve sans nous qu'il a raison ?

« J'ai traité avec les ministres de grands points de réforme dont nos finances avaient besoin : mais on disait : de quoi se mêle-t-il encore ? Cet homme n'est point financier.

« Luttant contre les pouvoirs, j'ai relevé l'art de l'imprimerie française par les superbes éditions de Voltaire, entreprise regardée comme au-dessus des forces d'un particulier ; mais je n'étais point imprimeur, on a dit le diable de moi. J'ai fait battre à la fois les maillets de 3 ou 4 papeteries sans être manufacturier ; j'ai eu les fabricants et les marchands pour adversaires.

« J'ai fait le haut commerce dans les quatre parties du monde ; mais je n'étais point déclaré négociant. J'ai eu quarante navires à la fois sur mer ; mais je n'étais point armateur, on m'a dénigré dans nos ports.

« Un vaisseau de guerre à moi de 52 canons a eu l'honneur de combattre en ligne avec ceux de Sa Majesté, à la prise de La Grenade. Malgré l'orgueil maritime, on a donné la croix au capitaine de mon vaisseau, à mes autres officiers des récompenses militaires, et moi, qu'on regardait comme un intrus, j'y ai gagné de perdre ma flottille, que ce vaisseau convoyait.

« Et cependant de tous les Français, quels qu'ils soient, *je suis celui qui a le plus fait pour la liberté de l'Amérique*, génératrice de la nôtre, et dont seul j'osai former le plan et commencer l'exécution, malgré l'Angleterre, l'Espagne et la France même ; mais je n'étais point classé parmi les négociateurs, mais j'étais étranger aux bureaux des ministres.

« Lassé de voir nos habitations alignées et nos jardins sans poésie, j'ai bâti une maison qu'on cite ; mais je n'appartenais point aux arts.

« Qu'étais-je donc ? Je n'étais rien que moi, et moi tel que je suis resté, libre au milieu des fers, serein dans les plus grands dangers, faisant tête à tous les orages, menant les affaires d'une main et la guerre de l'autre, paresseux comme un âne et travaillant toujours, en butte à mille calomnies, mais heureux dans mon intérieur, n'ayant jamais été d'aucune coterie, ni littéraire, ni politique, ni mystique, n'ayant fait de cour à personne, et, partant, repoussé de tous. »

Satisfait de ce testament littéraire, politique et scientifique, où certes il y a beaucoup de vérité, Beaumarchais reprit sa tâche. Il préparait un vaste mémoire en sept parties ; la *septième* resta inédite et Beaumarchais offrit à Lecointre, son dénonciateur, ses *Six Epoques ou Récit des neuf mois les plus pénibles de ma vie.*

Il avait déjà beaucoup écrit aux siens et à ses amis,

pour leur expliquer sa situation, les prier de réunir trente mille francs, et leur demander tous les compléments d'information désirables au sujet des chefs d'accusation sur lesquels portaient les déclarations de Lecointre.

On lui avait envoyé le rapport de Lecointre, et Gudin Philippe, son caissier, s'efforçait de trouver des bribes de ces malheureux 30.000 francs, pendant qu'on lui doit sept millions, que sa maison qui en vaut trois est sous scellés, et que le Gouvernement, outre les 750.000 francs de caution qu'il garde précieusement, (ils valaient déjà en assignats plus de 7 millions), confisque ses titres de créance et tous ses effets de commerce.

Allez donc trouver 30.000 francs dans ces conditions ! Enfin on y arriva ; les rares amis de Beaumarchais qui n'étaient ni guillotinés encore, ni émigrés, ni absolument ruinés, parvinrent à en réunir une partie, tandis que Mme de Beaumarchais et les deux Gudin s'escrimaient à découvrir le reste.

Bref, à la fin de février, un mois après que Louis XVI fût monté à l'échafaud, Beaumarchais rentra en France. Son ami le négociant, radouci par le remboursement, accepta même, sur la demande de notre fournisseur de fusils, de servir d'intermédiaire, en sauvant les armes de la saisie menaçante : le négociant les prenait en dépôt, après les avoir achetées à Beaumarchais propriétaire, et il devait les lui revendre, après deux mois · vente à réméré ; ainsi l'Angleterre ni la Hollande, rendues inquiètes par la publicité donnée dans les gazettes à cette affaire d'armes, et prêtes à se les adjuger, n'en feraient rien, puisque par contrat public c'était le négociant de Londres qui en devenait propriétaire.

Il ne restait plus à Beaumarchais qu'à se justifier.

Après quoi il espérait bien reprendre effectivement possession de ses armes, et, grâce à un subterfuge ou à quelques nouveaux intermédiaires de fantaisie, les rendre enfin à destination. La France d'ailleurs allait en avoir besoin, certainement, car l'exécution de Louis XVI avait déchaîné contre elle toutes les puissances ennemies.

Nanti de ses *Six Époques*, Beaumarchais débarqua au Havre, où il retrouva « les citoyennes Caron, femme, fille et sœur », qui avaient déjà envoyé aux Comités plusieurs requêtes pour qu'ils rapportent leurs accusations et lèvent les scellés qu'ils posaient tout à propos. Toute la famille, flanquée du bon Gudin, se mit en route pour Paris, et Beaumarchais rentra dans ses terres, termina son mémoire, fit lever les scellés et imprimer sa défense à 6.000 exemplaires, que paya l'ami Bossange, dépositaire des infortunés Voltaire, et éditeur lui-même.

Beaumarchais continuait à ne douter de rien, comme vingt ans avant : il distribua ses *Six Epoques*, les envoya à tous les commissaires, à tous les clubs, à tous les journaux, et, ce qui est à peine croyable, étant donné l'époque et les procédés, c'est la manière hautaine, énergique parfois jusqu'à la violence, dont il insulte le régime et ses dirigeants.

Il ne paraît pas se rendre compte que les temps sont révolus, où il avait pu bafouer tout un Parlement et s'entendre dire : « Il ne suffit pas d'être blâmé, il faut encore être modeste ! »

Avec une liberté de paroles dont la rudesse étonne, il appelle *un chat un chat* et tel autre *un fripon* ; ainsi il déclare : « Je défierais le diable de faire marcher aucune affaire en ces temps affreux de désordre, et qu'on nomme de liberté. »

Plus loin, rappelant la comédie de son interrogatoire avant l'Abbaye, le 23 août, et l'intervention de Marat, encore tout-puissant, il n'hésite pas à le peindre comme il a peint un Marin ou un Bertrand :

« Un petit homme aux cheveux noirs, au nez busqué, à la mine effroyable... vous le dirai-je, ô mes lecteurs? C'était le *grand*, le *juste*, en un mot le *clément* Marat. » Et il ne craint pas d'ajouter par la suite : « Dans cette affaire nationale, les ministres royalistes seuls ont fait leur devoir, et tous les obstacles viennent des ministres populaires. » Et d'un bout à l'autre il les brave, montrant au grand jour les basses manœuvres de Lebrun et de ses acolytes : « Tels sont, écrit-il, les gens qui mènent nos affaires, en faisant du gouvernement un réceptacle de vengeances, un cloaque d'intrigues, un tissu de sottises, une ferme de cupidité. »

Quel être extraordinaire ! Il y a du louche dans tous ses actes, et aucune des innombrables accusations dont on l'a abreuvé depuis 1770 n'a jamais été vérifiée ; il a toujours des preuves dans un tiroir ou dans son portefeuille, il les apporte lui-même à ses détracteurs et ne se gêne pas pour les malmener ! Il est vraiment curieux de voir cet homme passant sa vie à être accusé des pires méfaits, et arrivant chaque fois à confondre complètement ceux qui l'ont dénoncé.

Là encore, Beaumarchais a chargé à fond, et Lecointre — vraiment sincère, ou seulement effrayé par la perspective d'un retournement de situation qui ferait de lui un accusé en fort mauvaise posture ? — Lecointre se rétracte, se dément, fait amende honorable et proclame que Beaumarchais est un grand citoyen : il l'a échappé belle, encore une fois, le grand citoyen ! Il n'est pas encore quitte d'ailleurs, et la Convention n'entend pas le lâcher à si bon compte.

Elle exige, maintenant, les fusils, elle en a besoin, elle les veut, comme cela, tout de suite, après avoir fait et laissé faire, depuis sa venue au pouvoir, tout ce qu'il fallait pour ne pas les avoir.

Acquitté en principe, Beaumarchais est immédiatement investi par le Comité de Salut Public d'une nouvelle mission, qui n'est autre que la suite de la première, mais dans des conditions terriblement différentes. La Hollande maintenant nous a déclaré la guerre, l'Angleterre aussi, et outre la Prusse, tous les États allemands.

C'est dans ces conditions épouvantables que le Comité de Salut Public déclare à Beaumarchais : « Il faut en finir, nous avons besoin de fusils partout, allez donc nous chercher les vôtres. On va vous aider, cette fois-ci. » Nous sommes au 10 mai 1793.

L'aider, l'aider, c'est une manière de parler. Cela devait consister à trouver de l'argent, à lui en donner ce qu'on pourrait, et à l'envoyer en territoire ennemi, autant dire à la mort ! Bien entendu, s'il était tué ou ne réussissait pas, sa famille et ses biens en pâtiraient.

Il y avait donc urgence à enlever ces armes pendant que les hostilités s'organisaient ou commençaient seulement ; après, ce serait impossible.

Aussi Beaumarchais lui-même s'efforça de hâter le règlement de la question. Mais les comités et les commissions heurtaient leurs volontés, le désordre était indescriptible, les factions s'organisaient déjà dans l'assemblée, l'affaire semblait reculer plutôt, et Beaumarchais voyait avec angoisse qu'on le pousserait en Hollande le jour où il ne serait mathématiquement plus possible d'y mettre les pieds sans être fusillé immédiatement.

Courageusement, il secoue et talonne ces paradoxaux gouvernants ; mais en vain. Le dimanche soir 12 mai il écrit :

Aux honorables membres du Comité de Salut Public :

« Je vous adresse, Citoyens ! le calcul net en banque de ce qu'il faut en assignats changés en traite sur l'Angleterre pour composer 600.000 florins de banque hollandaise.

« Citoyens ! Dans les affaires majeures, je suis sûr d'aller vite et tâche d'aller bien quand je suis secondé. Il s'agit du salut de notre Patrie en danger : ne perdons pas une minute, sinon nous arriverons trop tard. »

D'autant plus que son ami le dépositaire de Londres commence à s'impatienter, le délai convenu étant passé, et menace de revendre les fusils au premier acheteur qui se présentera.

Le 14 mai, après l'avoir fait attendre toute la journée, le Comité de Salut Public écoute Beaumarchais, à 11 heures du soir, lui exposer tout son plan ; mais le principal, répète-t-il, c'est d'aller vite. L'affaire est presque réglée, quand il apprend, le lendemain, que « de nouvelles considérations de prudence » ont bouleversé les dispositions prises la veille par le Comité. Rien ne tient plus, il faut tout reprendre.

Furieux, Beaumarchais écrit à ces messieurs : « Eh, pardieu, je ne puis danser tant qu'on me tient les fers aux pieds ! » Il garde son franc-parler. Le 15, le 16, le 17, le 18, il va au Comité, essaie de voir Robert Lindet, le président ; il n'est pas reçu ; après avoir attendu jusqu'à 11 heures du soir le 18, où il était convoqué à 9 heures, il griffonne sur un bout de papier, pour Lindet : « Moi, j'ai les défauts de tout le monde. Salpêtre comme Danton. dont je n'ai point l'esprit, colère comme Cambon qui se fâche beaucoup mieux que moi, je rentre encore ce soir au désespoir sans vous avoir vu... »

Enfin le 19 mai un pas est fait : Beaumarchais obtient ses passeports, qui doivent lui permettre, en France, de n'être pas inquiété ; il doit partir sous un faux nom — Pierre Charron — avec deux amis dont l'un est le brave Durand, connu trente ans avant en Espagne, rentré en France depuis longtemps, et toujours excellent ami de Beaumarchais :

« Tous passeports jugés nécessaires par le citoyen Caron Beaumarchais soit pour lui soit pour ses agents lui seront donnés sans délai par le Comité de Salut Public, et toutes protections de sûreté seront accordées à ses démarches. Tant qu'il est forcé de se déplacer, ses biens seront sous la sauvegarde de la République qui l'emploie. »

Il est « commissaire de la République. » C'est parfait, mais il n'est pas encore parti.

Le 22 mai au matin s'engagent des pourparlers de banque, qui n'aboutissent pas ; Beaumarchais continue à assiéger le Comité, mais on ne s'occupe plus de lui. Le 25, il écrit à nouveau :

« Citoyens législateurs, je me retire encore une fois la désolation dans le cœur ; nous sommes au 25 de mai et rien ne se termine, et la chose que vous désirez le plus reste en souffrance. Le matin, le soir, jour, nuit, j'assiège votre porte comme si je demandais ou l'aumône ou la vie. Au nom du Salut Public dont vous êtes les conservateurs, finissons donc quelque chose ! La patience de Job ou d'Epictète ne tiendrait pas au métier que je fais. »

Il reste sept heures par jour à faire antichambre, toutes ses affaires où il espérait mettre un peu d'ordre après six mois d'absence et de saisies, s'en vont à vau-l'eau.

La France toute entière d'ailleurs est dans une situation lamentable, menacée d'investissement à toutes ses frontières, sans argent, sans armes, sans lois, sans direction que la violence ; « le plus beau royaume après celui des cieux » fait vraiment pitié, et Beaumarchais, navré, attend il ne sait trop quoi. Le 28 mai, enfin, il reçoit de Perregaux, le grand banquier de la Convention, et son ami, la somme de 104.000 florins. Il s'apprête à partir, après toutes ces émotions, vers celles inconnues qui l'attendent par de-là les frontières, lorsqu'il tombe malade, le 1er juin. Il laisse partir ses deux amis et il les rejoindra quand il pourra. Fatigue nerveuse et surmenage : trois semaines de repos, aux environs d'Orléans, et les soins de « ses femmes » le remirent sur pied, et le 28 juin 1793, il s'en alla, après des adieux déchirants à Eugénie, à sa vieille sœur Julie et à son épouse si courageuse, à qui il laissait la gérance complète de toutes ses affaires.

Il a d'ailleurs emporté avec lui tout ce qu'il a pu réaliser d'argent liquide.

Et c'est pendant trois ans maintenant une épopée fantastique et désastreuse, trois ans de courses inutiles d'une frontière à l'autre, trois ans de la vie la plus misérable et la plus incertaine.

Il va d'abord à Londres et ce n'est qu'à grand peine qu'il arrive à racheter, moyennant une lourde indemnité, ses fusils au négociant qui les avait offerts aux Vendéens ; il dut mener l'affaire très vite, car dès son arrivée on l'avait dénoncé et la police l'avait invité à décamper sous trois jours. Les fusils étaient toujours à Terveeren, et un bâtiment de guerre anglais croisait au large, en surveillance. Beaumarchais se faufilait à travers la Belgique, la Hollande, l'Allemagne, courant le long de la frontière entre Bruges, Nimègue, Terveeren, Namur, Coblentz et Bâle. C'est à Bâle qu'il attend, durant des semaines, que la Convention lui envoie l'argent promis ; il expédie courrier sur courrier, mémoire après mémoire, il adjure, il supplie et il gronde, rien n'y fait. Les nouvelles qu'il reçoit sont épouvantables, le bouleversement est à son comble, les pouvoirs se déchirent entre eux et la France ensanglantée se meurt. Les comités municipaux et les représentants nationaux luttent férocement, les partis complotent l'un contre l'autre à la Convention, Girondins et Montagnards s'égorgent ; partout c'est la boucherie, la violence et le chaos.

Et tous ces enragés entassent les plus monstrueuses iniquités ; c'est par centaines que les têtes tombent, par dizaines de mille que les prisonniers se comptent. C'est affreux.

Beaumarchais erre le long du Rhin. Il ne peut même plus rentrer en France : de nouveau le Comité de Surveillance a mis ses biens sous scellés, que Mme de Beaumarchais parvient par son énergie à faire lever le 16 décembre 1793 ; mais alors c'est le Comité de Sûreté générale qui met son mari sur la liste des émigrés ; on inventorie ses biens, et la vente en est ordonnée au plus tôt ; alors, à la requête de Julie, la sœur, Eugénie, la fille et Marie-Thérèse, l'épouse, « le Comité de Salut public, informé que le Département de Paris envisage l'absence du citoyen Beaumarchais, comme une émigration, déclare que ledit Beaumarchais remplit une mission secrète, et arrête en conséquence qu'il ne sera pas traité comme émigré. »

Pourtant à nouveau en mars 1794, puis en avril, Mme de Beaumarchais proteste contre de nouvelles erreurs commises par les uns, tolérées ou ignorées par les autres, à l'égard de son mari et de ses biens.

Mais le moment n'est pas indiqué ; le tribunal révolutionnaire qui juge sans appel, vient d'être créé avec Fouquier-Tainville à sa tête ; l'impôt sur les riches vient d'être voté, la loi des suspects aussi, et l'assaut suprême se livre entre les factions de la Convention › Danton, Desmoulins, Hébert, Mme Roland, André Chénier, Manuel, Laborde, ami de trente ans, allèrent rejoindre tous ceux qui étaient tombés en 1793. Marie-Antoinette, Bailly, le duc de Chaulnes, Malesherbes, Goëzman, que Beaumarchais a tous connus autrefois. Curieuse danse macabre, où se rejoignent pêle-mêle ses vieux amis et ses vieux ennemis !

On fourre aussi les trois femmes Caron en prison, et elles s'apprêtent à monter à l'échafaud, Eugénie qui a dix-sept ans comme Julie qui en a soixante.

Et la mort dans l'âme, Beaumarchais apprend cela, impuissant, à Bâle, par Gudin qui, une fois de plus, reste seul à garder la grande maison du boulevard Saint-Antoine.

Beaumarchais écrit, s'efforce d'obtenir des ordres, demande à la Convention de lancer Pichegru et ses soldats, qui opèrent en Hollande, jusqu'à Terveeren pour prendre de force les fusils. On le laisse s'égosiller, et on maintient les trois malheureuses en prison ; on vide de haut en bas sa maison, on confisque toutes ses créances, tous ses papiers, dont Gudin a brûlé la partie compromettante : toute la correspondance échangée avant la tourmente avec des nobles. décapités ou émigrés maintenant.

VI

La confusion est effroyable ; les fous qui dirigent la Convention sont enfin arrachés de leur piédestal par la clameur des autres. Délivrance, le 9 thermidor, enfin ! La Terreur est finie · Mlles et Mme Caron sortent de *Port-Libre*, leur prison ; elles n'ont plus rien, absolument, que les hardes qu'elles portent. Julie s'installe boulevard Saint-Antoine, où elle remplace Gudin qui file en province ; Eugénie et sa mère vont vivre chez des parents, dans le Loiret.

L'anarchie est encore trop terrible pour tenter de se faire rendre une justice quelconque ; il y a tellement d'ouvrage, pour repousser l'invasion étrangère, les Anglais qui bombardent nos ports, les Espagnols qui occupent le Roussillon, les Autrichiens, les Prussiens sur la Meuse et la Sambre, les Hollandais et les Anglais dans le Nord, sans compter nos Vendéens et nos Bretons sur la Loire ! Carnot, Jourdan, Pichegru, Bonaparte, Kléber et Hoche, s'en chargèrent.

Beaumarchais pendant ce temps, avait définitivement perdu ses fusils : l'Angleterre, où il voulait les passer au compte-fictif du consul des États-Unis, les avait confisqués, à la suite d'une deuxième dénonciation du stupide Lecointre, qui, après le 9 thermidor, déclara à la Convention que Beaumarchais et ses deux collègues étaient des créatures de Robespierre et consorts et avaient volé la France : on se demande d'où étaient nées de pareilles âneries, et surtout comment les derniers conventionnels, certes plus sages que ceux qu'ils venaient de sacrifier, pouvaient les admettre sans examen sérieux.

Voilà donc le malheureux commissaire de la République à nouveau dénoncé, considéré comme émigré, passible de la peine de mort sans jugement s'il remet les pieds en France ; il a perdu ses fusils, que l'Angleterre a fait semblant de payer, en les confisquant, mais à un prix dérisoire ; il a perdu environ 600.000 francs sur ces armes, ses 750.000 francs de dépôt, ses biens en France, et s'il y rentre un jour, le Gouvernement commencera par lui réclamer 1.117.800 francs, montant des avances qu'on lui a accordées en assignats. C'est affolant.

Sa femme et sa fille vivent comme elles peuvent, chez la nièce de Beaumarchais, établie près d'Orléans.

Pour obéir aux lois conventionnelles, Mme de Beaumarchais, sortie de prison, avait dû divorcer, pour se désolidariser de la situation d'émigré de son mari, et échapper aux mesures qu'on aurait prises contre elle et sa fille. Et c'est sous son nom de jeune fille, Marie-Thérèse Villermawlaz, qu'elle adresse à la Convention requête sur requête, rétablissant, pour faciliter le travail à la négligence de ces Messieurs, tout l'historique de cette invraisemblable affaire d'armes, où s'entassent les contradictions : six fois on a posé les scellés, trois fois on a visité officiellement la maison, quatre fois on a procédé à l'interrogatoire de Beaumarchais et à l'examen de sa conduite, et on lui a ensuite délivré force certificats de civisme et de zèle patriotique, et pour la seconde fois, on le met sur la liste des émigrés, pour la cinquième fois on instruit son procès !

L'hystérie de cette Convention n'est pas encore calmée, et les réclamations de Mme de Beaumarchais ne donnent pas de résultats sérieux.

Julie, elle, est restée seule, dans cette grande bicoque du boulevard, dont les murs portent au charbon : *Propriété nationale.* Malgré ses 61 ans, elle prend courageusement son sort, et écrit à sa belle-sœur des lettres toujours amusantes, et qui donnent une idée du coût de la vie à Paris à cette époque :

« Morbleu, ma fille, fais-nous donc rendre promptement ce décret (il s'agit du décret de radiation de Beaumarchais, de la liste des émigrés). Voilà, les fruits, comme l'an dernier, mis en réquisition ; les cerises étant mûres, on va les cueillir et les vendre demain, et le reste à mesure. N'est-il pas doux d'occuper depuis six mois cette maison solitaire pour ne manger des fruits que les noyaux ?...

« D'honneur, je crois que nous n'en sortirons jamais... ! Quel temps ! Voilà une livre de veau que l'on m'apporte pour 28 francs, encore c'est bon marché ! Il en vaut trente. Rage ! fureur ! malédiction !... Que ceux qui m'ont précédée sont heureux !

Ils ne sentent pas le tapage de ma tête, ni mon œil qui pleure, ni mes feux dévorants, ni ma dent qui s'aiguise pour manger 28 francs de veau ! »

Autre part elle rend compte de ses dépenses à Mme de Beaumarchais qui lui donne de l'argent de loin en loin :

Une voie de bois....................	1460 fr.
9 livres de chandelles à 100 francs la livre	900 fr.
4 livres de sucre à 100 francs la livre.	400 fr.
7 livres d'huile à 100 francs..........	700 fr.
Un boisseau et demi de pommes de terres à 200 francs le boisseau...........	300 fr.
4 livres de pain (pour 10 jours) à 45 fr.	180 fr.

C'est la misère ! Et pourtant, à côté de celle de Beaumarchais, c'est presque le bonheur. Complètement sourd, n'ayant presque plus d'argent, il est à Lubeck, puis à Hambourg, où il loge dans une espèce de grenier ; il coupe en deux les allumettes pour les faire durer ; il ne mange pas tous les jours à sa faim ; mais il supporte tout, avec une résignation apparente, et une fureur sourde, contre les misérables qui perdent son pays, contre les Américains à qui il réclame, de là-bas, de quoi vivre, contre les Anglais qui avant de s'emparer des fusils en les payant le dixième de leur valeur, lui ont envoyé un agent secret pour lui offrir de les leur vendre.

Mais sauf auprès des Américains, auxquels il expédie de véhéments reproches, il oublie sa misère personnelle, qui fut terrible à un certain moment ; puis un ami américain lui envoie de quoi vivoter. A Hambourg, il y a beaucoup d'émigrés ou de malheureux dans son cas, qui attendent des jours meilleurs : très vite, il s'est fait de nombreuses relations dans la colonie française de Hambourg et il s'efforce, auprès des plus riches, d'obtenir de l'aide pour les plus pauvres que lui, en particulier l'abbé Louis, futur baron Louis ; il voit souvent Talleyrand, qui attend comme lui sa radiation de la liste fatale.

Pour occuper son temps, il écrit, sur tous les sujets, à tous ceux qu'il connaît plus ou moins : à sa famille d'abord, des lettres bien tristes qu'il signe de tous ses noms : *Pierre-Augustin Caron de Beaumarchais, commissionné, proscrit, errant, persécuté, mais nullement traître ni émigré*; à sa chère enfant surtout, qu'il n'a pas vue depuis plus de deux ans, et dont l'avenir l'angoisse ; aux ministres et aux commissaires conventionnels, pour se rappeler à leur souvenir, les inviter à examiner sa situation, autant que pour les mettre en garde contre une imprudence, un excès de dureté envers les vaincus vendéens, une manœuvre des Anglais dans nos colonies ou sur les routes maritimes ; il préconise la reprise du commerce sur la route des Indes, par l'isthme de Suez ; il dresse un plan de percement pour un canal entre Atlantique et Pacifique, et qui sera, plus de cent ans après, le canal de Panama ; il écrit à ses vieilles relations, au prince de Ligne, à ce brave Théveneau de Morande, à Gudin, réfugié en ermite au fond de la Corrèze, à son ami le négociant de Londres ; il s'occupe même de consoler un prétendant qui s'est offert pour Eugénie, et dont elle ne veut pas. Et ainsi le temps passe, moins douloureux, et l'espoir lui revient, à la lecture des gazettes qui donnent de moins mauvaises nouvelles ; les choses se tassent, on commence à voir plus clair. Les requêtes incessantes de Mme de Beaumarchais viennent d'aboutir à une promesse de résultat.

Le 16 avril, puis en mai, puis en juin 1795, on s'occupe un peu de Beaumarchais. Robert Lindet lui est très favorable, et il est à la tête du Comité de Salut Public ; mais ce n'est pas suffisant. Tout de même, le 23 juin, le Comité de Salut Public invite les « citoyens collègues du Comité de Législation, à mettre au premier ordre du jour la radiation de Beaumarchais de sur la liste des émigrés, attendu que tout retard nuit *aux intérêts de la République...* Il est temps d'y penser ! (Beaumarchais leur avait annoncé la confiscation anglaise, et la vente vient d'avoir lieu : trop tard !) ... et à ceux de Beaumarchais qui n'attend que ladite radiation pour rentrer en France. » Quelques jours après, le bureau du Contentieux des Émigrés du Département de Paris demande au Comité de Salut Public communication des pièces. C'est la complication de cette administration, le chevauchement des attributions de ses organes, qui rendent impossible tout travail rapide et clair.

Pourtant donc, la situation de Beaumarchais est en bonne voie. Mais de nouveaux troubles ont lieu à Paris, au début de l'automne 1795. Bonaparte, chargé de protéger la Convention contre les royalistes regroupés depuis le 9 thermidor, les mitraille devant l'église Saint-Roch, le 5 octobre. Et la Convention, ayant achevé une nouvelle Constitution, se sépare le 26 : le dossier Beaumarchais n'est pas arrivé à temps aux autorités exécutives.

*
* *

Le Directoire s'organise. Beaumarchais, toujours du fond de sa mansarde, prend contact avec les Directeurs, en leur envoyant quelques mémoires sur diverses questions à l'ordre du jour, dont son affaire. Et après huit mois pendant lesquels son dossier gravit péniblement les échelons qui le mènent chez le ministre de la Justice ; après une correspondance détaillée entre ledit ministre et le citoyen Lindet son prédécesseur, écarté des affaires et qui déclare : « Je ne cesserai jamais de penser et de déclarer dans toutes les occasions que le citoyen Beaumarchais est injustement persécuté, que le projet insensé de le faire passer pour émigré n'a été conçu que par des hommes aveugles, trompés ou mal intentionnés » (un an avant Lindet eût été guillotiné en disant le dixième de ce qu'il écrit là) ; après trois ans d'absence, de misère et de désespoir, Beaumarchais guilleret reçut à Hambourg son acte de radiation, et passa allègrement la frontière française ; à Hambourg on lui avait délivré un passeport constatant qu'il est « replet et sanguin ». Allons, il s'en tire encore à bon compte, il a passé au travers de la Révolution en exposant sa vie tous les jours, il a pâti sur un grabat dans un grenier, et il rentre « replet et sanguin ». A ceux qui lui diraient, comme le comte à Figaro : « Je ne te reconnaissais pas. Te voilà si gros et gras ! », il peut répondre aussi : « Que voulez-vous, monseigneur, c'est la misère ! »

Les effusions familiales furent, comme l'on pense, follement émues : cette gracieuse jeune fille, au bras d'un « bon jeune homme qui s'obstine à la demander quand chacun croit qu'elle n'a plus rien », c'est sa petite fille, son Eugénie adorée ; et voilà sa divorcée qui pleure dans ses bras, et sa vieille Julie qui rit à en perdre haleine, en tamponnant un mouchoir sur sa bonne figure ridée.

Les vieux valets, éparpillés par la Révolution, sont là aussi, tremblants de joie, et Beaumarchais cherche où loger tout ce monde-là, car la maison du boulevard est vide de meubles et inhabitable. Le travail ne va pas lui manquer, certes.

Pour commencer, le 11 juillet, cinq jours après son retour, il marie sa fille au bon jeune homme, Louis Delarue, ex-lieutenant de La Fayette. Eugénie a dix-neuf ans et demi, Louis Delarue en a vingt-huit, et ils s'idolâtrent.

Puis Beaumarchais en profite pour se remarier, lui aussi, avec sa divorcée par nécessité. Puis il court les ministères pour dire : « Vous savez, je suis rentré, je voudrais mes meubles et mes papiers, et même à la rigueur mon argent ». On lui rend meubles et papiers et il peut bientôt emménager avec le jeune couple dans la maison du boulevard, qu'il a fallu réparer considérablement, et dont le jardin défoncé a été terrassé à nouveau de fond en comble. Mais pour l'argent, on lui a dit : « Voire, cher Monsieur, ce sont des comptes compliqués, et peut-être bien est-ce vous, finalement, qui êtes notre débiteur. »

A son départ, Beaumarchais avait laissé beaucoup de débiteurs et quelques créanciers ; ces derniers, mais ceux-là seulement, ne furent pas longs à se présenter ; quant aux autres... Les papeteries lorraines, son imprimerie badoise, tout cela était en ruine et inutilisable.

La question de la dette américaine, depuis vingt ans en suspens, avait subi en 1793 et en 1794 un nouvel avatar, mais sans conséquence quant au paiement ; pour la quatrième fois, après les réclamations indignées du pauvre Beaumarchais sur le compte fantaisiste de M. Arthur Lee, l'Amérique a désigné un expert qui a rétabli la balance à 2.280.000 francs au profit de Beaumarchais. Mais rien n'a été payé, malgré les centaines de pages que l'infortuné a adressées de Hambourg au Congrès.

Depuis 1786, un nouveau litige, que Beaumarchais ignora pendant dix ans, retardait les Américains, outre leur mauvaise volonté. Le Gouvernement de Louis XVI leur avait avancé sous diverses formes huit millions : un acte relatif à ces généreuses avances avait été passé entre la France et l'Amérique, en 1783. Mais un employé commit une erreur dans la rédaction du

compte, et y fit entrer : « un million, du 10 juin 1776. »
Trois ans après seulement, les Américains déclarèrent à notre ministre des Finances : « Cher Monsieur, ce n'est pas neuf millions, mais huit seulement que nous avons reçu ; nous ignorons quel est ce premier et neuvième million, en date du 10 juin 1776 » : c'était celui que le Gouvernement avait avancé à Beaumarchais.

La créance de la France sur les États-Unis fut ramenée à huit millions, mais notre ministre refusa de leur communiquer comme ils le demandaient le reçu de cet énigmatique neuvième ; mais alors les Yankees dirent à leur fournisseur Beaumarchais : « Nous sommes sûrs que vous avez reçu, pour nous, un million ; par conséquent, on vous l'a donné, pour nous ; par conséquent vous n'avez rien à nous demander, car les intérêts de ce million couvrent, et au-delà, ce que vous nous réclamez. » Pourtant Vergennes, toujours en dehors de Beaumarchais, avait écrit lui-même à la Trésorerie américaine, dès 1787, en lui déclarant que cette question n'avait rien à faire dans la créance de Beaumarchais. Pendant qu'il était à Hambourg, en 1795, on communiqua le reçu aux Américains : au lieu d'y voir la preuve, qui y était, d'une *avance* du Gouvernement, auquel Beaumarchais en était redevable, ils torturèrent le sens du billet, et s'en tinrent à leur spécieux et malhonnête raisonnement.

Et c'est dans cette terrible lutte contre une mauvaise foi forte de l'éloignement du plaignant et de sa parfaite impuissance de particulier vis-à-vis des États-Unis que s'usèrent les dernières forces de Beaumarchais.

Plus près, plus accessible, mais aussi difficile à recouvrer, est sa créance sur l'État français. L'insuccès de son affaire de fusils n'empêche point qu'il a versé

750.000 francs en bons écus sonnants et trébuchants et en bons titres, qu'on lui a versé en assignats l'équivalent d'un demi-million et qu'il les a plus que dépensés pour le compte de son pays, en cautionnements vis-à-vis de la Hollande, en frais de transports de fusils, et enfin en paiement de ces armes, dont il peut seulement déduire la somme infime que l'Angleterre en a offerte.

Naturellement, on nomma une commission qui, avec les lenteurs et la prudente circonspection dignes de tout organe administratif, termina ses travaux en déclarant l'État débiteur de Beaumarchais pour la somme totale de 997.875 francs, sans oublier les centimes. Beaumarchais s'en serait contenté. Mais, trouvant sans doute ingénieuse et noble la conduite de l'Amérique, le Directoire, après le Coup d'État du 11 mai 1798 et la banqueroute, nomma à l'instar des États-Unis une contre-commission, un succédané d'Arthurs Lees français : et voilà que l'infortuné Beaumarchais apprend avec stupéfaction que les nouveaux arbitres le laissent débiteur du Trésor pour 500.000 francs !

Le voilà donc, en pleine déconfiture d'une fortune jadis magnifique, obligé de vivre très petitement, et de batailler contre les deux grandes Républiques du monde : pauvre pygmée ! Il n'obtint rien ni de l'une ni de l'autre, et ce fut à grand peine qu'il parvint à ne rien leur payer : écrivant à un ami, et l'entretenant de son gendre, et de sa fille qui attend un enfant, il dit : « Ils auront du pain, mais c'est tout, à moins que l'Amérique ne s'acquitte envers moi, après vingt ans d'ingratitude... »

Ces pénibles revers n'empêchent pas Beaumarchais, quoique soucieux de l'avenir, de rester jovial et bon vivant, et de dépenser une activité encore considérable. Il est en relations avec la fleur de la haute société, comme autrefois ; il écrit aux quelques amis qui lui restent, il continue à obliger quantité de malheureux : Mme Goëzman, veuve et misérable, est trop heureuse de recevoir des subsides de « l'homme atroce » qu'elle a déchiré il y a vingt et des années. Une autre, aussi, a reparu. C'est Amélie Houret. Elle vit à la diable, elle aussi, depuis que Manuel est mort ; elle apprend gentiment à Beaumarchais que Manuel était son bon ami, en 1792, quand il est venu le délivrer, à l'Abbaye, et que c'est pour elle qu'il a accepté cette mission.

Et Beaumarchais — la chair est faible — ensorcelé à nouveau par cette femme si belle, si cyniquement spirituelle, si naïvement vicieuse, Beaumarchais qui a soixante-cinq ans, qui aime sa femme, adore sa fille et est grand-père, Beaumarchais qui ne se sent pas vieillir ou qui ne veut pas le sentir, demande des rendez-vous à Amélie Houret, y court en cachette comme un collégien, et lui écrit des lettres effroyablement sensuelles et d'une crudité, d'un libertinage incroyables.

Vieux beau !

Elle lui coûte cher, naturellement ; parfois ils se disputent, ils se boudent pendant trois jours : Beaumarchais lui reproche de ne plus l'aimer.

« Tu ne m'aimes plus, je le sens malgré tout ce que tu m'écris ; je ne m'en plains pas, je suis vieux et trop infortuné pour être aimable... Ce temps, Amélie, s'est passé, et le charme non raisonné d'une réciprocité de ce culte religieux par lequel deux amants cherchent à se prouver que tout est chose l'un de l'autre, est fini pour nous deux... Je n'irai pas chez toi disputer sur les différences de nos façons de nous aimer, dont tu ne rends la tienne autant austère que bégueule que pour l'insipide plaisir de vouloir me prouver que ton amour est le plus délicat !... Ta triste supériorité m'attriste et détruit mon bonheur *naïf* (!) »

Puis l'étonnante folie reprend le vieil homme. Cette femme le tiendra jusqu'à son dernier jour.

Il a heureusement beaucoup d'autres occupations qui l'empêchent d'être trop à elle. Allié par la famille de son gendre à celle du général Mathieu Dumas, il y rencontre, dans un grand déjeuner, toute la haute société du moment, entre autres le général Moreau, Boissy d'Anglas, Tronçon du Coudray, Kellermann, le général Menou, le général Dumas, Portalis, Desaix, et d'autres, et il se déclare enchanté de cet « excellent extrait de la République française ». Enthousiasmé des succès de Bonaparte en Italie et en Égypte, il brûlait de le rencontrer, et lui écrivait par l'intermédiaire de Desaix ; il s'occupait activement aussi de la reprise de ses pièces et au Français, où on donnait *La Mère Coupable*, les spectateurs lui rendirent un hommage digne de celui de Voltaire en 1778 : Beaumarchais parut sur la scène parmi ses acteurs, au milieu de l'enthousiasme général. Il se lançait à nouveau dans la polémique par deux articles provoltairiens dans les journaux, en réponse aux reproches qu'on lui faisait de partager l'incrédulité du feu grand homme ; et il continuait à se débattre contre les créanciers et contre les débiteurs récalcitrants : sur son dossier de rapports avec la contre-commission française, le déclarant redevable à l'État d'un demi-million, il écrivait :

« Mes rapports avec la foutale commission intermédiaire. »

Il s'occupait activement, auprès du ministre autorisé, à réclamer le transport du corps de Turenne, qui se trouvait parmi les squelettes d'animaux du Museum, jusqu'à son beau cénotaphe.

Il correspond avec les quelques vieux amis qui vivent encore, dont Théveneau de Morande, le loup devenu berger, sagement retiré dans sa bourgade natale.

Avec Talleyrand, Baudin des Ardennes, Dupont de Nemours et les ministres, il discute de questions sociales, économiques et philosophiques à l'ordre du jour, avec l'ami Gudin il parle du bon vieux temps, mais il se met au diapason du nouveau, et termine ses lettres par la formule Directoire consacrée : « Salut, estime, vénération ». A Collin d'Harleville et à Marsolier, il sert de critique littéraire.

Il continue à composer des chansons, des mémoires politiques aussi : ne va-t-il pas jusqu'à demander au Directoire, malgré ses soixante-six ans et sa surdité, qu'on l'envoie en mission aux États-Unis, avec lesquels nos rapports diplomatiques étaient très tendus en 1798 ; il en aurait profité pour présenter sa note. Ce qui ne l'empêchait pas, toujours plaisant, de faire graver sur le collier de sa chienne :

« Je suis Mlle Folette, Beaumarchais m'appartient. Nous demeurons sur le boulevard. »

*
* *

Quiescit tandem.

1799... Le mois de mai faisait éclater les bourgeons, et Beaumarchais, au bras de sa femme, se promenait dans son jardin, le soir jusqu'aux étoiles ; puis Mme de Beaumarchais le forçait à rentrer, de peur qu'il ne prît froid. Alors on s'installait au salon, on lisait les gazettes, on jouait un peu de clavecin : comme rue Saint-Denis soixante ans avant... Le décor est plus somptueux, les personnages plus affinés, mais c'est tout. Il n'y manque que la pauvre Julie, hélas, morte un an avant, et bonne fille jusqu'à la fin. En revanche il y a la toute petite, la fille d'Eugénie, que Beaumarchais fait sauter sur ses genoux.

Mais voilà qu'arrive Bossange, le libraire-éditeur dont Beaumarchais a fait son ami. Bossange pose son tricorne, salue la compagnie, tire sa tabatière, offre une pincée de poudre à Beaumarchais, et s'installe vis-à-vis, tandis qu'Eugénie est allée chercher le damier. Ces Messieurs placent leurs pions, jouent trois ou quatre parties, interrompues par de longs échanges de souvenirs.

« — C'était en septante-huit, disait Bossange. — Ah, non, c'était en septante-quinze, mon jeune ami », reprenait Beaumarchais, souriant ; « n'est-ce pas, Gudin ? » Et Gudin acquiesçait, et Bossange déclarait, hochant la tête : « Ma foi, Monsieur Beaumarchais, vous devez avoir raison. Vous avez une fameuse tête tout de même ! et quand je pense que jamais personne ne m'avait battu aux dames avant vous, que, tous les soirs, je me dis en venant : Mon petit, ce soir, il faut prendre ta revanche ! Et que vous me battez toujours ! Quoique vous entrepreniez, on dirait que vous n'avez fait que cela toute votre vie ! Horloger, n'ayant pas seulement vingt-deux ans, vous inventez un nouveau système. Musicien, vous vous montrez professeur habile, et mécanicien hors pair ; vous tâtez du négoce et de la diplomatie, et vous en remontrez aux plus forts ; vous composez des pièces de théâtre, et dans tous les genres vous vous élevez bien au-dessus de l'ordinaire ; vous êtes armateur, éditeur, fournisseur de munitions aux

Américains, de fusils aux Français, d'argent aux nécessiteux, de places à ceux qui en cherchent, d'esprit à ceux qui n'en ont pas, et vous vous faites aimer de tous vos amis et adorer de toutes les femmes qui vous approchent. Vous avez soixante-sept ans, et vous avez l'air plus jeune que moi, et vous me battez aux dames, et vous rectifiez mes erreurs historiques ; vous nous enterrerez tous ici, autant que nous sommes ; quel diable d'homme vous faites ! »

Beaumarchais riait.

Bossange se leva, reprit son tricorne, ferma bien haut sa jaquette de vieux jacobin, dit au revoir, et s'en fut, tapotant le pavé du bout de sa canne à bec de corbin. Gudin partit avec lui, devisant.

Beaumarchais embrassa les siens, et monta se coucher.

Le lendemain matin, le 18 mai 1799, on le trouva mort dans son lit : apoplexie.

Il était parti en silence, sans déranger personne.

Il n'avait pas souffert, et reposait, l'air calme, souriant même, comme bercé par un sommeil paisible. Ses rides s'étaient effacées, son teint était devenu uniforme. Il dormait pour l'éternité.

. . . .

« Un homme ? Il descend comme il est monté, se
« traînant où il a couru ; puis les dégoûts... les mala-
« dies..., une vieille et débile poupée... une froide
« momie, un squelette, une vile poussière, et puis
« rien..., rien... »

SOURCES

Inédites :

ARCHIVES NATIONALES : *Pièces concernant l'affaire Goëzman* (1774).

ID. : *Pièces concernant l'affaire des fusils* (1792 sq.).

BRITISH MUSEUM : *Correspondance de Beaumarchais* (1778-98).

AFFAIRES ETRANGÈRES : *Pièces concernant l'Amérique* (1775-1785).

Imprimées :

LOUIS DE LOMÉNIE : *Beaumarchais et son temps* (1854).

EUG. LINTILHAC : *Beaumarchais, sa vie et son œuvre* (thèse) (1887.)

P. BONNEFON : *Beaumarchais* (1887).

A. HALLAYS : *Beaumarchais (Les Grands Ecrivains Français)* (1899).

PAUL HUOT : *Beaumarchais en Allemagne* (1868).

ANTON BETTELHEIM: *Beaumarchais, Eine Biographie* (1886).

ÉDOUARD FOURNIER : *Beaumarchais, œuvres complètes* (1876).

LOUIS THOMAS : *Beaumarchais, lettres de jeunesse* [1754-1775] (1923).

EUGÈNE MARSAN : *Beaumarchais et les Affaires d'Amérique* (1823).

GUDIN DE LA BRENELLERIE : *Histoire de Beaumarchais.* Éd. Tourneux (1888).

D'HEYLLI et MARESCOT : *Théâtre de Beaumarchais.*

MÉMOIRES DU XVIIIe SIÈCLE *(Mémoires secrets, Correspondance secrète, Correspondance dite de Grimm,* etc.).

TABLE

PREMIÈRE PARTIE :

DEUXIÈME PARTIE :

TROISIÈME PARTIE :